佛语禅心

禅林妙言集

张培锋 主编

天津出版传媒集团

天津人民出版社

图书在版编目(CIP)数据

　　禅林妙言集 / 张培锋主编. —— 天津：天津人民出
版社, 2017.5
　　（佛语禅心）
　　ISBN 978-7-201-11663-1

　　Ⅰ.①禅… Ⅱ.①张… Ⅲ.①禅宗–通俗读物 Ⅳ.
①B946.5–49

　　中国版本图书馆 CIP 数据核字(2017)第 091296 号

佛语禅心·禅林妙言集
FOYUCHANXIN　CHANLINGMIAOYANJI

张培锋 主编

出　　版	天津人民出版社	
出 版 人	黄　沛	
地　　址	天津市和平区西康路 35 号康岳大厦	
邮政编码	300051	
邮购电话	(022)23332469	
网　　址	http://www.tjrmcbs.com	
电子信箱	tjrmcbs@126.com	

策划编辑	沈海涛	
	韩贵骐	
责任编辑	伍绍东	
装帧设计	汤　磊	

印　　刷	河北鹏润印刷有限公司	
经　　销	新华书店	
开　　本	880×1230 毫米　1/32	
印　　张	13	
字　　数	180 千字	
版次印次	2017 年 5 月第 1 版　2017 年 5 月第 1 次印刷	
定　　价	58.00 元	

出版说明

　　佛教在中国两千余年的发展过程中，早已经融入中华文明的发展进程，成为中国传统文化的重要组成部分。在漫长的发展中，涌现出大量的经典以及阐述佛理的文献和为数众多的诗文作品，这些文献一方面是重要的宗教史料，同时其中的很多篇章也是精美的文学作品，它们为中国古代文学的发展注入了新的精神和活力，丰富了古代文学的思想内涵、表现手法，在相当长的时期内，对于整个中国思想文化、社会习俗等，产生了强烈而深远的影响，不了解这些，也就无法真正了解中国古代的文化和文学。很多作品在今天读起来，也仍然具有生命力，富有情趣，可以丰富人们的精神生活，加深对博大精深的中国传统优秀文化的理解。为此，我们面向广大具有中等文化程度以上的读者，编撰了这套试图集中而全面地反映中国古代佛教文学发展面貌的作品集。作品收录的范围基本上涵盖了整个古代时期，个别文集下限到民国前期。

　　这部中国佛教文学作品集总名为"佛语禅心"，由天津大悲禅院智如方丈担任总策划，南开大学文学院张培锋教授担任主编，参与作品集编选工作的主要是南开大学文学院中国古代文学专业的博士生、硕士生。"佛语禅心"系列共计六册，具体编选注释者分别为：

1.《佛典撷英集》，张培锋选注

2.《佛经故事集》，王芳、王虹选注

3.《佛教美文集》，张培锋选注

4.《佛禅歌咏集》，孙可选注

5.《禅林妙言集》，吕继北、罗丹选注

6.《高僧山居诗》，张培锋整理

天津大悲禅院积极支持社会慈善和文化事业，为这部佛教文学作品选的编选和出版也提供了良好的条件。除智如方丈担任全书总策划并亲自写了"总序"之外，大悲禅院还为本书的出版提供了一定的资金支持。书稿在编辑过程中，经过国家权威部门的审定，并几经刊校，我们相信，它定将成为一部面向广大读者的优质的佛教文学读本。

编　者

2016 年 10 月

总　序

　　佛法浩瀚精深,微妙广大。在佛教近三千年的发展过程中特别是传入中国以后的两千余年中, 涌现出数量巨大的经典文本和演绎佛法宗旨的文学作品, 皆演说佛教精深广博的思想,抒发超尘越世之情怀,这些作品共同构成了汉传佛教的宝藏,而佛教文学则是这座宝藏中的一颗璀璨明珠。

　　佛教文学的概念可以分为狭义和广义两种。从狭义上说,只有佛教经典之中的文学创作才能叫做佛教文学作品, 收于《大藏经》中的诸多佛陀本生、譬喻,乃至诸多大乘经典都堪称精美的文学作品;而从广义上说,既包括那些直接宣扬佛教教义的文学作品,也包括那些受到佛教某种影响,或者利用佛教题材以至在某些方面和佛教有关联的作品, 都可以视为佛教文学创作。佛教传入中国以来,不仅历代高僧们翻译了大量富有文学价值的佛经,其他诸如古代高僧名士之间的诗文酬唱、论辩演说乃至一句一偈甚或禅门之一棒一喝,皆包含深厚的文学意蕴,是中国古代文学遗产中价值巨大的无数瑰宝中不可忽视的一部分。中土的佛门龙象、历代大德以及广大的信徒,继承并发扬了佛教本有的文学传统, 在中国文化的背景下，创造出数量众多、内容丰富、形式多样的佛教文学作品，其创作和传播之所以经久不衰，主要原因在于教团内外的广大信众对三世诸佛、诸大菩萨和佛陀教法有着强烈、热诚的信仰之心，文学创作则是表达这种信仰的极其方便、有效的手段。用这样的心灵创作出来的文学作品，必然是杰出的作品，因为它是从吾人真心自然流现出来的，所谓"心光朗照"，"法喜充满"。一个人在这种状态下写出的作品，较之那些矫揉造作的作品要高明很多。历史上很多高僧似乎并没有在文学方面投入太多精力，但是他们写出的作品却相当高明，甚至可以说难以企及，其道理即在于此。

比如佛典翻译文学中艺术水平相当高的"本生""譬喻"故事经典，不仅生动、风趣，而且具有普遍的训喻意义，它们赞美、宣扬了佛陀在无量的时空中自利利他、大慈大悲的伟大精神和勇于牺牲、济度有情的动人业绩，读来令人感动不已。大乘佛教经典的翻译更不乏《妙法莲华经》《维摩诘经》《首楞严经》等语言典雅、义理丰厚的精彩译笔，这些佛典本身已成为中国古代语言艺术的经典和宝库。唐宋以来，禅宗丛林以及好佛士大夫之中更有许多文学修养非常高的人。他们本来就能诗善艺，运用佛门偈颂等形式以及中国传统诗文手法，演说佛法，表达志向，即使从一般诗文艺术角度看，他们的文字也达到了相当高的水平，堪称清新隽永，字字珠玑，列于历史上优秀的文学作品之中而毫无逊色。佛门中的论辩、说理文字更是文字晓畅，析理透彻，议论滔滔，颇有气势，显示出高超的论辩技巧；禅门语录则随机说法，头头是道，也显示出禅门大德高超的语言技能。明清以来的清言小品乃至名山古刹之楹联对句,皆渗透着"超以象外"的禅意,参悟人生,得意忘言,灵犀一点,心照不宣。总之,佛教文学在整个中国古代文学发展和佛教自身发展中占有双重的重要地位,是中华传统文化的宝贵遗产之一,值得我们高度重视和珍惜。

天津大悲禅院近年来在扩建寺院、营造、建设良好的寺院环境的同时,也高度重视精神文化的建设,力求为弘扬祖国传统文化、为当代中国社会的健康发展和人们精神境界的提升做一些力所能及的奉献。有鉴于佛教文学的重要作用,我们诚邀长期致力于佛教文学研究、成果卓著的南开大学文学院博士生导师张培锋教授担纲,主持编辑一套中国佛教文学作品丛书,定名为"佛语禅心",参与编写者为南开大学主攻佛教文学专业的博士生、硕士生。按照全书的设计体例,本套丛书共包含6册,分别为:

1.《佛典撷英集》

从佛教藏经中选择出最精彩、最精华的佛经全文或段落,体现佛教经典文辞之精、义理之美。一册在手,了解最基本的佛法佛理。

2.《佛经故事集》

精选譬喻类、本生类、传记类等佛教典籍,揭示其中体现的佛理,阐扬大乘佛教之菩萨精神,同时体现翻译佛典对于中国古代叙事文学的深刻影响。

3.《佛教美文集》

精选历代僧俗阐发佛教之散文作品,包括论、序、记、赋、传、疏等各类文体,体现中国古人对佛教之深刻理解与发挥,展现佛教文道合一之精神。

4.《佛禅歌咏集》

精选历代僧俗阐发佛理之韵文作品,包括诗词、偈颂、歌赞等各类文体,以见佛教思想与中国古代诗歌的完美融合,展现佛教诗禅一体之精神。

5.《禅林妙言集》

精选禅门语录、灯录及格言、楹联等体裁作品,阐发其中的佛理禅意,既有明心见性之道,亦有为人处世之法,展现佛教真俗不二之宗旨。

6.《高僧山居诗》

以民国时期忏庵居士所编《高僧山居诗》为蓝本,对历代高僧山居诗详加注释,揭示其中深刻佛理,突出高僧大德绝尘离俗同时又融修行于日常生活之精神。

以上六册作品,基本涵盖了中国佛教文学的主要体裁和经典作品。编者对所选文本皆做了精细校勘和注释,力求简明扼要、准确无误而又深入浅出。通过文本的注释和解读,一方面揭示中国佛教文学的巨大成就,另一方面起到宣传和普及佛法的作用。本套丛书的这种设计、编撰思想应该说是很有新意的,期待它出版能够为广大读者提供一份精美的精神食粮,也为促进和推进中国佛教文学的研究提供一种有益的帮助借鉴。

我们一向认为,佛教信仰是一种理智的信仰,绝非盲从迷信。要做到智信而非迷信,将佛教文学融入到佛陀教育之中是其中重要的一环。学佛必须明理,明理就需要逐渐提高学佛者的文化层次,让人们浸润其中,陶冶性情,潜移默化,选读佛教文学中这些精华的作品则是发挥这种作用的一种良好而有效的途径。张培锋教授和各位编写者为这部丛书的完成付出了巨大的精力和不懈的努力,在此深表谢意!是为序。

湛山门下　智如

2016 年 10 月 8 日农历九月初八

目录

语 录

格　言

楹　联

语　录

《善慧大士语录》

[南朝梁]傅翕[1]

1.初大士在世之日,常与弟子说无为大道[2],诸法因缘,曰:"无为大道者,离于言说。""何谓离言说?""说者无示,听者无闻,学者为得。""何谓说无示,听无闻,学无得?"答曰:"说者无方[3]故无示,听者无受故无闻,学者无取故无得。""何以故?""尔法无色,离形相故;法无受,离取舍故;法无行,离足迹故;法无名字。离分别故。如是道者即是为真一,真一之道即无漏之道。""何谓无漏?""断绝攀缘[4],究竟无染,上不为结使[5]所牵,漏落三界[6],流转生死;下不为结使所牵,漏落三涂[7]、地狱,受诸苦恼,故言无漏。无漏之道,即寂定无为,岿然常住。""何谓为常?""虽复俗去时移,常存不异。常住之道即是圣道。""何谓圣道?""圣者,正也。若论正,即是不动。若论不动,即是定。若论定,即是调直。若论调直,即是平。若论平,即是和。若论和,即是僧。僧者,复有三义:一者意业无所作;二者口业无所作;三者身业无所作[8]。名之为僧,亦名法师。法师者,复有三义:一者履践如如,体一无相;二能弘宣正典,晓真不二;三能善巧方便化彼群生。"

1

【注释】

[1]善慧大士:傅翕(xī)(497~569),南朝梁代禅宗著名之尊宿。东阳郡乌伤县(浙江省义乌县)人,字玄风,号善慧。又称善慧大士、鱼行大士、傅大士、双林大士、东阳大士、乌伤居士。十六岁娶妻,生两子普建、普成。二十四岁时,遇梵僧嵩头陀知往因,在松山之双梼树间结庵,自称当来解脱善慧大士。苦行七年,宴坐之间,见释迦金粟定光三佛。据称有神异,深受梁武帝敬重。

[2]无为:无因缘造作,又无生、住、异、灭四相之造作。《华严大疏》十六:"以有所作为,故名有为。有为是无常,无所作为,故名无为。无为即是常也。"

[3]无方:无一定之方所,无一定之方法。方,方所、方法。

[4]攀缘:攀取缘虑,凡夫由于以妄想缘取三界诸法,故乃产生种种烦恼。

[5]结使:烦恼的异名。击缚心身,结成苦果,所以叫做结。随逐众生又驱使众生,所以叫做使。结有九种,使有十使。

[6]三界:佛教世界观用语。指众生所存在的三种界域。又称"三有"。分别为欲界、色界和无色界。欲界,指有食欲、淫欲、睡眠欲之处,即地狱、饿鬼、畜生、修罗、人间及六欲天。色界,指有净妙色法之处,即四禅天。无色界,指无有色法之处,即四无色天,或说尚存微细色法之处。

[7]三涂:又作三途。指火涂、刀涂、血涂。分别指地狱、饿鬼、畜生三趣。又称作三恶趣、三恶道。

[8]意业、口业、身业合称三业。身业是身所作业,口业是

口所说业,意业是意所起业。

2.问曰:"夫物生有死,事成有败,生心趣道,宁得久住常乐,何者是魔业?"答曰:"有为诸行。""何谓诸行?""悭心[1]是行地,贪心是行地,杀害心是行地,食噉[2]众生心是行地,偷盗心是行地,瞋[3]心是行地,邪妒心是行地,损他利己心是行地,调戏心是行地,歌舞心是行地,绮语妄言心是行地,恶口两舌[4]心是行地,嫉能妒贤心是行地,爱憎心是行地,彼我心是行地,互争胜负心是行地,相凌灭心是行地,相斗打心是行地,一切诸慢[5]心是行地,我人心是行地,不慈不孝心是行地,无惭无愧心是行地,违恩背义心是行地,不谦让心是行地,相诽谤心是行地,毁呰[6]心是行地,世间非道理心是行地,不恭敬心是行地,眼贪华艳之色是行地,耳贪非法之声是行地,鼻贪非法之香是行地,舌贪非理之味是行地,身贪细滑是行地,意缘恶境是行地。一切有为诸行,若善若恶,皆是魔业也。此诸行流转生死,无有休息,常处暗宅,永劫长夜,无有光明,急须远离。"

【注释】

[1]悭(qiān)心:心被悭吝贪屡所迷惑,而不行布施;或虽行布施,也不将好的东西给别人,称为悭心。

[2]噉(dàn):同"啖",吃。

[3]瞋:生气。又作恚、怒、瞋恚或瞋怒,三毒之一。《成唯识论》卷六:"云何为瞋?于苦苦具憎恚为性,能障无瞋,不安隐性。恶行所依为业,谓瞋必令身心热恼,起诸恶业,不善性故。"

[4]两舌:搬弄是非,挑拨离间,十恶业之一。

3

[5]慢：傲慢，恃己而凌他。

[6]毁呰（zǐ）：毁谤，非议。

《马祖道一禅师广录》
[唐]道一[1]

1.汝等诸人，各信自心是佛，此心即佛。达磨[2]大师，从南天竺国来至中华，传上乘一心之法，令汝等开悟。又引《楞伽经》，以印众生心地，恐汝颠倒不信。此一心之法，各各有之，故《楞伽经》以佛语心为宗，无门为法门。夫求法者，应无所求，心外无别佛，佛外无别心。不取善，不舍恶，净秽两边，俱不依怙。达罪性空，念念不可得，无自性故。故三界唯心，森罗及万象，一法之所印，凡所见色，皆是见心。心不自心，因色故有。汝但随时言说。即事即理，都无所碍，菩提道果[3]，亦复如是。于心所生，即名为色，知色空故，生即不生。若了此意，乃可随时着衣吃饭，长养圣胎[4]，任运过时，更有何事？汝受吾教，听吾偈曰："心地随时说，菩提亦只宁。事理俱无碍，当生即不生。"

【注释】

[1]道一（709~788）：汉州（四川广汉）人，俗姓马，世称马大师、马祖，名道一。唐代著名禅僧，南岳怀让禅师法嗣，洪州宗的创始人。马祖以"平常心是道""即心是佛"大弘禅风，入室弟子有百丈怀海、南泉普愿、大梅法常等一百三十九人。《马祖道一禅师广录》收录了马祖道一、百丈怀海、大珠慧海等人的机缘对话，揭示了"平常心是道"的主旨。

[2]达磨：又称菩提达摩，又作达摩，是中国禅宗初代祖师，与宝志禅师、傅大士合称梁代三大士。关于达摩法师生平事迹的传说很多，相传他是南天竺香至国国王之第三子，从般若多罗学道，与佛大先并称为门下二甘露门，四十年之后受衣钵，在南北朝刘宋(470~478)间，乘船来到中国传法，后因与梁武帝意见不合，转投嵩山少林寺面壁坐禅，后传法慧可。据称达磨曾做偈："吾本来此土，传法救迷情。一华开五叶，结果自然成。"预言了中国禅宗的未来。其主要理论有"二入四行论"，"二入"指"理入"与"行入"二种修行方法。理入属于教理思惟，要求舍伪、归真、认识、解决问题；行入属于教法实践，教人去掉一切爱憎情欲，依佛教教义践行。即禅法理论与实践相结合的教义。

[3]道果：道，菩提。果，涅槃。由菩提之道而证涅槃之果，所以叫做道果。

[4]长养圣胎：长养，生长、养育。圣胎，指菩萨修行阶位中之十住、十行、十回向等三贤位。因其以自种为因，善友为缘，闻正法而修习长养，至于初地而见道，生于佛家，所以叫做圣胎。

2.道不用修，但莫污染。何为污染？但有生死心，造作趋向，皆是污染。若欲直会其道，平常心是道。何谓平常心？无造作，无是非，无取舍，无断常，无凡无圣。经云："非凡夫行，非圣贤行，是菩萨行。"[1]只如今行住坐卧，应机接物，尽是道。道即是法界[2]，乃至河沙[3]妙用，不出法界。若不然者，云何言心地法门[4]？云何言无尽灯[5]？一切法，皆是心法；一切名，皆是心名。万法皆从心生,心为万法之根本。经云:"识心达本源,故号为沙门。"[6]名等义等,一切诸法皆等,纯一无杂。若于教门中得,随时自在。建立法界,尽是法界;若立真如[7],尽是真如。若立理,一切法尽是理,若立事,一切法尽是事。举一千从,理事无别,尽是妙用,更无别理,皆由心之回转。譬如月影有若干,真月无若干;诸源水有若干,水性无若干;森罗万象有若干,虚空无若干;说道理有若干,无碍[8]慧无若干。种种成立,皆由一心也。

【注释】

[1]出自《维摩诘所说经·文殊师利问疾品》。

[2]法界:指意识所缘的一切境界,十八界之一。法,轨持。指一切事物都能保持各自的特性,互不相紊,能让人理解究竟是什么事物。界,种族、分歧。指分门别类的不同事物,各守其不同的界限。

[3]河沙:恒河沙的简称,比喻数量之多。

[4]心地法门:心地,一释戒,戒以心为本,就好像世间以大地为基;又指菩萨的十信、十住、十行、十回向、十地等五十位之心(菩萨的阶位)。菩萨系根据心而修行,所以喻心为地;在禅宗中,心地也有达摩所传之菩提的意思。法门,修行者入道的途径。

[5]无尽灯:用灯火的无尽比喻教化的无尽。以一人之法展转开导百千人,就好像以一灯点燃百灯。

[6]出自《楞严经宗通》。

[7]真如:真,真实。如,如常。真如指遍布于宇宙中真实本

体,一切万有的根源。《唯识论》:"真谓真实,显非虚妄。如谓如常,表无变易。谓此真实于一切法,常如其性,故曰真如。"

[8]无碍:没有障碍,自在通达。《往生论注》:"无碍者,谓知生死即涅槃,如是等入不二门无碍相也。"

《百丈怀海禅师广录》

[唐]怀海[1]

1.问:"如何是大乘入道顿悟法要?"师云:"你先歇诸缘,休息万事,善与不善,世出世间,一切诸法,并皆放却,莫记莫忆,莫缘莫念,放舍身心,全令自在,心如木石,口无所辩。心无所行,心地若空,慧日自现,如云开日出。但歇一切攀缘,贪嗔爱取,垢净情尽,对五欲八风[2]不动,不被见闻觉知所阂[3],不被诸法所惑,自然具足一切功德,具足一切神通妙用,是解脱人。对一切境法,心无净乱,不摄[4]不散,透一切声色,无有滞阂,名为道人。善恶是非,俱不运用,亦不爱一法,亦不舍一法,名为大乘人。不被一切善恶,空有垢净,有为无为,世出世间,福德智慧之所拘系,名为佛慧。是非好丑,是理非理,诸知解情尽,不能系缚,处处自在,名为初发心菩萨。便登佛地。"

【注释】

[1]怀海(720~814):唐代著名禅僧,福州长乐县人,马祖道一禅师法嗣,我国禅宗丛林清规的制定者。百丈怀海禅师早年依潮阳西山慧照出家,从衡山法朗受具戒,后参学于马祖道一禅师,侍奉道一十六年,得到印可。

[2]五欲八风：五欲，染着色、声、香、味、触五境而起的五种情欲。八风，又名八法。世有八法，为世间所爱憎，能煽动人心，所以叫八风，分别为利、衰、毁、誉、称、讥、苦、乐。

[3]阂(hé)：阻碍，阻隔。陆机《文赋》："恢万里而无阂。"

[4]摄：收敛，收紧。

2.问："对一境，如何得心如木石去？"师云："一切诸法，本不自言，空不自言，色亦不言，是非垢净，亦无心系缚人，但为人自生虚妄系着，作若干种解会，起若干种知见，生若干种爱畏。但了诸法不自生，皆从自己一念妄想颠倒取相而有，知心与境，本不相到，当处解脱，一一诸法，当处寂灭，当处道场。又本有之性，不可名目，本来不是凡，不是圣，不是垢净，亦非空有，亦非善恶，与诸染法[1]相应，名人天二乘界[2]。若垢净心尽，不住系缚，不住解脱，无有一切有为无为缚脱心量，起于生死，其心自在，毕竟不与诸妄虚幻尘劳、蕴界生死诸人和合，迥然[3]无寄，一切不拘，去留无阂，往来生死，如门开相似。"

【注释】

[1]染法：染污法的简称，指烦恼，或源自烦恼的不善、有覆之法，因为其能染污善心、净心，所以称为染污法。

[2]人天二乘：人乘、天乘为佛教五乘中的二乘。五乘分别为人、天、声闻、缘觉、菩萨。乘，运载众生到善地的教化法门。人乘，乘五戒之行法而生于人间者。天乘，乘十善之行法而生于天上者。

[3]迥(jiǒng)然：高远的样子。

3.夫学道人,若遇种种苦乐称意不称意事,心无退屈,不念一切名闻利养衣食,不贪一切功德利益,不为世间诸法之所滞碍,无亲无爱,苦乐平怀,粗衣遮寒,粝[1]食活命,兀兀[2]如愚,如聋如哑相似,稍有相应分。若于心中,广学知解,求福求智,皆是生死,于理为益,却被知解境风之所飘溺[3],还归生死海里。佛是无求,人求之理乖[4];理是无求,理求之即失。若着无求,复同于有求;若着无为,复同于有为。故经云:"不取于法,不取非法,不取非非法。"[5]又云:"如来所得法,此法无实亦无虚。"[6]但能一生心如木石相似,不被阴界诸入五欲八风之所飘溺,即生死因断,去住自由,不为一切有为因果所缚,不被有漏[7]所拘。他时还以无自缚为因,同事利益,以无着心,应一切物,以无碍慧,解一切缚,亦云应病施药。

【注释】

[1]粝(lì):粗米,粗粮,粗糙饭食。

[2]兀兀:昏昏沉沉。寒山《诗》:"兀兀过朝夕,都不别贤良。好恶总不识,犹如猪及羊。"

[3]飘溺:被洪水冲走淹没。

[4]乖:背离,不一致。

[5]出自《楞严经宗通》。

[6]出自《金刚般若波罗蜜经》。

[7]有漏:与无漏对应,指由于烦恼产生的苦果,使人在死生苦海中流转不停。漏,烦恼。《俱舍论》:"诸境界中,流注相续,泄过不绝,故名为漏。"

4.问:"如何是心解脱,及一切处解脱？"师云:"不求佛,不求法,不求僧。乃至不求福智知解等,垢净情尽,亦不守此无求为是,亦不住尽处,亦不忻[1]天堂、畏地狱,缚脱无碍,即身心及一切处皆名解脱。汝莫言有少分戒[2],身口意净,便以为了,不知恒沙戒定慧[3]门,无漏[4]解脱,都未涉一毫毛。努力向前,须猛究取,莫待耳聋眼暗,面皱头白,老苦及身,悲爱缠绵,眼中流泪,心里惝惶,一无所据,不知去处。到恁时节,整理手脚不得也,纵有福智名闻利养,都不相救。为心慧未开,唯念诸境,不知返照,复不见佛道,一生所有善恶业缘,皆悉现前,或忻或怖,六道五阴[5],俱时现前,尽敷严[6]好,舍宅舟船车舆,光明显赫,皆从自心贪爱所现,一切恶境,皆悉变成殊胜[7]之境,但随贪爱重处,业识[8]所引,随着受生,都无自由分,龙畜良贱,都总未定。"

【注释】

[1]忻(xīn):喜悦,高兴。

[2]少分戒:指在家男女信众受三皈依已,受持二戒。

[3]戒定慧:并称三学、三无漏学,戒律、禅定和智慧。防非止恶为戒,息虑静缘为定,破恶证真为慧。学这三法便可以达到无上涅槃。

[4]无漏:无烦恼、无染污的境界。

[5]六道五阴:六道,众生因善恶业流转轮回的道途,分别为地狱、饿鬼、畜生、阿修罗、人、天。五阴,即五蕴,指构成一切有为法的五种要素,分别为色、受、想、行、识。

[6]敷严:同"敷衍",叙述并发挥。

[7]殊胜：超绝、稀有。

[8]业识：有情流转的根本识。《起信论》："一者名为业识，谓无明力不觉心动故。"

《潭州沩山灵佑禅师语录》

[唐]灵佑[1]

1.百丈云："汝拨炉中有火否？"师拨之云："无火。"百丈躬起，深拨得少火，举以示之云："汝道无，这个聻[2]。"师由是发悟礼谢，陈其所解。百丈云："此乃暂时岐路耳。经云：'欲识佛性义，当观时节因缘。'[3]时节既至，如迷忽悟，如忘忽忆，方省[4]已物不从他得。故祖师云：'悟了同未悟，无心亦无法。'[5]只是无虚妄，凡圣等心。本来心法元自备足，汝今既尔，善自护持。"

【注释】

[1]灵佑(771~853)：福州长溪(福建霞浦县南)人，唐代著名禅僧，沩仰宗的创始人。十五岁出家，在杭州龙兴寺受具足戒。曾经先后遇到寒山、拾得，后得法于百丈怀海禅师，顿悟诸佛本怀。灵佑圆寂后，其弟子仰山慧寂继承他的学说并及其大成，世称沩仰宗。沩仰宗风为方圆默契，将主观与客观世界分为三种生，即想生、相生、流注生，并全部否定，只有直视而伏断之，才能证得圆明之智而达自在之境。另外，沩仰宗还继承了马祖道一和百丈怀海禅师"理事如如"的观点，认为万物、有情，都具有佛性，人若能明心见性，即可成佛。《潭州沩山灵佑

禅师语录》，郭凝之等编。

[2]聻(nǐ)：句末语气词，相当于"呢""哩"。

[3]出自《法华经通义》。

[4]省(xǐng)：醒悟，理解。

[5]出自《大光明藏》，五祖提多迦尊者说偈曰："通达本法心。无法无非法。悟了同未悟。无心亦无法。"

2.夫道人之心，质[1]直无伪，无背无面，无诈妄心，一切时中，视听寻常，更无委曲，亦不闭眼塞耳，但情不附物，即得。从上诸圣，只说浊边过患，若无如许多恶觉情见想习之事，譬如秋水澄渟，清净无为，澹泞[2]无碍。唤他作道人，亦名无事人。时有僧问："顿悟之人，更有修否？"师云："若真悟得本，他自知时，修与不修，是两头语。如今初心，虽从缘得，一念顿悟，自理犹有。无始旷劫[3]习气[4]，未能顿净，须教渠[5]净除现业流识，即是修也，不可别有法教渠修行趣向，从闻入理，闻理深妙，心自圆明，不居惑地，纵有百千妙义，抑扬当时，此乃得坐披衣，自解作活计始得。以要言之，则实际理地，不受一尘；万行门中，不舍一法。若也单刀直入，则凡圣情尽，体露[6]真常，理事不二，即如如佛。"

【注释】

[1]质：质朴，朴实。

[2]澹泞(dàn nìng)：水清且深的样子。白居易《送客回晚兴》："参差乱山出，澹泞平江静。"

[3]旷劫：旷，久远。劫，很长的时间单位。指遥远的过去。

《碧岩录》:"心有也,旷劫而滞凡夫;心无也,刹那而登妙觉。"

[4]习气:指烦恼在心中接续不断形成的余习。《大智度论》:"烦恼习者名烦恼残气,若身业、口业不随智慧,似从烦恼起,不知他心者,见其所起,生不净心;是非实烦恼,久习烦恼,故起如是业,譬如久锁脚人,卒得解脱,行时虽无有锁,犹有习在。"

[5]渠:第三人称代词,他。

[6]体露:物体全然显现。

《赵州和尚语录》

[唐]从谂[1]

1.师问二新到:"上座曾到此间否?"云:"不曾到。"师云:"吃茶去。"又问:"那一人曾到此间否?"云:"曾到。"师云:"吃茶去。"院主[2]问和尚:"不曾到,教伊吃茶去,即且致。曾到,为什么教伊吃茶去?"师云:"院主!"院主应喏,师云:"吃茶去。"

【注释】

[1]从谂(778~897):曹州郝乡人,唐代禅师,俗姓郝。曾参学于南泉普愿、黄檗希运等禅师。禅师一生宣扬南宗禅,玄言遍天下,其问答、示众等公案,如"狗子佛性""至道无难"等语俱脍炙人口。

[2]院主:又名寺主。禅家监事的旧名。

2.师上堂示众:"金佛不度炉,木佛不度火。泥佛不度水,

13

真佛内里坐。"菩提、涅槃、真如、佛性尽是贴体衣服，亦名烦恼，不问即无烦恼，实际理地什么处着？一心不生，万法无咎[1]。但究理而坐二三十年，若不会截取老僧头去！梦幻空花，徒劳把捉[2]！心若不异，万法亦然。既不从外得，更拘什么？

【注释】

[1]咎(jiù)：过错，过失。

[2]把捉：纠结，执持。

《传心法要》

[唐]希运[1]

1.师谓休曰："诸佛与一切众生，唯是一心，更无别法。此心无始已来，不曾生不曾灭，不青不黄，无形无相，不属有无，不计新旧，非长非短，非大非小，超过一切限量名言纵迹对待，当体便是，动念即乖，犹如虚空，无有边际，不可测度，唯此一心即是佛。佛与众生更无别异，但是众生着相外求，求之转失，使佛觅佛，将心捉心，穷劫尽形终不能得，不知息念忘虑佛自现前，此心即是佛，佛即是众生，为众生时此心不减，为诸佛时此心不添，乃至六度[2]万行[3]河沙功德，本自具足，不假修添，遇缘即施，缘息即寂，若不决定信此是佛，而欲着相修行以求功用，皆是妄想，与道相乖。此心即是佛，更无别佛，亦无别心，此心明净，犹如虚空无一点相貌，举心动念即乖法体，即为着相，无始已来无着相佛，修六度万行欲求成佛，即是次第[4]，无始已来无次第佛，但悟一心，更无少法可得，此即真佛。"

【注释】

[1]希运（？~855）：福州闽县人，唐代著名禅僧。少年出家于洪州黄檗山，相传他身材矮小，额间隆起，所以又号肉珠。据说他在游京师期间，经一姥指示见百丈怀海禅师，大开心眼，声誉颇高。其后回到黄檗山，深得裴休仰重。著有《传心法要》《宛陵录》等。《传心法要》是裴休等人所编，裴休（797~870），字公美，孟州济源人，一说河东闻喜人，唐代名相，同时也是著名居士，世称"河东大士"。裴休笃心向佛，在会昌法难期间作为朝廷重臣挺身护教，功不可没。裴休经常向黄檗希运禅师问法，并记录禅师言行，成《钟陵录》《宛陵录》各一卷，在唐大中十一年刊行，名为《黄檗希运禅师传心法要》，他本人还著有《劝发菩提心》一文。

[2]六度：又名六波罗蜜，六中从此岸到涅槃彼岸的法门，即布施、持戒、忍辱、精进、禅定、般若。

[3]万行：一切的行为和修行。

[4]次第：顺序。诸法因果流转，有一定的顺序。《百法直解》："次第者，依于诸法前后引生庠序不乱假立。"

2.九月一日师谓休曰："自达摩大师到中国，唯说一心，唯传一法，以佛传佛，不说余佛，以法传法，不说余法。法即不可说之法，佛即不可取之佛，乃是本源清净心也。唯此一事实，余二则非真。般若[1]为慧，此慧即无相[2]本心也。凡夫不趣道，唯恣六情[3]乃行六道，学道人一念计生死即落魔道；一念起诸见即落外道；见有生趣其灭，即落声闻道；不见有生唯见有灭，即落

15

缘觉道。法本不生,今亦无灭;不起二见,不厌不欣。一切诸法唯是一心,然后乃为佛乘也。凡夫皆逐境生心,心遂欣厌,若欲无境,当忘其心,心忘即境空,境空即心灭;若不忘心,而但除境,境不可除,只益纷扰。故万法唯心,心亦不可得,复何求哉?学般若人不见有一法可得,绝意三乘[4],唯一真实,不可证得。谓我能证能得,皆增上慢人,法华会上拂衣而去者,皆斯徒也。故佛言,我于菩提实无所得默契而已。凡人临欲终时,但观五蕴皆空、四大无我,真心无相,不去不来,生时性亦不来,死时性亦不去,湛然圆寂,心境一如。但能如是,直下顿了,不为三世所拘系,便是出世人也。切不得有分毫趣向,若见善相诸佛来迎及种种现前,亦无心随去;若见恶相种种现前,亦无心怖畏。但自忘心,同于法界,便得自在,此即是要节也。"

【注释】

[1]般若(bō rě):通达的真理,无上的妙慧。为达到彼岸必修的六度之一,又称六波罗蜜,其中般若波罗蜜是其他五波罗蜜的根据,居于最重要的地位。《智度论》:"般若者,秦言智慧。一切诸智慧中,最为第一,无上无比无等,更无胜者。"

[2]无相:真理绝众相。于一切相,离一切相。《大乘义章》:"言无相者。释有两义:一就理彰名,理绝众相,故名无相。二就涅槃法相释,涅槃之法离十相,故曰无相。"

[3]六情:(一)六根,即眼、耳、鼻、舌、身、意。(二)六种感情,喜、怒、哀、乐、爱、恶。

[4]三乘:三种交通工具,比喻运载众生渡越生死到达涅槃彼岸的三种法门,即声闻乘、缘觉乘、菩萨乘。声闻乘,即听闻

佛声教而悟道,知苦断集,慕灭修道,以这四谛为乘,又称小乘。缘觉乘,观十二因缘而觉悟真理,又作中乘。菩萨乘,求无上菩提,愿度一切众生,修六度万行,以此六度为乘,又作大乘。

3.问:"如何是道?如何修行?"师云:"道是何物?汝欲修行。"问:"诸方宗师相承参禅学道如何?"师云:"引接钝根[1]人语,未可依凭。"云:"此即是引接钝根人语。未审接上根[2]人复说何法?"师云:"若是上根人,何处更就人觅他,自己尚不可得,何况更别有法当情。不见教中云法法何状?"云:"若如此则都不要求觅也。"师云:"若与么,则省心力。"云:"如是,则浑成断绝,不可是无也。"师云:"阿谁教他无,他是阿谁?尔拟觅他。"云:"既不许觅,何故又言莫断他?"师云:"若不觅便休,即谁教尔断,尔见目前虚空,作么生断他。"云:"此法可得便同虚空否?"师云:"虚空早晚向尔道,有同有异。我暂如此说,尔便向者里生解。"云:"应是不与人生解耶?"师云:"我不曾障尔,要且解属于情,情生则智隔。"云:"向者里莫生情是否?"师云:"若不生情,阿谁道是。"

【注释】

[1]钝根:根基愚钝,指领悟性不高的人。

[2]上根:与钝根相对,指根性敏锐,修行佛道能力特优的人。

《筠州洞山悟本禅师语录》

[唐]良介[1]

1.云岩讳日师营斋。僧问："和尚于云岩[2]处得何指示？"师曰："虽在彼中，不蒙指示。"云："既不蒙指示，又用设斋作甚么？"师曰："争敢违背他。"云："和尚发迹南泉，为甚么却与云岩设斋？"师曰："我不重先师道德佛法，祇重他不为我说破。"僧云："和尚为先师设斋，还肯先师也无？"师曰："半肯半不肯。"[3]云："为甚么不全肯？"师曰："若全肯，即孤负先师也。"

【注释】

[1]良介(807~869)：越州会稽(浙江会稽)人，唐代著名禅僧，曹洞宗的创始人。据记载他幼年时跟老师诵《般若心经》，老师称赞他天赋异禀，就令他到五泄山出家，二十一岁受具足戒。他遍参禅师，最后到洞山普利院弘扬佛法，与其弟子曹山本寂一起创立了曹洞宗。曹洞宗为中国禅宗的五家七宗之一，其教义基本承袭禅宗"教外别传，不立文字，直指人心，见性成佛"的宗旨，发展出有特色的"五位旨诀"。洞山良价在所撰《玄中铭》中说："森罗万象，古佛家风。"又说："坐卧经行，莫非玄路。"他为广接上、中、下三根，因势利导，从事理各别交涉的关系上建立种种五位的说法来接引、勘验学者。曹洞宗所说五位，有正偏、功勋、君臣、王子等四种，其中正偏五位、功勋五位都是良价的创说，君臣五位、王子五位，则是曹山本寂所立。依

本寂的解释,正是体、是空、是理;偏是用、是色、是事。正中偏是背理就事,从体起用;偏中正是舍事入理,摄用归体;兼是正偏兼带,理事混融,内外和合,非染非净,非正非偏。禅宗五家中,沩仰、云门、法眼三家,宋以后皆失传,只有临济、曹洞二家并存。然而曹洞的法脉远不及临济之盛,有"临天下,曹一角"之说。

[2]云岩:云岩昙晟,洞山良介曾学法于云岩昙晟禅师。

[3]所谓"半肯半不肯",即对老师既有所继承,又有所批评,如果"全肯"即全面地肯定老师,反而是"辜负先师",这充分显示出禅宗反对教条,毫不迷信的特点。

2.师在渤潭见初首座有语。曰:"也大奇,也大奇,佛界道界不思议[1]。"师遂问曰:"佛界道界即不问,只如说佛界道界底是什么人?"初良久无对。师曰:"何不速道。"初曰:"争即不得。"师曰:"道也未曾道,说什么争即不得。"初无对。师曰:"佛之与道俱是名言,何不引教?"初曰:"教道什么?"师曰:"得意忘言[2]。"初曰:"犹将教意向心头作病在。"师曰:"说佛界道界底病大小。"初又无对,次日忽迁化[3],时称师为问杀首座价。

【注释】

[1]不思议:不可思议,不能用心思考,不能用言语议论。

[2]得意忘言:出自《庄子·外物》:"筌者所以在鱼,得鱼而忘筌;蹄者所以在兔,得兔而忘蹄;言者所以在意,得意而忘言。"指只要把握了意思,就不必再计较言语。

[3]迁化:迁移化灭,指僧侣示寂。或指有德之人在此土教

化众生的缘已尽，而迁移于他方世界度化众生。与涅槃、圆寂、灭度、顺世、归真等同义。在家人也可用迁化。

3.师与密师伯经由次，见溪流菜叶。师曰："深山无人，因何有菜？随流莫有道人居否？"乃共议拨草，溪行五七里间，忽见赢[1]形异貌人，乃龙山和尚是也。放下行李问讯，山曰："此山无路，阇黎[2]从何处来？"师曰："无路且置，和尚从何而入？"山曰："我不从云水来。"师曰："和尚住此山多少时耶？"山曰："春秋不涉。"师曰："和尚先住？此山先住？"山曰："不知。"师曰："为什么不知？"山曰："我不从人天来。"师曰："和尚得何道理便住此山？"山曰："我见两个泥牛斗入海，直至于今绝消息。"师始具威仪礼拜便问："如何是主中宾[3]？"山曰："青山覆白云。"师曰："如何是主中主？"山曰："长年不出户。"师曰："主宾相去几何？"山曰："长江水上波。"师曰："宾主相见有何言说？"山曰："清风拂白月。"师辞退。

【注释】

[1]赢(léi)：瘦弱。

[2]阇(shé)黎：阿阇梨的简称，僧徒的轨范师，也泛指僧人。

[3]主中宾：曹洞四宾主是体用的异名。"主"是正、体、理的意思，而"宾"是偏、用、事之意。体用指诸法的体性与作用。体，即体性，不变的真理实相，无有分别。用，即作用，差别现象的具体表现。主中宾，体中之用。宾中主，用中之体。宾中宾，用中之用。主中主，体中之体，物我双亡，人法俱泯。

4.夫沙门释子,高上为宗,既绝攀缘,宜从淡薄。割父母之恩爱,舍君臣之礼仪,剃发染衣,持巾捧钵,履出尘之径路,登入圣之阶梯。洁白如霜,清净若雪,龙神[1]钦敬,鬼魅[2]归降,专心用意,报佛深恩。父母生身方沾利益,岂许结托门徒,追随朋友,事持笔砚,驰骋文章。区区名利,役役[3]趋尘,不思戒律,破却威仪,取一生之容易,为万劫之艰辛。若学如斯,徒称释子。

【注释】

[1]龙神:八部众之一,又作龙众。因其具有神力,所以叫做龙神。

[2]魅(mèi):鬼怪。

[3]役役:劳苦不息的样子。《庄子·齐物论》:"终身役役,而不见其成功。"

《雪峰义存禅师语录》
[唐]义存[1]

1.僧问:"初心、后心[2]不会。乞师指示。"师云:"教我指示什么?"进云:"争奈不会。"师云:"汝自不会,我无罪过。"进云:"再乞指示。"师云:"会么?"进云:"不会。"师云:"苦哉!苦哉!争得与么难救。"问:"如何是真俗二谛[3]?"师云:"真俗二谛且从仁者自己,事作么生?"进云:"不会。"师云:"自己尚不会,问什么二谛三谛。"

问:"如何是诸佛?"师云:"莫触讳[4]。"进云:"如何是不触讳？"师云："解无惭愧。"

【注释】

[1]义存(822~908)：泉州南安人，唐代著名禅僧，俗姓曾，号雪峰。十七岁落发出家，二十四岁时遭遇会昌法难，被迫还俗，到芙蓉灵训门下，禁令解除后，义存游历全国各地，在幽州宝刹寺受具足戒。咸通年中到象骨山结庵创院，徒众数量庞大。梁开平二年圆寂。其弟子中云门文偃最为著名，为云门宗之祖。《雪峰义存禅师语录》，林弘衍编。

[2]初心、后心：初心，初发心。后心，与初心相对，后来发起的心志，形容长久于佛道，修行精进的人。

[3]真俗二谛：世间法为俗谛，出世间法为真谛。真谛，真实不虚的道理，又作胜义谛，第一义谛，指出世间的不变真理。俗谛，世俗之人所知的道理，与真谛相对。

[4]讳：避讳。

2.师一日与玄沙[1]、招庆[2]游山次。沙云："看者象骨峰头，还有佛法也无？若道有，作么生说有？若道无，且作么生说无？"师云："你道什么？"庆云："是有是无？"沙云："若与么？和尚与招庆总明前，不明后。"师云："汝且作么生？"沙云："佛法还曾有么？作么生说有无？试道看，还是也无。"沙又问招庆："作么生说有无底句？"庆云："是者个，作么生说有无。"沙云："招庆也作么生说有无。"庆云："和尚是什么心行[3]？"沙云："不是者个道理。"师云："你作么生说有无？"沙云："即今是有是无？"师云："你也作么生？"沙云："不是外物。"有僧来礼拜师，师问：

"什么处来？"僧云："蓝田来。"师云："何不入草？"长庆闻，乃云："险。"

【注释】

[1]玄沙：玄沙师备(835~908)，福州闽县人，唐代著名禅僧。少年时以捕鱼为业，三十岁出家。著有《玄沙师备禅师广录》。

[2]招庆：长庆慧棱(854~932)，杭州盐官人，唐末五代僧人。十三岁出家，遍参禅院，在雪峰义存门下参学三十年，后为其法嗣。曾住招庆，后住长庆院，世称长庆慧棱。

[3]心行：心内之作用、活动、状态、变化。

《云门匡真禅师广录》
[唐]文偃[1]

1.示众云："天中函盖乾坤，目机铢两，不涉春缘，作么生承当？"代云："一镞[2]破三关。"师或云："南来北往飞禽走兽，为什么却有异？"代云："辨却多少人。"或云："尔诸人，担钵囊行脚，不知有佛法。佛殿上蛀吻[3]，却知有佛法。"代云："佛殿里装香，三门外合掌。"师或以拄杖一划云："微尘诸佛尽在这里，还辨得尽？"代云："日出东方夜落西。"

【注释】

[1]文偃(864~949)：浙江嘉兴人，唐末五代著名僧人，为云门宗的创始人。幼年出家，遍览诸经，曾经参学于雪峰义存，

义存圆寂后，文偃还参学于灵树如敏禅师，如敏圆寂后，文偃在韶阳开始弘扬雪峰义存的禅法，后带领徒众开发云门山，创立的云门宗。著有《云门匡真禅师广录》三卷。"云门家风"在五代时期产生了重大的影响，尤其是文偃禅师用来接化门人的"云门三句"，即"函盖乾坤"句，"截断众流"句和"随波逐浪"句。《五家宗旨纂要》记载："云门示众云：'函盖乾坤、目机铢两、不涉万缘，作么生承当？'众无语。自代云：'一镞破三关。'""函盖乾坤"指的是无上的真理充斥于天地之间，涵盖宇宙万物。"目机铢两"，为断除学人之烦恼妄想，谓应超越语言文字，于内心顿悟。"不涉万缘"，对参学者应机说法，为活泼无碍的化导。后来云门法嗣德山缘密将这三个意思概括为后来著名的"云门三句"。《云门匡真禅师广录》，守坚编。

[2]镞(zú)：箭头。

[3]蚩(chī)吻：传说中的怪兽，多为屋脊上的饰物。

2.示众云："浅闻即深悟，深闻即不悟。"代云："迷逢达磨。"或云："衲僧须识古人眼，作么生是古人眼？"代云："虾蟆[1]跳上天。"一日云："处处道将一句来。"代云："闹市里天子，百草头上老僧。"或云："暗道将一句来。"代云："藏头露尾。"一日云："将南作北，将北作南，作么生道？"代云："由阿谁？"或云："未打板已前，道将一句来。"代云："着什么来由。"一日云："以有为有，作么生免得去。"代云患[2]。师或云："觧患非患明得了，作么生是眼？"代云："昼见日，夜见星。"一日云："明暗为什么不相管？"代云："难为怪笑。"或云："过在什么处，得与么难？"代云辨。一日云："渺漫[3]不分，是什么人分上事？"代云："不可作沙弥行者见解也。"师或拈起拄杖云:"莫道老和尚瞒尔,贵之与贱纵横十字,一时这里会得了,莫辜负老僧。"代云:"百鸟为子屈。"又云:"抑与之与。"师或云:"见么?"自云:"见。"又云:"见什么?"代云:"花。"师举古人云:"至道无难,唯嫌拣择。这个是僧堂,这个是佛殿,那个是不拣择。"代云:"何必如此?"

【注释】

[1]虾蟆(há má):同"蛤蟆",青蛙和蟾蜍的统称。

[2]患:担心,忧虑。

[3]渺漫:模糊。《全元散曲·一枝花·香绵》:"梨云梦渺漫,柳絮春零乱。"

《镇州临济慧照禅师语录》

[唐]义玄[1]

1.师示众云:"道流!切要求取真正见解,向天下横行,免被这一般精魅惑乱。无事是贵人,但莫造作,只是平常。尔拟[2]向外傍家求过觅脚手,错了也。只拟求佛,佛是名句,尔还识驰求[3]底么?三世十方佛祖[4]出来也只为求法,如今参学道流也只为求法,得法始了,未得依前轮回五道。云何是法?法者是心法,心法无形,通贯十方,目前现用;人信不及,便乃认名认句,向文字中求意度佛法,天地悬殊。道流!山僧说法,说什么法?说心地法,便能入凡、入圣,入净、入秽,入真、入俗。要且不是尔真俗凡圣能与一切真俗凡圣安着名字,真俗凡圣与此人安着名字不得。道流!把得便用,更不着名字,号之为玄旨[5]。山僧说法与天下人别，只如有个文殊[6]、普贤[7]出来，目前各现一身问法，才道咨和尚，我早辨了也。老僧稳坐，更有道流来相见时，我尽辨了也。何以如此？只为我见处别，外不取凡圣、内不住根本，见彻更不疑谬[8]。"

【注释】

[1]义玄(？~867)：曹州(河南)南华人，唐代著名僧人，临济宗的创始人。出家后得法于黄檗希运禅师，后在河北镇州临济院弘法，设三玄三要、四料简等机法接引徒众，更以机锋峭峻著名，别成一家，遂成临济宗。义玄经常用叱喝的方法接应学人，所以有著名的"德山棒、临济喝"之说。临济宗对参禅者的要求比较苛刻，但是宗门昌盛，学徒众多，是中国禅宗最为盛行的一派。"四宾主""四料简"与"四照用"是临济宗经常使用的传教方法。"四宾主"是通过师生(或宾主)问答的方法，衡量双方悟境深浅。"四料简""四照用"则是针对悟境程度(对我、法的态度)不同的参学者进行说教的方式。临济宗接引学人的方法单刀直入，机锋峻烈。自义玄用棒喝，以至宗果提倡看话(公案，即禅祖语录)，都是以迅速手段或警句使学人省悟。其机锋锐利，与曹洞宗的"默照暗推"有极大不同，所以颇受武人、俗士所好，将士、政客等也多参此宗禅法，所以临济宗渐渐成为我国禅宗的主流。《镇州临济慧照禅师语录》，三圣慧然编。

[2]拟：打算。

[3]驰求：奔走寻求。

[4]三世十方佛祖：指一切的佛祖。三世是过去世、现在世、

未来世,十方是四方(东、西、南、北)加四维(东北、西北、东南、西南)与上下二方,指全宇宙。

[5]玄旨:玄妙幽微的旨趣。

[6]文殊:文殊师利的简称,菩萨名,以大智著称,与普贤常侍于释迦如来的左右。

[7]普贤:菩萨名,于佛教四大菩萨中,以大行著称。

[8]谬(miù):错误。

2.问:"如何是佛、魔?"师云:"尔一念心疑处是魔;尔若达得万法无生,心如幻化,更无一尘、一法,处处清净是佛。然佛与魔是染、净二境,约山僧见处,无佛、无众生,无古、无今,得者便得,不历时节,无修、无证,无得、无失,一切时中更无别法。设有一法过此者,我说如梦、如化。山僧所说皆是。道流!即今目前孤明历历地听者,此人处处不滞[1],通贯十方,三界自在,入一切境差别不能回换,一刹那间透入法界,逢佛说佛、逢祖说祖、逢罗汉说罗汉、逢饿鬼说饿鬼,向一切处游履[2]国土、教化众生,未曾离一念,随处清净,光透十方,万法一如。道流!大丈夫儿今日方知本来无事,只为尔信不及,念念驰求,舍头觅头,自不能歇。如圆顿[3]菩萨入法界现身,向净土中厌凡忻圣,如此之流取舍,未忘染净心在。如禅宗见解,又且不然,直是现今更无时节。山僧说处皆是一期药病相治[4],总无实法。若如是见得,是真出家,日消万两黄金。道流!莫取次被诸方老师印破面门道,我解禅、解道,辩似悬河,皆是造地狱业[5]。若是真正学道人,不求世间过,切急要求真正见解。若达真正见,解圆明方始了毕。"

【注释】

[1]滞:凝积,不流畅。

[2]履:踩,踏。

[3]圆顿:圆融诸法,顿速成佛。是天台宗教义之一。

[4]药病相治:云门文偃禅师所说的公案名。《碧岩录》第八十七则曰:"云门示众云:'药病相治,尽大地是药,那个是自己?'""药病相治"指的是药与病是相对的二者,转指凡夫相对二见。修行者能灭除药与病的妄想,才是真正达到出家的境界。达到了灭除相对二见的境界时,尽大地都可作药;如果自己能活用药石,则尽大地都成为自己,除自己之外,无药可求,也无可除之病。

[5]地狱业:成为进入地狱原因的所作所为。

3.问:"如何是真佛、真法、真道?乞垂[1]开示。"师云:"佛者,心清净是;法者,心光明是;道者,处处无碍净光是。三即一,皆是空名,而无实有,如真正学道人念念心不间断。自达磨大师从西土来,只是觅个不受人惑底人。后遇二祖[2],一言便了,始知从前虚用功夫。山僧今日见处与祖佛不别,若第一句中得,与祖佛为师;若第二句中得,与人天为师;若第三句中得,自救不了。"

【注释】

[1]垂:敬词,用于对方地位高于自己时。

[2]二祖:禅宗在东土的第二祖慧可禅师。相传慧可到嵩山

少室峰向达磨求道，站立在雪中自断左臂来显示他求法的决心。达磨看慧可意志如此坚定，便将他收为弟子，后世也称他为断臂慧可。

《抚州曹山本寂禅师语录》
[唐]本寂[1]

1.僧问师："古人曰：'吾有大病，非世所医。'未审是什么病？"师曰："攒簇[2]不得底病。"僧云："一切众生，还有此病也无？"师曰："人人尽有。"僧云："和尚还有此病也无？"师曰："正觅起处不得。"僧云："一切众生，为什么不病？"师曰："一切众生若病，即非众生。"僧云："未审诸佛还有此病也无？"师曰："有。"僧云："既有，为什么不病？"师曰："为伊惺惺[3]。"

【注释】

[1]本寂(840~901)：泉州莆田(福建古田)人，唐代著名禅僧。幼年学习儒学，十九岁出家，二十五岁受具足戒。后得法于洞山良介禅师，大振曹洞宗风。著有《抚州曹山本寂禅师语录》二卷，系郭凝之编。

[2]攒簇：攒、簇，都是聚集之意。

[3]惺惺：机警，清醒。杜甫《喜观即到复题短篇》之二："应论十年事，愁绝始惺惺。"

《袁州仰山慧寂禅师语录》

[唐]慧寂[1]

1.上堂:"汝等诸人各自回光返照,莫记吾言。汝无始劫来背明投暗,妄想根深,卒[2]难顿拔,所以假设方便[3],夺汝粗识。如将黄叶止啼[4],有什么是处?亦如人将百种货物与金宝作一铺货卖,只拟轻重来机。所以道石头是真金铺,我这里是杂货铺。有人来觅鼠粪,我亦拈与他;来觅真金,我亦拈与他。"时有僧问:"鼠粪即不要,请和尚真金。"师云:"啮镞[5]拟开口,驴年[6]亦不会。"僧无对。师云:"索唤则有交易,不索唤则无。我若说禅宗,身边要一人相伴亦无,岂况有五百、七百众耶?我若东说西说,则争头向前采拾,如将空拳诳[7]小儿,都无实处。我今分明向汝说圣边事,且莫将心凑泊[8],但向自己性海如实而修,不要三明[9]六通[10]。何以故?此是圣末边事。如今且要识心达本,但得其本,不愁其末,他时后日,自具去在;若未得本,纵饶将情学他亦不得。汝岂不见沩山和尚云:'凡圣情尽,体露真常。事理不二,即如如佛。'[11]"

【注释】

[1]慧寂(840~916,一说804~890):韶州怀化(广东广州)人,唐末五代僧人。十七岁出家,得法于沩山灵佑,与他并称沩仰宗之祖。郭凝之等人将其语录编成《袁州仰山慧寂禅师语录》,经常与《潭州沩山灵佑禅师语录》并称父子语录。

[2]卒:最终,终于。

[3]方便：十波罗蜜之一，指善巧、权宜，是利益他人、化度众生的智慧和方式。"方便"与"真实"相对而言，指的是随时设教、随机应变的"权智"。《法华经·方便品》："吾从成佛以来，种种因缘，种种譬喻，广演言教，无数方便，引导众生令离所执。"

[4]黄叶止啼：《涅槃经》中的典故，婴儿啼哭时，父母拿杨树的黄叶劝导说："莫啼莫啼！我与汝金。"婴儿见了以为是真的黄金，便止住啼哭。用来比喻如来为度众生所作的方便。

[5]啮镞(niè zú)：啮，咬。镞，箭头。古代一种武术，指能咬住对方射来的箭镞。《太平广记》记载："隋末有昝君谟者，善闭目而射，志其目则中目，志其口则中口。有王灵智者学射于谟，以为曲尽其妙，欲射杀谟，独擅其美。谟执一短刀，箭来辄截之，唯有一失，谟张口承之，遂啮其镝，笑曰：'汝学射三年，吾未教汝啮镞之法。'"

[6]驴年：指永远不可能到达的日期。

[7]诳(kuáng)：欺骗，迷惑。

[8]凑泊：生硬、勉强地结合、拼凑。

[9]三明：三明与六通都是阿罗汉所具备的品德。三明指的是三事通达无碍的智明，即宿命明、天眼明和漏尽明。宿命明指知晓自身他身之宿世生死相的智慧；天眼明指自身他身之未来世生死相的智慧；漏尽明指知晓现在的苦相，断一切烦恼的智慧。

[10]六通：六神通，指三乘圣者所具有的神通，即天眼通、天耳通、他心通、宿命通、神足通、漏尽通。

[11]见前文《潭州沩山灵佑禅师语录》。

《金陵清凉院文益禅师语录》

[唐]文益[1]

1.雪霁辞去,地藏门送之。问云:"上座寻常说三界唯心[2],万法唯识[3]。"乃指庭下片石云:"且道,此石在心内在心外?"师云:"在心内。"地藏云:"行脚人,着什么来由安片石在心头?"师窘[4]无以对,即放包依席下,求决择,近一月余,日呈见解说道理,地藏语之云:"佛法不恁么?"师云:"某甲词穷理绝也。"地藏云:"若论佛法,一切见成。"师于言下大悟。

【注释】

[1]文益(885~958):余杭(浙江余杭)人,唐五代著名禅僧,法眼宗创始人。七岁出家,曾经参学于长庆慧棱,久不契,后得法于罗汉桂琛。南唐国主李氏对他礼敬有加,将他迎至金陵说法,后移住健康清凉寺。文益曾作《宗门十规论》一卷,痛论当时禅家之流弊,并提出"明事不二,贵在圆融"与"不着他求,尽由心造"的主张。法眼宗主张强调禅旨与净土思想之融合,并以喜好颂古闻名,其宗风为"般若无知""一切现成"。《金陵清凉院文益禅师语录》,郭凝之编。

[2]三界唯心:指在欲界、色界、无色界中的一切诸法都是由一心变现的。旧译《华严经》卷二十五:"三界虚妄,但是心作。十二缘分,是皆依心。"三界生死、十二缘生诸法都是虚妄无实的,全是由一心所作。但是关于"心"的解释,性、相两家有不同的诠释。在法相宗,"心"指的是阿赖耶识;在法性宗,"心"

指的是如来藏之自性清净心。所以《大方广佛华严经疏》在此基础上发展出三义，即：(一)二乘之人谓有前境不了唯心，纵闻一心，但谓真谛之一；或谓由心转变，非皆是心。(二)异熟赖耶名为一心，拣无外境，故说一心。(三)如来藏性清净，理无二体，故说一心。

[3]万法唯识：一切事物都是由识而显现。识，心的别名。

[4]窘(jiǒng)：窘迫，处于为难境。

2.见道为本，明道为功，便能得大智慧力。若未得如此，三界可爱底事，直教去尽，才有纤毫，还应未可，只如汝辈睡时，不嗔[1]便喜，此是三界昏乱，习熟境界，不惺惺便昏乱，盖缘汝辈杂乱所致。古人谓之夹幻[2]，金即是真，其如矿何。若觑[3]得彻骨彻髓，是汝辈力，脱未能如是观察，他什么楼台殿阁，诸圣未必长把却汝手，汝未必依而行之，古今如此也。

【注释】

[1]嗔：生气，发怒，三毒之一。其他两毒是贪和痴。

[2]夹幻：夹，掺杂，夹杂。幻，空虚，虚幻。

[3]觑(qù)：窥探，看。

《宗镜录》

[五代]延寿[1]编

1.一生看《大涅槃经》[2]，手不释卷。时有学人问："和尚寻常不许学人看经，和尚为什么自看？"师云："只为遮眼。"问：

"学人还看得不？"师云："汝若看，牛皮也须穿。且如西天第一祖师，是本师释迦牟尼佛，首传摩诃迦叶[3]为初祖，次第相传，迄至此土六祖[4]，皆是佛弟子。今引本师之语，训示弟子，令因言荐道，见法知宗，不外驰求，亲明佛意，得旨即入祖位。谁论顿渐[5]之门，见性现证圆通，岂标前后之位，若如是者，何有相违？且如西天上代二十八祖[6]，此土六祖，乃至洪州马祖大师，及南阳忠国师、鹅湖大义禅师、思空山本净禅师等，并博通经论，圆悟自心。所有示徒，皆引诚证，终不出自胸臆，妄有指陈。是以绵[7]历岁华，真风不坠，以圣言为定量，邪伪难移；用至教为指南，依凭有据。故圭峰和尚云：'谓诸宗始祖，即是释迦，经是佛语，禅是佛意，诸佛心口，必不相违。'[8]诸祖相承，根本，是佛亲付；菩萨造论，始末，唯弘佛经。况迦叶乃至鞠多弘传皆兼三藏，及马鸣龙树，悉是祖师。造论释经，数十万偈，观风化物，无定事仪。所以凡称知识，法尔须明佛语，印可自心，若不与了义[9]一乘[10]圆教相应，设证圣果，亦非究竟。"

【注释】

[1]延寿：(904~975)，临安府余杭(浙江杭县)人，唐末五代僧人，净土宗六祖，法眼宗三祖。三十岁出家，先在天台山参学于德韶国师并领悟玄旨，后在国清寺严修法华忏，建隆二年(961)，应吴越王钱俶的邀请，迁往永明道场，接化大众，所以世称永明大师。延寿召集慈恩、贤首、天台三宗僧人，辑录印度、中国圣贤二百多人的著作，广搜博览，互相质疑，编成《宗镜录》一百卷。

[2]《大涅槃经》：据说是释尊在跋提河边的沙罗双树下，即

将入灭时,用一天一夜所说的教义。内容主要包括佛身常住、涅槃常乐我净、一切众生悉有佛性等等。

[3]摩诃迦叶:释迦牟尼佛十大弟子之一,以头陀第一著称。据说身有金光,映蔽余光使不现,所以又名饮光。在灵山会上相传佛陀拈花,迦叶微笑,受佛正法眼藏,传佛心印,被奉为为禅宗初祖。

[4]六祖:禅宗六代祖师之统称,即初祖达摩、二祖慧可、三祖僧璨、四祖道信、五祖弘忍、六祖慧能。

[5]顿渐:顿教和渐教。渐教是由浅入深逐渐成功的教法;顿教是立刻速成的教法。

[6]二十八祖:传说禅宗在西天的二十八位祖师,分别为一摩诃迦叶、二阿难尊者、三商那和修、四优婆毱多、五提多迦、六弥遮迦、七婆须蜜、八佛陀难提、九伏驮蜜多、十胁尊者、十一富那耶舍、十二马鸣大士、十三迦毗摩罗、十四龙树尊者、十五迦那提婆、十六罗睺罗多、十七僧伽难提、十八伽耶舍多、十九鸠摩罗多、二十暗夜多、二十一婆修盘头、二十二摩拏罗、二十三鹤勒那、二十四师子尊者、二十五婆舍斯多、二十六不如蜜多、二十七般若多罗、二十八菩提达磨。

[7]绵:久远,连续。

[8]出自宗密《禅源诸诠集》序。

[9]了义:直接显了、说理透彻的法义。

[10]一乘:指佛乘。佛说一乘之法,为了让众生能够依照它修行,出离生死苦海,运至涅槃彼岸。

2.夫水喻真心者,以水有十义,同真性故,一水体澄清,喻自性清净心;二得泥成浊,喻净心不染而染;三虽浊不失净性,喻净心染而不染;四若泥澄净现,喻真心惑尽性现;五遇冷成冰,而有硬用,喻如来藏[1]与无明[2]合,成本识用;六虽成硬用,而不失濡[3]性,喻即事恒真;七煖[4]融成濡,喻本识还净;八随风波动,不改静性,喻如来藏随无明风,波浪起灭而不变自不生灭性;九随地高下排引流注,而不动自性,喻真心随缘流注,而性常湛然[5];十随器方圆,而不失自性,喻真性普遍诸有为法,而不失自性。又书云:"上德若水。"方圆任器,曲直随形故。

【注释】

[1]如来藏:真如在烦恼之中,成为如来藏。如来藏虽隐藏在于烦恼中,却不被烦恼污染,还是具备本来绝对清净、永远不变的本性。

[2]无明:烦恼的别称。指不通达真理,不能明白理解事相或道理的状态。无明是一切烦恼的根本。《大乘义章》:"言无明者,痴暗之心。体无慧明,故曰无明。"

[3]濡(rú):湿润。

[4]煖(nuǎn):同"暖",温暖。

[5]湛然:清澈、安然的样子。韩偓《地炉》:"禅客钓翁徒自好,那知此际湛然心。"

3.夫欲识心定者,正坐时知坐是心,知有妄起是心,知无妄起是心,知无内外是心,理尽归心,心既清净,净即本性,内外唯一心,是智慧相,明了无动心,名自性定。又示融大师云:"百千妙门,同归方寸;恒沙功德,总在心原。一切定门,一切慧

门,一切行门,悉皆具足,神通妙用,并在汝心。"[1]传法偈云:
"华种有生性,因地华生生。大缘与性合,当生生不生。"

【注释】
[1]见《金刚经注解》卷四:"四祖谓牛头融禅师曰:'百千妙
门,同归方寸;恒沙功德,总在心源。一切空门,一切慧门,一切
行门,悉皆具足。神通妙用,只在你心;业障烦恼,本来空寂。一
切果报,性相平等,大道虚旷,绝思绝虑。如是之法,无欠无余,
与佛无殊,更无别法。但只令心自在,莫怀妄想,亦莫权忻,莫
起贪嗔,莫生忧虑,荡荡无碍,任意纵横,不作诸善,不作诸恶,
行住坐卧,触目遇缘,皆是佛之妙用。'"

4.大道无中,复谁前后,长空绝迹,何用量之,空既如是,
道岂言哉!心月孤圆,光吞万像,光非照境,境亦非存,光境俱
亡,复是何物?譬如掷[1]剑挥空,莫论及之不及,斯乃空轮无迹,
剑刃非亏,若能如是,心心无知,全人即佛,全佛即人,人佛无
异,始为道矣。

【注释】
[1]掷(zhì):扔,抛掷。

《汾阳无德禅师语录》
[北宋]善昭[1]

1.上堂云:"夫以,汾阳荡荡广阔,而无际无涯;晋水滔滔

深远,而有终有始。遂得清凉一派,横贯乾坤,金色千峰,竖吞宇宙。金瓶不动,玉骑移轮,箭穿雁穴,什么人委的?如今还有委的底么?对众出来。"僧问:"学人未悟时如何?"师云:"谁人未悟。""悟后如何?"师云:"且莫诈明头。"问:"远远请师,请师举唱。"师云:"当机无影像,回转绝参差。"问:"祖意教意,是同是别?"师云:"岩高松冷健,涧曲水流迟。"问:"急切相投时如何?"师云:"裸形[2]见阿难[3]。"问:"牛头未见四祖,为甚百鸟衔花献?"师云:"訇訇[4]地。""见后为什么不衔花献?"师云:"訇訇地。"问:"如何是祖师西来意?"师云:"青绢扇子足风凉。"问:"祖师心印,不落有无。未审师于先师处,得个什么?"师云:"千年无影树,今时勿底靴。""恁么则播于寰宇[5]也?"师云:"世界虽广阔,举措少知音。"师云:"如今还有知音底么?有则金色同参。且道参什么人?"良久云:"久立大众。"

【注释】

[1]善昭(947~1024):山西太原人,宋代临济宗僧人。俗姓俞,年少出家,游历诸方,得法于省念禅师,后住汾阳太子院弘扬禅法,主要以三句四句、三诀、十八唱等机用接化学人。著有《汾阳无德禅师语录》《汾阳昭禅师语要》等,《汾阳无德禅师语录》,石霜楚圆编。

[2]裸形:是印度外道的一种修行法,以无衣裸形为法。

[3]阿难:为佛陀十大弟子之一,全称阿难陀,出家后二十多年的时间作为佛陀的常随弟子,善于记忆,对于佛陀的说法大多能够记诵,所以被誉为"多闻第一"。

[4]訇訇(hōng):形容巨大的声响。

[5]寰(huán)宇:天下,指全世界。骆宾王《帝京篇》:"声名冠寰宇,文物象昭回。"

2.一切众生本源佛性,譬如朗月当空,只为浮云遮障,不得显现。僧问:"朗月当空,却被片云遮时如何?"师云:"老僧有过,阇梨须知。""恁么则分明辨的?"师云:"退后莫思量。"问:"不历化城[1],便登宝所[2]时如何?"师云:"俊哉大士,历劫难逢。"问:"承教有言,为未来世,开生天路。如何是生天路?"师云:"莫断佛种。""恁么则依而行之?"师云:"三千世界收不得,六趣轮回岂肯休。"问:"学人拟欲归乡去,家破人亡事若何?"师云:"休行心处路,莫守在家时。""未审谁是知音者?"师云:"路逢剑客须呈剑,不是诗人莫献诗。"问:"百千灯即不问,如何是最初一灯?"师云:"可明此问。""恁么则目前晃耀,杲[3]日当轩?"师便喝。僧无语。师云:"一喝喝灭。"僧礼拜云:"莫瞒大众。"师云:"棺木里瞠[4]眼。"问:"如何是深深意?"师云:"曹溪无异曲,金峰路转高。""恁么则同道不夺机也?"师:"明明举处是汾阳。"问:"举步涉千溪,寻源转路迷。个中一句,子请师方便为提撕[5]。"师云:"千年无影树,今日见枝柯。""若不伸此问,争得见师机。"师云:"瞽[6]人看尽壁,问朝作人间眼。""夜点祖师灯,如何是祖师灯?"师云:"古今不昧。""恁么则海晏河清[7]?"师云:"照出海底人。"

【注释】

[1]化城:法华七喻之一,指变化出的城邑。《法华经·化城喻品》中记载,有一群人要过五百由旬险难恶道以到达宝藏

处，在极为疲惫的时候想要返回，他们的导师为了振奋众人，用方便力，在道中过三百由旬的地方化出一座城邑，让他们得到休息，最终能够向宝处前进。即用化城比喻二乘所得的涅槃并非为真实，而是佛陀为了使众人能够达到大乘佛果的方便假说。

[2]宝所：与化城对应，指珍宝之所在，法华经化城喻品用它来比喻究竟涅槃。化城，比喻小乘涅槃，在近而非实。宝所，则比喻大乘涅槃，指真正证悟安住的道场。

[3]杲：明亮。

[4]瞠(chēng)：瞪着眼睛。

[5]提撕：教导，提醒。《颜氏家训·序致》："吾今所以复为此者，非敢轨物范世也，业以整齐门内，提撕子孙。"

[6]瞽(gǔ)：瞎眼。

[7]海晏河清：沧海平静，黄河水清。也形容天下太平。

3.一切诸法，本来解脱，无有系缚。故经云："无系缚者，无解脱者。"[1]僧问："如何是解脱智？"师云："无人伏得伊。""如何是解脱慧？"师云："通身无影像，遍界不曾藏。""未审此理如何？"师云："待尔悟始得。"问："如何是毗卢师法身主？"师云："毗卢华藏海，法界不思议。""怎么则识得和尚也？"师云："千光不照处，万象岂藏机。"问："宽即遍法界，窄即不容针。如何是窄即不容针？"师云："若行正令，大众恐怖。""如何是宽即遍法界？"师云："龙腾碧海无遮障，鹤出青霄不碍空。""怎么则无障无碍也？"师云："速礼三拜。"问："对境心数起时如何？"师云："俗缘忆昔曾行处，那堪说向解空人。""未审如何消遣？"师云:"还同无作贵,空外独横身。"问:"椁示双趺[2]时如何?"师云:"百千万亿,当时疑息。""恁么则穿僧堂入佛殿也?"师云:"人天能有几人知。"

【注释】

[1]出自《大涅槃经》。

[2]椁示双趺:佛教典故,释尊在拘尸那揭罗城外的娑罗林入灭后七天,迦叶才赶到,迦叶非常悲伤,右绕释尊金棺,一心敬慕,赞叹佛德。当时,千辐轮相(三十二相之一)的佛足示现于金棺之外。后用椁示双趺表示佛身出现棺外。椁(guǒ),套在棺材外面的大棺材。双趺(fū),两只脚。

《石霜楚圆禅师语录》
[北宋]楚圆[1]

1.师到仰山,众请升座,师乃云:"宝镜当台,森罗自现,太阿[2]在手,煞[3]活临时。且道——还有该不着者么?有,即倒道将一句来;如无,初心后学,有疑请问。"时有僧问:"知师久卧深潭里,大仰升堂事若何?"师云:"雨来山色暗,云出洞中明。"进云:"学人不会,特伸请益。"师云:"拈取簸箕别处春[4]。"僧无语。师云:"弄潮[5]须是弄潮人。"

【注释】

[1]楚圆(986~1039):全州清湘(广西桂林)人,北宋禅僧,俗姓李。少年学儒,二十二岁出家,随侍汾阳善昭十二年,受法

印,后住湖南潭州石霜山崇胜寺弘扬禅法。宗风简古,机用越格,著有《牧童歌》,说游戏三昧的妙趣。楚圆门下法嗣五十人中,以黄龙慧南、杨岐方会最为知名,且各成一派,分别为杨岐、黄龙二派。《石霜楚圆禅师语录》由其弟子慧南编。

[2]太阿:古剑名。

[3]煞:通"杀",杀伤。

[4]舂(chōng):把东西放在石臼或乳钵里捣,使破碎或去皮壳。

[5]弄潮:在潮中戏水。苏辙《竞渡》:"父老不知招屈恨,少年争作弄潮游。"

2.问:"达磨西来,曲为今日,向上宗乘,请师举唱。"师云:"云雨满寥廓[1],花开遍地春。"进云:"与么则,涧松青冷澹[2],晓月照长川。"师云:"一句既流通,古今谁言异。"进云:"云生岭上,花发岩前。"师云:"人人尽道休官去,林下何曾见一人。"进云:"今日遭逢和尚。"师便喝。

【注释】

[1]寥廓:辽阔的天空。方文《乱后过姑苏驿》:"月明双雁翔寥廓,羡尔能飞脱网罗。"

[2]澹(dàn):淡。

3.吾峰岌岌[1],独露太虚[2]之中;布水滔滔,冷泻碧霄岩畔;龙潭幽僻,游鱼透即无门;天柱山高,水云进而无路。垂钓四海,少遇狞[3]龙,一句当锋,罕逢知己。所以三玄[4]权设,应病施方,四拣开遮[5],观根逗诱。过去诸佛悲愿难穷,西祖东流,不忘付嘱,河沙知识,善巧多方,万派同源,皆归大海。且道——水不洗水一句作么生道?还有人道得么?试出来道看。设你道得倜傥[6]分明,也未梦见野僧脚跟在。

【注释】

[1]岌岌(jí):很高的样子。《楚辞·离骚》:"高余冠之岌岌兮,长余佩之陆离。"

[2]太虚:浩浩虚空的宇宙。

[3]狞(níng):狰狞。

[4]三玄:临济宗有三玄三要接应学人,三玄即体中玄、玄中玄、句中玄。(一)体中玄,指语句完全没有修饰,依据所有事物的真相与道理而表现的语句。(二)句中玄,指不涉及分别情识的实语,即不拘泥于言语而能悟其玄奥。(三)玄中玄,又作用中玄,指离于一切相待的论理与语句等桎梏的玄妙句。

[5]开遮:开,许可。遮,禁止。指在戒律中,时而允许,时而禁止。小乘戒的戒法较严,并无开许。大乘戒法则本慈悲愿行,与活用戒法的精神,时有开许,称为开遮持犯,是大乘戒的特征。

[6]倜傥:非常,特别。司马迁《报任安书》:"古者富贵而名摩灭,不可胜纪,惟倜傥非常之人称焉。"

4.无明实性[1]即佛性,幻化空身即法身。诸仁者!若也信得去,不妨省力。可谓善财[2]入弥勒楼阁,无边法门悉皆周遍。得大无碍,悟法无生,是为无生法忍。无边刹境,自他不隔于毫端[3]；十世古今，始终不离于当念。且问诸人，阿那个是当念？只如诸人无明之性，即汝之本觉妙明之性，盖为不了生死根源，执妄为实，随妄所转，致堕轮回受种种苦，若能回光返照，自悟本来真性不生不灭，故曰："无明实性即佛性，幻化空身即法身。"[4]只如四大五蕴不净之身，都无实义。如梦如幻，如影如响，从无量劫来。流浪生死，贪爱所使，无暂休息，出此入彼，积骨如毗富罗山[5]，饮乳如四大海水，何故？为无智慧，不能了知五蕴本空，都无所实，逐妄受生，贪欲所拘，不得自在故。所以世尊云："诸苦所因，贪欲为本。若灭贪欲，无所依止。"汝等若能了知幻身虚假，本来空寂，诸见不生，无我人众生寿者，诸法皆如。故曰："幻化空身即法身，法身觉了无一物。"唯有听法说法，虚玄大道无着真宗。故曰："本源自性天真佛。"又云："五阴浮云空去来，三毒水泡虚出没。"

【注释】

[1]实性：真如。真实、超越所有差别相，万物绝对平等的本性。

[2]善财：佛弟子名，相传曾到弥勒楼阁求法。

[3]毫端：细毛的末端。比喻极细微。《水调歌头·金山观月》："漱冰濯雪，眇视万里一毫端。"

[4]出自永嘉玄觉禅师的《永嘉证道歌》。下引文同。

[5]毗富罗山：地名，意译为深广无际，不可测量。

5.问："如何是佛？"师云："面如满月目如莲，天上人间咸恭敬。"师乃以拄杖击绳床一下，云："大众还会么？不见道，一击忘所知,更不假修持。诸方达道者,咸[1]言上上机[2]。香严[3]与么悟去,分明悟得如来禅[4],祖师禅[5]未梦见在。且道:祖师有甚长处?若向言中取则,误赚[6]后人,直饶[7]棒下承当,辜负先圣,万法本闲,唯人自闹。所以山僧居福严,只见福严境界:晏起[8]早眠,有时云生碧嶂,月落寒潭,音声鸟飞鸣般若台前。桫椤[9]花香散祝融峰畔,把瘦筇[10]坐盘石。与五湖衲子[11],时话玄微,灰头土面。住兴化只见兴化家风:迎来送去,门连城市,车马骈阗[12],渔唱潇湘,猿啼岳麓,丝竹歌谣,时时入耳。复与四海高人,日谈禅道,岁月都忘。且道:居深山住城郭,还有优劣也无?试道看,良久云:"是处是弥勒,无门无善财。"

【注释】

[1]咸:全,都。

[2]上上机:最卓越的根机。

[3]香严:香光庄严。

[4]如来禅:经教里的禅法,因为它是如来所说,后人称之为如来禅。

[5]祖师禅:与如来禅相对称,又作南宗禅,特指禅宗初祖菩提达摩传来,而至六祖慧能以下五家七宗之禅。祖师禅主张教外别传,不立文字,不依言语,直接由师父传给弟子,祖祖相传,以心印心,见性成佛,所以称祖师禅。

[6]赚:骗。

[7]饶:即使,尽管。

[8]晏起:很晚才起床。

[9]桫椤(suō luó):梵文音译。或译为"娑罗"。据称释迦牟

尼佛在八十岁时在拘尸那拉城外的婆椤双树林圆寂。

[10]瘦筇(qióng)：指手杖。筇，竹子。

[11]衲子：禅僧的别称，因为禅僧经常身穿一身衲衣云游四方。

[12]车马骈阗(pián tián)：车马聚集很多，形容非常热闹。骈阗，聚集在一起。

《黄龙慧南禅师语录》
[北宋]慧南[1]

1.摩尼[2]在掌，随众色以分辉；宝月当空，逐千江而现影。诸仁者！一问一答，一棒一喝，是光影；一明一暗，一擒一纵，是光影。山河大地是光影，日月星辰是光影，三世诸佛一大藏教，乃至诸大祖师，天下老和尚，门庭敲磕，千差万别，俱为光影。且道何者是珠？何者是月？若也不识珠之与月，念言念句，认光认影，犹如入海算沙，磨砖作镜。希其数而欲其明，万不可得，岂不见道。若也广寻文义，犹如镜里求形。更乃息念观空，大似水中捉月。衲僧到此，须有转身一路，若也转得，列开捏聚，无非大事现前，七纵八横，更无少剩之法；若转不得，布袋里老鸦，虽活如死。

【注释】

[1]慧南(1002~1069)：玉山(江西上饶)人，临济宗黄龙派的创始人，俗姓章。十一岁从定水院智銮出家，十九岁受具足戒。曾经参学于栖贤澄湜、云峰文悦、石霜楚圆等高僧，后在黄龙山崇恩院弘法，宗风大振，慧南禅师经常用公案接化徒

众,曾经在室中设三转语来勘验学人,三十多年间很少有能领悟其宗旨的人,世称"黄龙三关"。这一派系遍及湖南、湖北、江西、闽粤等地,这一系统便被称为黄龙派,日本临济宗之祖荣西也出此一流派。《黄龙慧南禅师语录》,惠泉编。

[2]摩尼:指无价宝珠。与后文的宝月都代指真如佛性。

《黄龙晦堂心和尚语录》

[北宋]祖心[1]

1.人生天地之间,性有善恶之混,善恶既混,则生分别;分别既生,则有憎爱;既有憎爱,则有取舍;既有取舍,则有去来;既有去来,便有生死,斯皆盖是人之常情。予则谓之不然。法无善恶,本无去来,若无善恶去来,则无生死,既无生死,何善恶可混?何去来可拘[2]?若能如是,可谓终日善,而未尝善;终日恶,而未尝恶;终日来,而未尝来;终日去,而未尝去。还有人明得者个道理么?若也明得,便能取之,左右逢其原;若也不明;有寒暑兮促君寿;有鬼神兮妒君福。

【注释】

[1]祖心(1025~1100):广东始兴人,北宋临济宗黄龙派僧人,俗姓邬,号晦堂。曾参学于云峰文悦、石霜楚圆等禅师,一天在读《传灯录》多福禅师的话语时大悟,后移居黄龙山发扬禅法。著有《宝觉祖心禅师语录》一卷、《冥枢会要》三卷。《黄龙晦堂心和尚语录》由其弟子子和记录,仲介编。

[2]拘:拘束,拘泥。

2.敲空作响,谁是知音,击物无声,徒劳[1]侧耳。不是目前法,莫生种种心,起灭不相知,个中无背面,象王行处[2],狐兔绝踪,水月[3]现时,风云自异。到者里,乾坤收不得,宇宙不知名,千圣立下风,谁敢当头道?诸仁者!应是从前活计,所作施为,会与不会,一时扫却,不如策[4]杖归山去,长啸一声烟雾深。

【注释】

[1]徒劳:白白的耗费力气。

[2]象王:象中之王,常用来比喻佛。《法苑珠林》曰:"佛有八十种好相,进止如象王,行步如鹅王,容仪如师子王。"

[3]水月:大乘十喻之一。水中有月的影像却没有月的实体,比喻诸法无自性。《法华玄义》曰:"水不上升,月不下降,一月一时普现众水。"

[4]策:拄着(拐杖)。

3.谁人无心?谁心无佛?佛常在人,人常逐物,只如今见有色,闻有声,是物?不是物?若不是物,见色之时,不可不唤作色;闻声之时,不可不唤作声。若也是物,又作么生?说个逐底道理——未明心地印,难过赵州关[1]。

【注释】

[1]《赵州和尚语录》记载:"师问:'新到从什么处来?'云:'南方来。'师云:'还知有赵州关么?'云:'须知赵州关者。'师叱云:'者贩私盐汉。'又云:'兄弟!赵州关也,难过。'云:'如

何是赵州关？'师云：'石桥是。'"

4.大凡穷究生死根源，直须明取自家一片田地，教伊去处分明，然后临机应用，不失其宜。只如锋芒未兆[1]已前，都无是个非个。瞥尔[2]爆动，便有五行金土，相生相克。胡来汉现，四姓杂居。各任方隅[3]，是非锋起。致使玄黄[4]不辨，水乳不分，疾在膏肓[5]，难为救疗。若不当阳[6]晓示，穷子[7]无以知归。欲得大用现前，但可顿忘诸见。诸见既尽，昏雾不生。大智洞然，更非他物。珍重。

【注释】

[1]兆：开始。

[2]瞥尔：突然，迅速地。

[3]方隅(yú)：全面积中的一部分。多指边侧之地或角落之地。

[4]玄黄：指天地的颜色。玄为天色，黄为地色。《易·坤》："夫玄黄者，天地之杂也，天玄而地黄。"

[5]膏肓：古代医学以心尖脂肪为膏，心脏与膈膜之间为肓。用以称病之难治。

[6]当阳：指佛。

[7]穷子：法华经七喻之一。将三界生死众生比喻成无功德法财的穷子，佛比喻成大富长者。以穷子受大富长者的教化而得宝藏，来比喻如来大慈大悲，以种种善巧方便，引摄二乘之人同归一佛乘。

《景德传灯录》[1]

[北宋]道原　编

1.嵩岳破灶堕和尚[2]

僧问："如何是修善行人？"师曰："捻[3]枪带甲。"云："如何是作恶行人？"师曰："修禅入定。"僧云："某甲[4]浅机。请师直指。"师曰："汝问我恶。恶不从善；汝问我善。善不从恶。"良久又曰："会么？"僧云："不会。"师曰："恶人无善念。善人无恶心。所以道：善恶如浮云。俱无起灭处。"其僧从言下大悟。

【注释】

[1]《景德传灯录》，三十卷。宋代道原撰。简称为《传灯录》。是我国禅宗史书之一。原题名为《佛祖同参集》，收于大正藏第五十一册。本书集录了自过去七佛，及历代禅宗诸祖五家五十二世，共一百七十零人的传灯法系，内容包括行状、机缘等。其中附有语录的有九百五十一人。因为宋真宗景德元年(1004)具表上进，并奉敕入藏，所以以"景德"命名；又因为灯能照暗，法系相承，就好像灯火辗转相传，喻师资正法永不断绝，所以叫做"传灯"。释道原，北宋法眼宗禅僧，得法于天台德韶国师，是南岳第十世。道原住苏州(江苏)承天永安院，宋真宗年间编成《景德传灯录》三十卷。

[2]嵩岳破灶堕：嵩岳破灶堕和尚，唐代僧人。《景德传灯录》记载："嵩岳破灶堕和尚不称名氏，言行叵测，隐居嵩岳。山坞有庙甚灵，殿中唯安一灶，远近祭祠不辍，烹杀物命甚多。师

一日领侍僧入庙,以杖敲灶三下云:'咄!此灶只是泥瓦合成,圣从何来?灵从何起?恁么烹宰物命!'又打三下,灶乃倾破堕落。须臾有一人青衣峨冠,忽然设拜师前。师曰:'是什么人?'云:'我本此庙灶神,久受业报,今日蒙师说无生法,得脱此处生在天中,特来致谢。'师曰:'是汝本有之性,非吾强言。'神再礼而没。"

[3]捻(niǎn):拿,提。

[4]某甲:自称的代词。

2.司空山本净禅师[1]

问曰:"此身从何而来?百年之后复归何处?"师曰:"如人梦时从何而来,睡觉时从何而去。"曰:"梦时不可言无,既觉不可言有,虽有有无来往无所。"师曰:"贫道此身亦如其梦。"又有偈曰:"视生如在梦,梦里实是闹。忽觉万事休,还同睡时悟。智者会悟梦,迷人信梦闹。会梦如两般,一悟无别悟。富贵与贫贱,更亦无别路。"

【注释】

[1]本净(667~761):绛州(山西)人,唐代禅僧,俗姓张。幼受六祖慧能之印可,住司空山(安徽)无相寺。

3.嵩岳元珪禅师[1]

以有心奉持[2],而无心拘执[3];以有心为物,而无心想身。能如是,则先天地生不为精,后天地死不为老,终日变化而不为动,毕尽寂默而不为休,悟此则虽娶非妻也,虽飨[4]非取也,虽柄[5]非权也,虽作非故也,虽醉非昏也。若能无心于万物,则罗欲不为淫,福淫祸善不为盗,滥误疑混不为杀,先后违天不为妄,昏荒颠倒不为醉,是谓无心也。无心则无戒,无戒则无心,无佛无众生,无汝及无我,无汝孰为戒哉!

4.京兆兴善寺惟宽禅师[1]

僧问:"如何是道?"师云:"大好山。"僧云:"学人问道,师何言好山?"师云:"汝只识好山,何曾达道?"问:"狗子还有佛性否?"师云:"有。"僧云:"和尚还有否?"师云:"我无。"僧云:"一切众生皆有佛性,和尚因何独无?"师云:"我非一切众生。"僧云:"既非众生是佛否?"师云:"不是佛。"僧云:"究竟是何物?"师云:"亦不是物。"僧云:"可见可思否?"师云:"思之不及,议之不得,故云不可思议。"

5.石头希迁大师[1]

吾之法门先佛传授,不论禅定精进,达佛之知见,即心即佛,心佛、众生,菩提、烦恼,名异体一。汝等当知,自己心灵体,离断常性非垢净,湛然圆满,凡圣齐同。应用无方,离心意识,三界六道,唯自心现,水月镜像,岂有生灭!汝能知之,无所不备。时门人道悟问:"曹溪意旨谁人得?"师曰:"会佛法人得。"曰:"师还得否?"师曰:"我不会佛法。"僧问:"如何是解脱?"师曰:"谁缚汝?"又问:"如何是净土[2]?"师曰:"谁垢汝?"问:"如何是涅槃?"师曰:"谁将生死与汝?"

【注释】

[1]希迁(700~709):端州高要(广东高要)人,唐代僧人,俗姓陈。曾参学于六祖慧能、青原行思,得到了青原行思的印可。天宝初年在衡山南寺东石台上结庵说法,大扬宗风,世称石头和尚。石头希迁自称其法门不论禅定精进,仅须了达佛之知见即是"即心即佛",心佛众生,菩提烦恼,名异体一。

[2]净土:圣人所住的国土,没有五浊的污染。众生居住的地方有烦恼污秽,所以叫做秽土、秽国。净土,指以菩提修成的清净处所,是佛所居的所。全称清净土、清净国土、清净佛刹。净土概念是专门在大乘经中宣传的,以灰身灭智无余涅槃为理想之小乘教并无这种说法。

6.湖州道场山如讷禅师[1]

僧问:"如何是教意?"师曰:"汝自看。"僧礼拜。师曰:"明月铺霄汉。山川势自分。"问:"如何得闻性不随缘去?"师曰:

"汝听看。"僧礼拜。师曰:"聋人也唱胡笳[2]调,好恶高低自不闻。"僧曰:"恁么即闻性宛然[3]也?"师曰:"石从空里立,火向水中焚。"问:"虚空还有边际否?"师曰:"汝也太多知。"僧礼拜。师曰:"三尺杖头挑日月,一尘飞起任遮天。"问:"如何是道人?"师曰:"行运无踪迹,起坐绝人知。"

【注释】

[1]如讷:湖州道场山万寿寺开山祖师,名如讷,后人称其所住岩穴为"伏虎岩",世称"伏虎禅师"。

[2]胡笳(jiā):我国古代北方民族的管乐器。

[3]宛然:真切,清楚。《关尹子·五鉴》:"譬犹昔游再到,记忆宛然,此不可忘,不可遣。"

7.抚州黄山月轮禅师[1]

师上堂谓众曰:"祖师西来特唱此事,自是诸人不荐向外驰求,投赤水以寻珠[2],就荆山而觅玉[3],所以道:'从门入者不是家珍,认影为头岂非大错。'"时有僧问:"如何是祖师意?"师曰:"梁殿不施功,魏邦绝心迹。"问:"如何是道?"师曰:"石牛频吐三春雾,木马嘶声满道途。"问:"如何得见本来面目?"师曰:"不劳悬石镜,天晓自鸡鸣。"问:"宗乘一句,请师商量。"师曰:"黄峰独脱物外秀,年来月往冷飕飕[4]。"问:"不辨中言,如何指拨?"师曰:"剑去远矣,尔方刻舟。"问:"如何是衲衣下事?"师曰:"石牛水上卧,东西得自由。"问:"如何是目前意?"师曰:"秋风有韵,片月无方。"问:"如何是学人用心处?"师曰:"觉户不掩,对月莫迷。"问:"如何是青霄路[5]?"师曰:"鹤栖云外树,不倦苦风霜。"问："过去事如何？"师曰："龙叫清潭，波澜自肃。"

【注释】

[1]月轮：福州福唐人，俗姓许。

[2]赤水：是古代传说中的水名。《山海经·海外南经》中记载："三株树在厌火北，生赤水上，其为树如柏，叶皆为珠。"

[3]荆山：山名，传说此山盛产宝玉，著名的和氏璧就出自荆山。

[4]飕飕(sōu)：大风吹的声音。

[5]青霄路：通往青天的道路。

8.安州白兆山竺乾院志圆[1]

僧问："诸佛心印什么人传得？"师曰："达磨大师。"曰："达磨争能传得？"师曰："汝道什么人传得？"问："如何是直截[2]一路？"师曰："截。"问："如何是佛法大意？"师曰："苦。"问："如何是道？"师曰："普。"问："如何是学人自己？"师曰："失。"问："如何得无山河大地去？"师曰："不起见。"玄则问："如何是佛？"师曰："丙丁童子[3]来求火。"

【注释】

[1]志圆：宋代僧人，生卒年不详，是感潭资国禅师法嗣。住安州(湖北安陆)白兆山竺干院，所以又被称为白兆志圆。志圆禅师门下弟子众多，示寂后谥号"显教大师"。

[2]直截：直接，不拐弯抹角。

[3]丙丁童子：禅林用语。指司灯火的童子。天干中之"丙、

丁"，与五行相配则属"火"，所以用丙丁比喻火。禅林中经常以"丙丁童子来求火"一语来比喻众生本具佛性，复向外求佛。因为自身即是火，更向外求火，属于忘失本性、多此一举的愚昧行为。

9.福州报慈院文钦禅师[1]

问："如何是诸佛境？"师曰："雨来云雾暗，晴乾日月明。"问："如何是妙觉明心？"师曰："今冬好晚稻，出自秋雨成。"问："如何是妙觉[2]闻心？"师曰："云生碧岫[3]，雨降青天。"问："如何是平常心合道？"师曰："吃茶吃饭随时过，看水看山实畅情。"

【注释】

[1]文钦：漳州保福院从展禅师法嗣。

[2]妙觉：大乘菩萨修行五十二阶位之一，四十二位之一。指自觉觉他，觉行圆满，智德不可思议。妙觉是佛果的无上正觉，证得此觉的人，被称为佛。

[3]岫(xiù)：指峰峦。

10.郢州临溪竟脱和尚

僧问："如何是透法身句？"师曰："明眼人笑汝。"问："如何是法身？"师曰："四海五湖宾。"问："如何是本来人？"师曰："风吹满面尘。"问："牛头未见四祖时如何？"师曰："富有多宾客。"曰："见后如何？"师曰："贫穷绝往还。"问："如何是佛？"师曰："十字路头。"曰："如何是法？"师曰："三家村里。"曰："佛之与法，是一是二？"师曰："露柱渡三江，犹怀感恨长。"

11.金陵报恩匡逸禅师[1]

依而行之即无累矣。还信么？如太阳赫奕[2]皎然地，更莫思量，思量不及，设尔思量得及，唤作分限智慧。不见先德云："人无心合道，道无心合人。"人道既合，是名无事人。且自何而凡？自何而圣？此若未会，也只为迷情所覆，便去不得。迷时即有窒碍，为对为待，种种不同。忽然惺去，亦无所得。譬如演若达多[3]认影为头，岂不是担头觅头？然正迷之时，头且不失，及乎悟去，亦不为得。何以故？人迷谓之失，人悟谓之得。得失在于人，何关于动静。

【注释】

[1]匡逸：明州人，江南国主请居上院，署凝密禅师。

[2]赫奕：光辉美盛的样子。

[3]演若达多：据《大佛顶首楞严经》卷四记载，室罗城中有一人叫演若达多，一天早晨照镜子，见到镜子中的自己头上的眉目感到十分欣喜，但是当他想反观自己头上的眉目却看不到，所以非常生气，以为是鬼魅所作，所以发狂。这个故事中自己的头比喻真性，镜子中的头比喻妄相。看见镜子中虚幻的眉目就欣喜，比喻妄取幻境作为真性而坚执不舍；见不到自己头上的眉目就生气，则比喻迷背真性。

12.洛京菏泽神会大师[1]

师于大藏经内有六处有疑，问于六祖，第一问戒定慧曰："戒定慧如何所用？戒何物？定从何处修？慧因何处起？所见不通流。"六祖答曰："定则定其心，将戒戒其行，性中常慧照，自见自知深。"第二问:"本无今有有何物?本有今无无何物?诵经不见有无义,真似骑驴更觅驴。"答曰:"前念恶业[2]本无,后念善生今有。念念常行善行,后代人天不久。汝今正听吾言,吾即本无今有。"第三问:"将生灭却灭,将灭灭却生;不了生灭义,所见似聋盲。"答曰:"将生灭却灭,令人不执性;将灭灭却生,令人心离境。未若离二边[3],自除生灭病。"第四问:"先顿而后渐?先渐而后顿?不悟顿渐人,心里常迷闷。"答曰:"听法顿中渐,悟法渐中顿,修行顿中渐,证果渐中顿。顿渐是常因,悟中不迷闷。"第五问:"先定后慧?先慧后定?定慧后初,何生为正?"答曰:"常生清净心,定中而有慧;于境上无心,慧中而有定。定慧等无先,双修自心正。"第六问:"先佛而后法?先法而后佛?佛法本根源,起从何处出?"答曰:"说即先佛而后法,听即先法而后佛。若论佛法本根源,一切众生心里出。"

【注释】

[1]神会(668~760):襄阳(湖北襄阳)人,唐代著名高僧,菏泽宗的创始人。十三岁时参学于六祖慧能,慧能示寂后,参访四方,曾住南阳龙兴寺,后到洛阳弘扬六祖宗风,主张单刀直入,直了见性,不言阶渐,提倡"无念为宗",是慧能之后推行南禅宗助其大盛的关键性人物之一。

[2]恶业:与"善业"相对,指不合理的行为。

[3]二边:指偏离中道的两个极端。

13.镇州临济义玄和尚

今时学人且要明取自己真正见解。若得自己见解,即不被生死染去住自由，不要求他殊胜，殊胜自备。如今道流，且要不滞于惑，要用便用，如今不得，病在何处？病在不自信处，自信不及，即便忙忙徇[1]一切境，脱大德若能歇得念念驰求心，便与祖师不别。汝欲识祖师么？即汝目前听法底是。学人信不及，便向外驰求，得者只是文字学，与他祖师大远在，莫错大德，此时不遇万劫千生，轮回三界，徇好恶境，向驴牛肚里去也。如今诸人与古圣何别？汝且欠少什么？六道神光未曾间歇，若能如此见，是一生无事人。一念净光，是汝屋里法身佛；一念无分别光，是汝报身佛；一念无差别光，是汝化身佛[2]。此三身，即是今日目前听法底人。为不向外求，有此三种功用，据教三种名为极则。

【注释】

[1]徇(xùn)：顺从。

[2]法身佛、报身佛、化身佛是佛的三身。身，聚集。

《投子义青禅师语录》

[北宋]义青[1]

1.施主请，上堂云："祖师西来，特陈此事，自是诸人勾之不及，何故？若论此事，如琴在掌，善用指端，七条而紧急如风，十指而拨提如水。若纤尘有滞，音必犯于宫商[2]，指拟安排，闻必差于视听，或高高提素范，佛祖无立足之音，更乃尽令而了，历劫圣凡绝迹，此者不辞品弄，略展微音，布五天动地之音，歌十圣不闻之韵，直得山摇海震华雨云飞，百兽听以惊惶。鬼神

59

闻而胆慑。十方弥布，胡汉同风，犹落化门，未是本分时节。诸仁者！作么生是本分时节？"良久云："伯牙既丧，子期绝广陵[3]，谩[4]奏秦时曲。"

【注释】

[1]义青（1032~1083）：青社（山东）人，宋代僧人，俗姓李，七岁时出家，学习百法论，后来转而学华严，见"即心自性"一句，突然有所顿悟。投子义青曾随侍圆鉴禅师六年，颇有所得，后住投资山弘法，所以被称为投子义青。《投子义青禅师语录》，自觉编。

[2]宫商：五音中的宫音和商音，泛指音乐、音律。

[3]伯牙、子期是古代传说中的知己，《吕氏春秋·本味》中记载："伯牙鼓琴，钟子期听之。方鼓琴而志在太山。钟子期曰：'善哉乎鼓琴，巍巍乎若太山。'少选之间，而志在流水。钟子期又曰：'善哉乎鼓琴，汤汤乎若流水。'钟子期死，伯牙破琴绝弦，终身不复鼓琴，以为世无足复为鼓琴者。"

[4]谩（màn）：不。

2.上堂云："春光匝[1]地，瑞色凝空。远山归鸟度平川，落日猿啼松韵切。莲华世界，毗卢现七佛家风；流水莺啼，观音示千门法海。尘尘影现，刹刹光明，转大法轮[2]，普成佛道。到这里若信得去，只悟得佛边事，须知有七佛[3]外，消息始得。诸仁者！作么生是七佛外消息？"良久云："半夜白猿啼落月，天明金凤过西峰。"

【注释】

[1]匝(zā)：环绕，满。

[2]法轮：以轮比喻佛法，能摧破众生之恶，就好像轮王的轮宝，能碾摧山岳岩石，所以叫做法轮；又一说为佛之说法，不停滞于一人一处，展转传人，就好像车轮一样，所以将佛法比喻成法轮。

[3]七佛：又称过去七佛。指释迦佛及其出世前所出现之佛，共有七位。即毗婆尸佛、尸弃佛、毗舍浮佛、拘留孙佛、拘那含牟尼佛、迦叶佛与释迦牟尼佛。

3.结夏上堂云："诸佛垂范[1]，众圣主持，作千古之洪规[2]，为万代之龟镜[3]。三业净时万德果圆，六根挠而千生受苦。守持戒律，禁足护生，譬霜雪之寒冰，若青霄之皎静，相依共守，隐密护持，各任力行，时中不得污染。诸人到这里，直饶滴水滴冻，须知有转身玄路。"良久云："云开山色重重碧，日落天河处处青。"

【注释】

[1]垂范：垂示范例。

[2]洪规：大法。

[3]龟镜：龟可以占卜吉凶，镜能够辨别美丑，因以比喻可供人对照学习的榜样或引以为戒的教训。

4.上堂："雪覆青山，空无少碧，江河粉浪，岩谷平盈。蛰鸟[1]迷踪，樵人[2]断路，兽伏穴闭，鱼锁渊寒。万里风生，千林翠折,渔家倚岸,朱紫筵炉,古佛家风,祥光匝地。虽然如是,于少室峰前,片片用着,且应时应节一句作么生道?"良久云:"白云覆万里,玉树锁千山。"复乃颂曰:"瑞色山河一色匀,佛家岩敝耸连云。松高翠重鹤停涩,玉马嘶声别是春。"

【注释】

[1]蜚鸟:飞鸟。

[2]樵(qiáo)人:樵夫。

《法演禅师语录》
[北宋]法演[1]

1.僧问:"群迷久渴,冒雨登山。向上之机,请师方便。"师云:"不免入山一回。"学云:"恁么[2]则步步踏实去也。"师云:"空手却回去。"学云:"若是那边,还的当也无。"师云:"罕遇知音。"学云:"谢师证明。"师云:"知音底事作么生?"僧划一划。师云:"又被风吹别调中。"学云:"往往随他口头走。"师云:"更是阿谁?"乃云:"李白桃红,山青水绿。云横洞口,月皎长空。若只向者里荐得,法眼道:'月明幽室寒,星分拱辰[3]异。'便须瓦解冰消;韶国师[4]道:'通玄峰顶,不是人间。心外无法,满目青山。'亦须百杂碎。何也?尽乾坤大地不消一捏。然虽如是,事无一向,今夜且放过一着。"

【注释】

[1]法演(?~1104):绵州巴西(四川绵阳)人,宋代临济宗

杨歧派僧人。三十五岁时出家受具足戒,曾经学习各种阐发,后来参学于白云守端禅师,进而顿悟,晚年在蕲州五祖山东禅寺弘扬禅法,法演禅师门下法嗣颇多,其中以佛眼清远、太平慧勤、圆悟克勤最为著名,有"法演下三佛"之称。《法演禅师语录》,才良等编。

[2]恁(nèn)么:怎么样,什么。

[3]拱辰:拱卫北极星。

[4]韶国师:指天台德韶国师。

《佛果圆悟禅师碧岩录》

[北宋]克勤[1]

1.禅家流,欲知佛性义,当观时节因缘,谓之教外别传,单传心印,直指人心,见性成佛。释迦老子,四十九年住世,三百六十会,开谈顿渐权实,谓之一代时教。这僧拈来问云:"如何是一代时教?"云门何不与他纷纷解说,却向他道个"对一说"[2]? 云门寻常一句中,须具三句,谓之函盖乾坤句,随波逐浪句,截断众流句,放去收来,自然奇特,如斩钉截铁,教人义解卜度他底不得[3]。一大藏教[4],只消三个字,四方八面,无尔穿凿[5]处,人多错会,却道对一时机宜之事故说。又道森罗及万象,皆是一法之所印,谓之对一说,更有道,只是说那个一法,有什么交涉,非唯不会,更入地狱如箭。殊不知,古人意不如此,所以道:"粉骨碎身未足酬,一句了然超百亿。"不妨奇特。如何是一代时教?只消道个"对一说",若当头荐得,便可归家稳坐;若荐不得,且伏听处分。

【注释】

[1]克勤(1063~1135)：四川崇宁人，北宋著名僧人，俗姓骆。少年出家，后得法于法演禅师，与慧勤、清远齐名，并称"演门二勤一远"，在当时被誉为"丛林三杰"。克勤禅师在政和末年奉诏移住金陵蒋山，大振宗风。后居于金山，高宗在扬州时，诏禅师入对，赐号"圆悟"，世称圆悟克勤。后来到成都昭觉寺。绍兴五年示寂，世寿七十三，谥号"真觉禅师"。弟子有宗杲、绍隆等禅门龙象。曾于夹山碧岩，集重显(980~1052)的"颂古百则"编成《碧岩录》十卷，世称禅门第一书，该书原为其弟子宗杲视为秘传不授之书，以火焚毁，后世重刊。

[2]对一说：禅宗公案。又作"云门一代时教"。是一位僧人与云门文偃禅师关于"何为释迦佛一代教法"之机缘问答。《碧岩录》第十四则中记载："僧问云门：'如何是一代时教？'云门云：'对一说。'"

[3]见前文注释"云门文偃"。

[4]一大藏教：指以释迦佛所说的经、律、论三藏教法，是全佛教的教说，所以叫做一大藏教。

[5]穿凿：牵强附会。

2.僧问夹山："如何是法身？"山云："法身无相。""如何是法眼[1]？"山云："法眼无瑕[2]。"云门道："六不收。"[3]此公案有者道，只是六根六尘六识，此六皆从法身生，六根收他不得，若恁么情解，且喜没交涉，更带累云门，要见便见，无尔穿凿处，不见教中道，是法非思量、分别之所能解。他答话多，惹人情解，所以一句中，须具三句，更不辜负尔问头。应时应节，一言一句，一点一画，不妨有出身处。所以道——一句透，千句万句一时透。

【注释】

[1]法眼：指彻见佛法正理的智慧眼。

[2]瑕：玉上的斑点。比喻缺失，过失。

[3]六不收：禅宗公案。是云门文偃禅师就"法身"的问题和一位僧人所作的机缘语句。《碧岩录》第四十七则记载："僧问云门：'如何是法身？'门云：'六不收。'"这段对话之中，"六"指六根、六境、六大、六合等佛教用以概括诸法实相的基本法数（名相）；"收"，收摄，包含。这句话主要的意思便是真如法性绝非六根所代表的相对世界所能收摄包含的。

《圆悟佛果禅师语录》[1]

[北宋]克勤

1.升座示众云："钩头有饵，句里无私，已泛扁舟，放行纶线。还有冲浪锦鳞么？"僧出云："有。"师云："高着眼。"僧拟议。师云："着。"问："锦官罢钓，泽国重游，方为万寿之宾，又作碧岩之主。流水下山即不问，白云归洞意如何？"师云："旧店新开。"进云："好音在耳人皆耸[2]，一句无私亘古今。"师云："大家在这里。"进云："万丈白云藏不得，一轮光透照无私。"师云："到家一句作么生道？"僧拟议。师云："了。"师乃云："目前无异草，遍界绝遮栏。域中日月斩新，方外乾坤独露。直得龙天释梵[3],动地雨华;妙德空生,目瞪口呿[4]。行棒行喝,拈向一边;云月溪山[5],放过一着。一处透脱,千处百处该通;一机洞明,千机万机圆转。碧岩不离此处,此处不离碧岩。摄大千于毫端,融芥[6]尘于刹海。衔华鸟过,抱子猿归,湛寂凝然,应真不借则且致。只如无阴阳地上,成得个什么边事?万卉正资和气力,碧岩先发一枝春。复举:马大师问药山:"子在此许多时,本分事作么生?"山云:"皮肤脱落尽,唯有一真实。"祖云:"据汝所见,可谓协于心体而布四肢,何不将三条篾[7]束取肚皮,随处住山去?"山云:"某甲何人敢言住山。"祖云:"不然。未有长行而不住,未有长住而不行;欲益无所益,欲为无所为。宜作舟航,由是住山。"师云:"大众古人得意之后,不忘利生,直入深山,提持宗要,山僧暗昧,岂敢仰攀。如是则更不用篾束肚皮,却有个折脚铛子,与方来共守寂寥。若信得及,不在忉忉[8],或未谙[9]详,听取个末后句:高峰突兀倚天门,青嶂虚闲可垛[10]跟。折脚铛儿幸然在,不妨携去隐深云。虽然如是,也须是大家出一只手始得。且道,毕竟如何?妙舞应须夸遍拍,三台须是大家催。"

【注释】

[1]《圆悟佛果禅师语录》,绍隆等编。绍隆(1077~1136),和州(安徽)含山人,宋代临济宗僧人。曾学法于临济宗杨岐派高僧克勤,后来在平江虎丘山云岩禅寺弘扬克勤禅师的禅法,久而久之自成一家,世称虎丘派。

[2]耸:惊动。

[3]龙天释梵:龙天,指八部众中之龙众及天众。释梵,指

帝释与梵王。这两个天王归依释迦牟尼佛,是经论中常见的守护神。

[4]呿(qù):张开(口)。

[5]云月溪山:云月是同,溪山各异。指的是虽然是一样的云与月,但是被照射的溪与山,则有千差万别。即处境虽一,但所见却各异。《无门关》:"云月是同,溪山各异;万福万福,是一是二?"

[6]芥:比喻微小的东西。

[7]篾(miè):劈成条的竹片。

[8]忉忉(dāo):啰唆,唠叨。

[9]谙(ān):熟悉,精通。

[10]垛:堆。

2.般若智光,破生死昏衢[1]之暗;金刚宝剑,截结使缠缚之忧。透脱处一念无多;受用处通身具眼。直得如天普盖,似地普擎[2],如日普照,如风普凉。一丝不移,纤尘不翳[3]。所以道:"一切法不生,一切法不灭。若能如是解,诸佛常现前。"[4]又道:"未达境唯心,起种种分别;达境唯心已,分别即不生。"[5]于分别不生法中,认取不变不移,无穷无尽,清净本然,周遍法界,本来自性。若了得去,于天地未分,生佛未立,乃至劫火洞然,大千俱坏,于中无一丝毫动摇,无一丝毫起灭,无一丝毫增减,无一丝毫荣悴[6]。若能恁么,始知提举朝议,未尝灭,未尝亏,未尝移,未尝去,且独超物外一句作么生道?——九莲开合处,百宝自庄严。

[1]衢(qú):街道,也指途径。

[2]擎:举。

[3]翳(yì):遮蔽,覆盖。

[4]出自《华严经》。

[5]出自《楞伽经》。

[6]悴:衰弱。

3.至真非内,大千非外,表里一如,含融法界。月印寒潭,珠沉沧海,树雕叶落,无在不在。万法本通同,从来无向背,要是个中人,始终无变改。且作么生是无变改?——雪后始知松柏操,事难方见丈夫心。

4.道无方所,明之在人;法离见闻,断之在智。若能顿舍从来妄想执着,于一念顷顿悟,自心顿明自性,不染诸尘,不落有无,自然法法成见。然虽此事不可造次[1]领会,须是发大丈夫慷慨特达[2]之志,不顾危亡,不拘得失,存个长久铁石身心,逢境遇缘,不变不异,时时着眼体究,不论岁月,以悟为期。祖师门下,不比教家,只要直截根源,于一言下领取,与诸圣同体同用大解脱,任运施为,无不见性,至于杂乱狂慧,思量分别,有一丝毫斩不断,则无趣入之期。教中尚道,是法非思量分别之所能解。又云:"以有思惟心,测度如来圆觉境界,如取萤火烧须弥山,终不能着。"[3]祖师道:"但尽凡情,别无圣量,凡情尽处,圣量见前。"[4]直须顿歇妄缘,无念无为放教虚静,千圣万圣,未有不从此门而得入者。只在存诚坚固,努力向前,但办肯心,必不相赚。

【注释】

[1]造次：轻率，仓促。《论语·里仁》："君子无终食之间违仁，造次必於是，颠沛必於是。"

[2]特达：极为明达，通达。

[3]出自《圆觉经》。

[4]出自《楞伽经》。

5.具足[1]凡夫法，凡夫不知；具足圣人法，圣人不会。圣人若会，即是凡夫；凡夫若知，即是圣人。此事一语两当，还委悉[2]么？要识圣人凡夫、凡夫圣人，长者长法身，短者短法身，大小青黄，一切法悉皆如如。浑[3]是个大解脱门，更无别异。但得情亡意遣，一念真正，随处遇缘，皆为妙用。所以古人道："处处真，处处真，尘尘尽是本来人。真实说时声不见，正体堂堂没却身。"至于天堂地狱，草芥人畜，六类四生，纤洪近远，无不皆真。但为未彻根源底，居常生心动念，皆在尘劳业识中流转，未曾回光返照，所以枉受轮回，不得受用。若能发慷慨心，启特达志，顿歇诸缘，直下了得彻底分明心地了了，可谓行亦禅，坐亦禅，语默动静，皆为正体。是故云门道："和尚子莫妄思，山是山，水是水，僧是僧，俗是俗。"又道："见拄杖子，但唤作拄杖子；见屋，但唤作屋。"谓之觌[4]体全真。有般人，取一边，舍一边，见处遍枯，不能着实，便乃得失居怀，被物所转，无自由分。看他从上古人，得大受用，利物垂慈，全身担荷。或出或没，或隐或显，或顺或逆，开建化门，示径截路，无不教人究本明宗，离诸执着。岂不见,棱道者参雪峰、灵云、玄沙,来往十五年,坐破七个蒲团,念兹[5]在兹,后因卷帘忽然大悟。有颂云:"也大差,也大差,卷起帘来见天下。有人问我意何如,拈取拂子劈口打。"及乎住长庆,示众云:"撞着道伴交肩过,一生参学事毕,似此称提,若不知有,争解恁么道?可谓从自己胸襟流出,盖天盖地。"又有问:"如何是合圣之言?"对云:"大小长庆。被阇黎一问,直得口似匾檐。"若善参详,可以丹霄[6]独步,自在纵横。大众,还知落处么?若也未知,为诸人拈出——白云尽处是青山,行人更在青山外。

【注释】

[1]具足:具备满足。

[2]委悉:详细知晓。

[3]浑:全,都。

[4]觌(dí):见。

[5]兹:这。

[6]丹霄:指绚丽的天空。李白《门有车马客行》:"谓从丹霄落,乃是故乡亲。"

6.有情之本,依智海以为源;含识之流,总法身而为体。且那个是智海之源?那个是法身之体?若识得此源,千源万源只是一源;若识得此体,千体万体只是一体。所以道:无边刹境,自他不隔于毫端;十世古今,始终不离于当念。虽然如是,丈夫自有冲天志,休向如来行处行。

7."他参活句不参死句,活句下荐得,永劫不忘。死句下荐得,自救不了。只如诸人,即今作么生会他活句?莫是'即心即佛'是活句么?没交涉。莫是'非心非佛'是活句[1]?没交涉。'不是心,不是佛,不是物'[2]是活句么?没交涉。莫是'入门便棒'是活句么?没交涉。'入门便喝'[3]是活句么?没交涉。但有一切语言,尽是死句,作么生是活句?"[4]

【注释】

[1]"即心即佛""非心非佛"都是道一接引学人的机缘语录。《五灯会元》卷三记载:"僧问和尚:'为甚么说即心即佛?'师曰:'为止小儿啼。'曰:'啼止时如何?'师曰:'非心非佛。'"马祖平日用"即心即佛"来指导学人,又用"非心非佛"来斥破学人对"即心即佛"之执着,表示其实两者并无差别。

[2]"不是心,不是佛,不是物"是马祖道一禅师法嗣南泉普愿禅师接引学人的语录。《无关门》中记载:"因僧问云:'还有不与人说底法么?'泉云:'有。'僧云:'如何是不与人说底法?'泉云:'不是心,不是佛,不是物。'"

[3]"德山棒,临济喝"是两个禅宗派别接引学人的独特方式。唐代德山宣鉴禅师常以棒打的方式接引学人,形成特殊之家风,世称"德山棒"。《五灯会元》卷七中记载:"道得也三十棒,道不得也三十棒。"德山对棒打之举没有作任何解释,在"以心传心,不立文字"的宗旨下,不得开口言说,只能以棒打点醒学人。唐代临济义玄禅师教导学人多用喝,世称"临济喝",与"德山棒"并称。

[4]这段语录提出"活句"与"死句"之别,非常重要。它说

明，参禅没有"标准答案"，有的只是个人独特的感悟。对同一个句子，每个人都可以有不同的理解，这样的句子才称得上"活句"，实际上，诗句往往是最符合"活句"标准的句子，特别是那些写景的句子，由此达到无所思虑、无所言诠的禅定境界，进而体悟人人本有的"妙净明心"。

《佛果圆悟真觉禅师心要》
[北宋]克勤

1.觌面相呈，即时分付了也。若是利根，一言契证，已早郎当，何况形纸墨，涉言诠[1]，作路布[2]——转更悬远！然此段大缘，人人具足，但向己求，勿从它觅。盖自己心无相虚闲静密，镇长印定六根四大，光吞群象。若心境双寂双忘，绝知见、离解会，直下透彻，即是佛心。此外更无一法。是故祖师西来，只言直指人心，教外别行，单传正印，不立文字语句。要人当下休歇去，若生心动念，认物认见，弄精魂[3]、着窠窟[4]——即没交涉也。石霜道："休去！歇去！直教唇皮上醭[5]生去！一条白练去！一念万年去！冷湫湫地去！古庙里香炉去！"但信此语，依而行之，放教身心如土木，如石块，到不觉不知不变动处，靠教绝气息，绝笼罗，一念不生——蓦地[6]欢喜！如暗得灯，如贫得宝。四大五蕴轻安，似去重担，身心豁然明白，照了诸相，犹如空花，了不可得。此本来面目现，本地风光露，一道清虚，便是自己放身舍命安闲无为快乐之地！千经万论只说此，前圣后圣作用方便妙门只指此。如将钥匙开宝藏锁，门既得开，触目遇缘，万别千差，无非是自己本分合有底珍奇，信手拈来，皆可受用。谓之一得永得，尽未来际，于无得而得，得亦非得，乃真得也。

【注释】

[1]言诠：言语的迹象，以语言文字来表达义旨。形纸墨、涉言诠都指局限于言语文字表达的意思，都是禅宗所极力反对的。

[2]路布：即"露布"，泛指布告、通告。

[3]精魂：精气魂魄。

[4]窠(kē)窟：动物的巢穴。着窠窟，指被迷妄境界所困，修行尚未达到解脱自在。

[5]醭(bú)：白色的霉。

[6]蓦(mò)地：出乎意料地，突然。

2.佛祖妙道径截，唯直指人心，务见性成佛尔。但此心源本来虚静明妙，初无纤毫隔碍，而以妄想翳障，于无隔碍自生染障，背本逐末，枉受轮回。若具大根器，更不外求，于自脚跟脱然独证，恶觉浮翳[1]既消，本来正见圆妙，谓之即心即佛。从此一得永得，如桶底子脱，豁然契合，无一法当情，觌体纯静，受用无疑，则一了一切了。及至闻说非心非佛并亲临违顺好恶境界，则一印印定，何有彼我异同、种种混杂知见耶？是故古德[2]于一机一境、一语一默投诚入理，千门万户，了无差殊，譬百千异流，同归大海，自然居之既安、用之透彻，作个无为、无事绝学道人去也。二六时中不生别心、不起异见，随时饮啄[3]衣着，万境万缘，无不虚凝，虽千万年不移易一毫发许。处此大定，岂非不可思议大解脱耶？唯要长时无间断，不堕内外中间、

73

有无染净,直下休歇去,见佛、众生等无差殊,乃是十成安乐之地也。今既已有趣向,只在长养令纯熟,煅来煅去,如百炼精金,方成大法器[4]也。

【注释】

[1]浮翳(yì):指遮蔽物。陈亮《又乙巳秋书》:"如浮翳尽洗而去之,天地清明,赫日长在。"

[2]古德:指古时有德高僧。

[3]啖(dàn):吃。苏轼《荔枝诗》:"日啖荔枝三百颗,不辞长作岭南人。"

[4]法器:指能够修行佛道的人。

《正法眼藏》

[北宋]宗杲[1]

1.佛监和尚示众云:"至道无难,唯嫌拣择。桃花红,李花白,谁道融融只一色;燕子语,黄莺鸣,谁道关关只一声。不透祖师关棙子[2],空认山河作眼睛。"

【注释】

[1]宗杲(gǎo)(1089~1163):宣州(安徽)宁国人,宋代临济宗杨岐派僧人,字昙晦,号妙喜,又号云门,俗姓奚。十七岁出家,曾先后参访洞山微、湛堂文准、圆悟克勤等禅师。宣和年间,和圆悟克勤住东京(开封),大悟之后,就继承了圆悟克勤禅师的禅法,圆悟并以所着"临济正宗记"嘱咐他。宗杲禅师辩才纵

横,推崇公案禅法,所以他的禅法被称为"看话禅"(即以考察公案、话头而求开悟之禅法),与宏智正觉的"默照禅"相辉映。

[2]关捩(liè)子:关键,紧要的地方。

2.清凉国师[1]答皇太子问:"心要至道,本乎其心。心法本乎无住,无住心体,灵知不昧,性相寂然。包含德用[2],该摄内外。能深能广,非有非空。不生不灭,无终无始。求之而不得,弃之而不离。迷现量,则惑苦纷然;悟真性,则空明廓彻。虽即心即佛,唯证者方知。然有证有知,则慧日沉没于有地。若无照无悟,则昏云掩蔽于空门。若一念不生,则前后际断,照体独立,物我皆如,直造心源,无智无得,不取不舍,无对无修。然迷悟更依,真妄相待,若求真去妄,犹弃影劳形;若体妄即真,似处阴影灭。若无心忘照,则万虑都捐。若任运寂知,则众行爰起,放旷任其去住,静鉴[3]觉其源流。语默不失玄微,动静未离法界。言止,则双亡知寂;论观,则双照寂知。语证则不可示人,说理则非证不了。是以悟寂无寂,真知无知。以知寂不二之一心,契空有双融[4]之中道。无住无着,莫摄莫收。是非两亡,能所双绝。斯绝亦寂,则般若现前。般若非心外新生,智性乃本来具足。然本寂不能自现,实由般若之功。般若之与智性翻覆相成,本智之与始修实无两体。双亡证入,则妙觉圆明;始末该融,则因果交彻。心心作佛,无一心而非佛心;处处成道,无一尘而非佛国。故真妄物我举一全收,心佛众生浑然齐致。是知,迷则人随于法,法法万差,而人不同;悟则法随于人,人人一智,而融万境。言穷虑绝,何果何因;体本寂寥,孰同孰异。唯忘怀虚朗,消息冲融[5],其犹透水月,华虚而可见。无心监像,照而常空矣。"

【注释】

[1]清凉国师：华严四祖。清凉国师，讳澄观，字大休，山阴人，姓夏侯氏。十一岁出家，后居五台山清凉寺，曾经为《华严经》作疏。后居京师，德宗迎入内，赐号清凉国师。清凉国师历经九朝，开成三年坐逝，享年一百二十岁。

[2]德用：功德力用。

[3]鉴：照，鉴查。

[4]空有双融：把空和有两个极端结合或消融成为一味。

[5]冲融：冲和，恬适。杜甫《寄司马山人十二韵》："望云悲辙轲，毕景羡冲融。"

《大慧普觉禅师语录》[1]
[北宋]宗杲

1.僧问："道无方所，明之在人；法离见闻，断之在智。不起一念，还有佛法也无？"师云："无佛法。"进云："为什么无佛法？"师云："为尔住在那一念中。"进云："和尚向什么处见学人那一念？"师云："起也。"乃云："不起一念，未是诸人放身命处。一念才生，如龙得水，似虎靠山。全体恁么来，全体如是住，便恁么领得去，更买百二十纲[2]草鞋行脚始得，为什么如此？""我王库内无如是刀。"

[1]《大慧普觉禅师语录》,蕴闻编。蕴闻,宋代僧人,字普慈,洪州(江西南昌)人。依宗杲得法。

[2]緉(liǎng):古代计量鞋的单位。

2.上堂:举道吾示众云:"高不在绝顶,富不在福严。乐不在天堂,苦不在地狱。相识满天下。知心能几人。"师云:"径山即不然,高在绝顶,富在福严。乐在天堂,苦在地狱。谁知席帽下,元是昔愁人。"

3.上堂云:"好诸禅德,廓尔[1]而灵,本光自照,寂然而应。大用现前,木马嘶[2]风,不运今时之步;泥牛出海,耕开空劫[3]之春。诸人还相委悉么?"良久云:"玉人招手处,复妙在回途。"

【注释】

[1]廓尔:开悟,觉悟。《文选·曹植〈七启〉》:"今予廓尔,身轻若飞。愿反初服,从子而归。"

[2]嘶(sī):马叫。

[3]空劫:四劫之第四。世界自成立至破坏之间,分为成劫、住劫、坏劫、空劫等四阶段,称为四劫。空劫,指此时期的世界已经坏灭,在欲界与色界的有情有色身者之中,只存在色界第四禅天,其他则全然虚空。

4.习习春风,丝丝春雨,一等沾濡,十方周普[1]。甘草得之甜,黄连[2]得之苦,天意发丛林,檐声闹窗户。古德尝云:"已不迷,等闲教坏人男女。"大众已既不迷,为甚教坏人男女?还会么?出身犹可易,脱体道还难。参上堂举玄沙云:"捞笼[3]不肯住,呼唤不回头。古圣不安排,至今无处所。"据普照门下只成得个担板汉[4],到这里,却须把得住、唤得回。退位相承,借功相见,直得同声相应,雅合宫商,同道相忘,不分阶级。还会么?——鹭鸶[5]立雪非同色,明月芦花不似他。

【注释】

[1]周普:普遍。

[2]黄连:多年生草本植物,根茎味苦。

[3]捞笼:包裹,围裹。李唐宾《梧桐叶》第三折:"人去玉箫闲,云深丹凤杳。梦魂无夜不关山,何日是了了。长则是锦被捞笼,绮窗嗟叹,画楼凝眺。"

[4]担板汉:呆笨、不灵活的汉子。

[5]鹭鸶:水鸟名。

5.今时学道人,不问僧俗,皆有二种大病:一种多学言句,于言句中作奇特想;一种不能见月亡指[1],于言句悟入。而闻说佛法禅道,不在言句上,便尽拨弃,一向闭眉合眼,做死模样。谓之静坐观心默照,更以此邪见,诱引无识庸流曰:"静得一日,便是一日工夫。"苦哉!殊不知,尽是鬼家活计。去得此二种大病,始有参学分。经云:"不着众生所言说。"一切有为虚妄事,虽复不依言语道,亦复不着无言说。"[2]又云:"观语与义,非异非不异;观义与语,亦复如是。"[3]若语异义者,则不因语辨义,而以语入义,如灯照色。所以云:"依义不依语,依了义经不依不了义经。"[4]

【注释】

[1]见月亡指：以指譬教，以月譬法。《楞严经》卷二曰："如人以手指月示人，彼人因指，当应看月。若复观指，以为月体，此人岂唯亡失月轮，亦亡其指。"手指只是引领人见到月亮的一个媒介，只要见月便可以忘记手指，用来比喻教与法之间的关系，也就是说一旦悟得真理，便可忘记方法。

[2]出自《华严经》卷第二十四。

[3]出自《楞伽经》卷第五。

[4]见《瑜伽论》卷第三十四。

6.即心是佛，更无别佛；即佛是心，更无别心。如拳作掌，似水成波；波即是水，掌即是拳。此心不属内外中间，此佛不属过未现在。既不属内外中间，又不属过未现在。此心此佛，悉是假名[1]。既是假名，一大藏教所说者，岂是真耶？既不是真，不可释迦老子空开两片皮、掉三寸舌去也。毕竟如何？但知行好事，休要问前程。

【注释】

[1]假名：虚假的名字。诸法本来无名，是人给它假设了一个名字，这个名字既虚假不实，而且不合实体。

《禅林僧宝传》

[北宋]慧洪[1]

1.蒋山元禅师[2]

佛祖无所异于人,所以异者,能自护心念耳。岑楼[3]之木必有本,本于毫末;滔天之水必有原,原于滥觞[4]。清净心中无故动念,危乎岌[5]哉,甚于岑楼;浩然横肆,甚于滔天——其可动耶!佛祖更相付授,必丁宁之曰:"善自护持。"平甫曰:"佛法止于此乎?"元曰:"至美不华,至言不烦。夫华与烦,去道远甚!而流俗以之申公论、治世之法,犹谓为治者不至多言;顾力行如何耳!况出世间法乎!"

【注释】

[1]慧洪:名德洪,字觉范,初名慧洪,宋代僧人。得法于克文禅师。著有《禅林僧宝传》三十卷、《林间录》《石门文字禅》等。

[2]蒋山禅师:即蒋山赞元(?~1086),浙江义乌人,为傅大士后裔,宋代临济宗僧人。

[3]岑楼:高楼。《孟子·告子下》:"不揣其本而齐其末,方寸之木,可使高於岑楼。"

[4]滥觞(shāng):指江河发源处水很小,仅可浮起酒杯。也比喻事物的起源、发端。

[5]岌(jí):危险不安。

80

《虎丘绍隆禅师语录》

[北宋]绍隆

1.造化渊源,情同止水,天地同根,万物一体,统三界以为家,作四生[1]之依倚,全大用,显大机,击碎骊龙[2]明月珠,敲出凤凰五色髓。敢问诸仁,且作么生是造化之渊源?——不得春风华不开,华开须藉春风力。

【注释】

[1]四生:指三界六道有情众生的四种类别,分别为卵生、胎生、湿生、化生。

[2]骊(lí)龙:黑龙。

2.豁开户牖[1],万里不挂片云;杲日腾空,四顾清风满座。湖光浩渺,野色澄明,万象森罗,全彰海印,直得头头妙用,物物真机,心境一如,纤尘不立。正当恁么时,万机休罢,千圣不携。坐断毗卢[2]顶,不禀[3]释迦文,婢视声闻,奴呼菩萨,德山、临济直得目瞪口呿,有棒有喝,一点也用不着!且道忽遇其中人来时如何?——倾盖相逢元故旧,何妨来吃赵州茶。

【注释】

[1]户牖(yǒu):门窗。

[2]毗(pí)卢:毗卢舍那的简称,是法身佛的通称。

[3]禀:动用。

《吴山净端禅师语录》

[北宋]净端[1]

1.大宋无心野老,不会葛藤[2]禅道。好处不肯住持,破院随缘养老。忽同庵主[3]入城,撞见武康寻讨。野老不肯承当,庵主劝道也好。受疏相伴入山,翻笑我受枯槁[4]。因公送到丰词,野老随缘十好就,以十好偈答:

第一好,碧嶂重重何处讨,龙回虎转少人知,图画难成非所造。

第二好,寂寂松门通大道,柴关不掩绝尘嚣,白云片片时时到。

第三好,尘埃一任风来扫,白牛随步过岩前,一时吃尽路傍草。

第四好,林里霜猿[5]忽然到,中宵岭上啼一声,天边明月云开照。

第五好,燕雀不来林下噪,时时老鹤憩[6]高松,清唳[7]一声惊百鸟。

第六好,干柴软米山田稻,虽无百味及珍羞,粥饭随缘宜进道。

第七好,前溪后溪明月皎,夜深静坐念浮生,莲经七卷声声了。

第八好,前人相见无可道,只愿一年强一年,官中苗税供输早。

第九好,门前古涧生苹藻,药苗旋植四时供,守贫林下无烦恼。

第十好,且无蚊蚋[8]来相恼,松风吹籁响长空,真是山僧堪养老。

【注释】

[1]净端:住吴山,自号安闲和尚。《吴山净端禅师语录》,师皎编。

[2]葛藤:指文字、语言一如葛藤之蔓延交错,本用来解释、说明事相,反遭其缠绕束缚。

[3]庵主:创建庵寺之人。

[4]枯槁(gǎo):穷困潦倒。陶潜《饮酒》:"虽留身后名,一生亦枯槁。"

[5]猨(yuán):同"猿"。

[6]憩(qì):休息。

[7]唳(lì):鹤叫。

[8]蚋(ruì):吸血蝇。

《福州雪峰东山和尚语录》

[北宋]慧空[1]

1.百川异流,同归于海。万区分义,总成乎实。所以十方云水,共夏雪山,其间有已证未证,有义学玄学,莫不皆是以大圆觉[2],为我伽蓝,身心安居,无杂无壤。乃喝一喝云:"且道这一喝,是作一喝用是不作一喝用[3],是探竿影草[4],是金刚王宝剑[5],是踞地师子[6],未具透关眼者,莫道不疑好。"乃云:"古者道：'未彻底人,参句不如参意;既彻底人,得意不如得句。'[7]古人与么,曲为今时,不风流处,亦自风流。汝辈后生家,入众参禅,切在子细,不得掠虚。第一须得悟,既悟须要行,既行须要彻,既彻方且似个衲僧,不为分外,山僧百丑千拙,口吻稚钝,别无新鲜语句,攒花簇锦,四六八六,与诸兄弟咂啖[8]只是一口灵锋宝剑,但有来者,不消一刜[9],且作么生?入得雪峰门。"喝一喝。下座。

【注释】

[1]《福州雪峰东山和尚语录》,宋代僧人慧空(1096~1158)撰,门人慧弼编,孝宗淳熙五年(1178)刊行。辑录秀峰辞众上堂语、入院升座语、上堂、小参、秉炬、法语、拈古、颂古、真赞、偈语等,以及《罗湖野录》中有关慧空的记载。

[2]伽(qié)蓝:指僧人所居住的寺院。

[3]一喝不作一喝用:临济四喝之一。有不敢触讳的作用。

[4]探竿影草:临济四喝之一。探竿、影草都是将鱼聚拢在一处用网抓捕的意思,比喻用善知识接引学人。

[5]金刚王宝剑:临济四喝之一。是切断一切执着、葛藤的利剑。

[6]踞地师子:临济四喝之一。有喝阻情解的作用。

[7]浮山法远禅师语,见《大光明藏》下卷。

[8]咂啖(zā dàn):吸饮。

[9]刜(fú):用刀猛力砍。

《荐福承古禅师语录》

[北宋]承古[1]

1.众会斋上堂:"如来正法眼藏,涅槃妙心,祖祖相传,佛佛授手,凡圣平等,不假外求,万德圆明,岂劳修证!山僧此日觌面相呈,悟之便登佛地,不历阶梯。迷之背觉合尘,枉入诸趣,迷悟自有差殊,此法本无增减,久参达士,同共证明,后学初机,有疑请问。"僧问:"承和尚有言,觌面相呈,如何是觌面相呈事?"师云:"莫。"进云:"喏[2]。"师云:"莫。"进云:"喏喏。"师云:"莫莫。"有僧才拟伸问,师云:"问话且止——与道悬殊!若据诸人分上,具无碍辩,尚没奈何!拟心则差,岂况更形言语?众生流转不息,盖为有心;若得一念心不生,与佛齐肩定矣!天上天下,绝是最尊,巍巍堂堂,十方独步,随机赴感,靡[3]所不周!故号无缘之慈,亦云不请之友;未得如此,堕在邪途!"

【注释】

[1]承古:宋代云门宗禅僧。自称是文偃的法嗣,因栖止于云居弘觉禅师塔所,所以世人称其为古塔主。《荐福承古禅师语录》,文智编,共一卷。宋绍圣四年(1097)序刊。

[2]喏(rě):古代表示敬意的呼喊。

[3]靡(mí):没有,无。

《古尊宿语录》

[南宋]守赜[1]

1.舒州龙门佛眼和尚[2]

春光渐尽，夏景将临，悠悠之徒，贪生过日。我今问你诸人：从早至夜，念念不住，是有思量[3]，是无思量？人人必谓是有思量。我且问你：作么生思量？何不识取？你诸人思量了，随而兴作[4]运为也。我问你：作么生兴作？何不识取！你诸人于兴作时，起种种言说。且作么生言说？何不识取！都缘是自家先迷了，只管随处流浪。所以道：道源不远，性海非遥。但向己求，莫从外觅。觅即不得，得亦不真。如在虚空，退至何所？还肯么？你诸人在我者里，或暂经冬夏，或久涉炎凉。若到别处，人问龙门事，不可指东划西，乱有所说，却成欺罔也。各将为事，各将为事。因成四偈：思无思思，万邪一正。不识玄旨，徒劳念静。作无作作，贯色通声。水中盐味，不见其形。言无言言，不费唇舌。未说之法，林中之叶。龙门潦倒，告报诸人。既然如是，何故因循。

【注释】

[1]守赜(zé)：南宋临济宗杨岐派僧人，竹庵士圭禅师法嗣。曾经担任福建福州鼓山寺藏主，所以号赜藏主。绍兴年间(1131~1162)，编集重刊《古尊宿语录》早期部分的《古尊宿语要》二十家语录。《古尊宿语录》，四十八卷，灵谷寺净戒重校，

收录了南岳怀让以下，马祖、百丈、临济、云门、真净、佛眼、东山等四十余家禅宗名德语录，多为《景德传灯录》所没有记载的，是研究南岳以下禅风的重要典籍。

[2]佛眼(1067~1120)：蜀(四川省)临层县人，宋代临济宗杨岐派僧人。十四岁出家受具足戒，后得法于五祖法演并继承发扬了他的禅法。

[3]思量：思索，考虑。

[4]兴作：着手进行。

2.滁州琅琊山觉和尚[1]

若欲求佛，即心是佛；若欲求道，无心是道。无心故，非法而不生；即心故，历劫而常坚。若然者，法法无差，心心不断。所以古德道："君但随缘得似风，飞砂走石不乖空。但于事上通无事，见色闻声不用聋。"

【注释】

[1]慧觉：北宋临济宗僧人，生卒年不详，西洛人。世称琅琊慧觉，又号广照禅师。

3.王常侍一日访师，同师于僧堂前看，乃问："这一堂僧还看经么？"师云："不看经。"侍云："还学禅么？"师云："不学禅。"侍云："经又不看，禅又不学，毕竟作个什么？"师云："总教伊成佛作祖去。"侍云："金屑虽贵，落眼成翳[1]。又作么生？"师云："将谓你是个俗汉。"

[1]翳(yì):遮蔽,蔽障。这句话的意思是金子虽然是贵重的东西,但是落在眼睛里还是会将眼睛迷住。金屑比喻佛经中的只言片语,或者是对佛教一知半解的认识,都会使自己的清净本心被蒙蔽。

《慈受怀深禅师广录》
[南宋]怀深[1]

1.师在长芦辞众,僧问:"师今欲入红尘去,临岐[2]相别意如何?"师云:"黄叶纷纷古路头。"进云:"自惭多逆顺,不得从师行。"师云:"着上芒鞋[3]未是迟。"进云:"特把一声归去笛,夜深吹过汨罗江。"师云:"又却恁么去也?"师乃云:"一动一静,似野鹤之翱翔;或卷或舒,如浮云之聚散。休分南北,岂有去来,道人之心,亦复如是。若恁么也,便乃红尘闹市,虎穴魔宫,触处皆渠[4],无往不利。青山绿水,颇称幽情;红蓼[5]白苹,顿光行色。便请,轻帆高挂,短桨频摇,一句临岐,不胜珍重。"

【注释】

[1]怀深(1077~1132):寿春府(安徽)六安人,南宋云门宗僧人,俗姓夏。十四岁剃发出家,在嘉禾(浙江嘉兴)资圣寺得法于长芦崇信禅师。《慈受怀深禅师广录》由其弟子善清等编。

[2]临岐:本为面临歧路,后也用作赠别之辞。郑光祖《倩女离魂》第三折:"自执手临岐,空留下这场憔悴,想人生最苦别离。"

[3]芒鞋:用芒茎外皮编织成的鞋。也泛指草鞋。

[4]渠:他。

[5]蓼(liǎo):植物名。

2.春风扫尽庭前雪,暖日催开枝上花。物物头头皆漏泄,莫教心地乱如麻。人人是佛,众生日用不知;各各圆成,谁解回光返照。只为情生智隔,想变体殊,不能直下承当,往往当面蹉过,不见僧问法眼,慧超咨和尚:"如何是佛?"眼云:"汝是慧超。"师云:"者个说话,须是个一刀两段底汉,始得,其或拟议思量,便见千山万水。"

3.师乃云:"法无凝滞,去来本体皆如;道亦随缘,溪山何曾有间。须知,住中无住而却住,行时不行而却行。开门方喜冷啾啾[1],平地忽然闹浩浩。如拳作掌,开合有时;似水生波,动静无定。且道:不涉去来底,是什么人?——月行云外无心照,水到人间任运圆。"

【注释】
[1]啾啾(jiū):象声词。泛指像各种凄切尖细的声音。

4.上堂:僧问:"四大五蕴,自何而得?"师云:"春风才过处,池水自成纹。"进云:"直得湛然时如何?"师不对。进云:"却是学人,无风起浪也。"师亦不对。僧长嘘一声。师便打。师乃云:"江月照,松风吹。永夜清霄何所为?若是曹溪门下客,相逢不必更扬眉。"

5.上堂云："天时有风雨晦明,人事有吉凶悔吝[1]。如意事少,坎坷常多。自古而然,何足介意。此是世间俗人论议,灵山老道,过去事,如梦不可得;未来事,如电不可定;见在事,如云彷佛而有。有此方便,能行人之不能行,忍人之不能忍。慧林为你诸人,添个注脚,过去事如梦,了然无罅缝[2],要当做梦时,便作觉时用;未来事如电,有无不可见,莫将希望心,昧却娘生面;见在事如云,目前彷佛有,安得东南风,吹散西山口。"良久云："山僧为你,吹散了也。会么?——莫道无心便无事。也曾愁杀楚襄王。"

【注释】

[1]悔吝:亦作"悔悋(lìn)"。灾祸。

[2]罅(xià)缝:缝隙,裂缝。

《普庵印肃禅师语录》

[南宋]印肃[1]

1.佛者乃自心,众生之主,悟即本是佛,不悟名众生。众生性即与佛性无二,只是住形着相,随眼入色,被色有、分别、好恶、有无境界,见塑神画鬼,迷惑正心,所以心中常疑怕耳。又闻说,古今有多般是非之事,皆相烦扰,念念不停,出生入死,至于如今,犹尚不歇。所以普庵一心了达万法,虚伪不实,唯有真心,犹若太虚。佛亲证之,示人无别法,佛真法身,犹若虚空,此幻质,父母缘生之物,四大假会成人,不为坚固,定归败坏。

佛云："应物现形者,犹若水中之月。"[2]有什么着实,但只要了取本来,法身清净,不生不灭,莫执虚幻假形,水月空花为实。所以普庵老人,不说一切祸福,善恶果报,此等皆从妄想颠倒发生。一心不生,万法无咎,如今多劫迷惑,一见了性之人,说真实法,何更外执?成虚妖怪,此皆是一人传虚,万人传实,唯一本心,别无一微尘可得。生死是谁?神明是谁?父母亲眷是谁?善男子,只是你久迷不觉,犹如梦幻,忽然梦觉,何处有梦?梦中所见境界,何处可得?如今浮世,亦复如是。

【注释】

[1]印肃:宋代临济宗僧人。

[2]出自《华严经》。

2.道绝浮言,法无可说,只为众生,丧本受轮,溺[1]于邪见。所以,诸佛慈悲方便,于诸众生自心中,密说而显演,流通一大藏教,随利钝根机,广垂接引,遂致祖师机缘,诸佛法教,盈布于天下,只欲标心。所以经云:"诸经皆以心为宗,无门为法门。"若了于心,无法不备。奈何如今去圣时遥,魔强法弱,正信希有,弃有着空,南北分宗,顿渐说教,弃本逐末,竞是争非,说正说邪,颠倒四起,所以普庵老人,忍禁不得,不免出头,露一心光,含融万有,非心非佛,即心即佛,妙用纵横,随机自在。言语诠之不及,情量莫测其端,不立是非,坐断圣凡,便是释迦佛,亲现丈六金身,也与三十棒趁出,为什么如此?祖祢[2]不了,殃及儿孙。善男子,若宿因无分,没溺邪宗,实难提拔。赖得曾亲正念,遭遇普庵,依正念而心无乱惑。汝今投诚求语,咨决大意,实言告汝,诸佛法道,绝象忘言,无证无修,非迷非悟。汝但十二时中,莫存情想,莫生住着,即境即心,即事即理,闲缘不系,心识俱停,常于行住坐卧中,妙声妙色,浩浩现前,根尘意识,了无所得,若是如是信解受持,不虚平生,亲近知识。所以甄叔[3]禅师云:"群灵一源,假名为佛。"体竭形销而不灭,金流朴散以长存,性海无风,金波自涌,心灵绝兆,万象齐照,体斯理者,不动步遍历沙界,不用力而功益玄化,如何背觉反合尘劳,于阴界中,妄自囚絷[4],依此勤参,必不相赚,因求决意,漫笔如此,善自护持。

【注释】

[1]溺(nì):沉湎而无节制,沉迷不悟。

[2]祖祢(mí):泛指祖先。

[3]甄叔:唐代禅僧,马祖道一禅师法嗣。

[4]囚絷(zhí):拘禁,束缚。

3.生死涅槃,犹如昨梦;众生诸佛,恰似空花。了本解空,方能如是。未明体用,闻见差殊。藏教显然,疑情难透。盖缘生死不破,如来所以现世,为一大事因缘,广彰[1]教网譬喻,凡情若解佛说譬喻,便知本自无生,既达本以无生,如是我且何灭,先宗后觉,意总如斯[2]。只是后学,不遇真正导师,少成多败。

【注释】

[1]彰:显示,揭露。

[2]如斯:如此。《论语·子罕》:"子在川上,曰:'逝者如斯

92

夫！不舍昼夜。'"

4.大道充虚,而亘[1]今亘古;凡情劫滞,而不觉不知。唯心开达本以谈经,万事千机而显化,五千余卷,为化众生,达磨西来,当为何事,尘劳六趣,百劫不休,戴角披毛,互相苦扰,虽有出家千万,何异众生？自已业识茫茫,那更利他解脱,杀含灵[2]而修福果,大似颠痴;饱酒肉而道修行,蒸砂[3]作饭。饶经万劫,不出三途,心净性明,戒珠[4]朗耀,在家菩萨,岂碍参禅？经书便是真言,依信永无误赚,自是随尘起业,自堕而亦堕他人,若肯信心自悟,而始令他悟,悟则处处不迷,迷则处处落劫。如今布路修桥,岂比众生作用,信心除杀盗淫,凡夫作佛知见,个中无知识转凡,万劫难逃出离,在此见闻,入佛境界。

【注释】

[1]亘(gèn):横贯,连绵。

[2]含灵:有灵魂的生物,指能从事精神活动的有情众生。

[3]砂:细碎的石头。

[4]戒珠:比喻戒律如明珠,洁白无瑕。

《续古尊宿语录》

[南宋]师明 编

1.云盖本和尚[1]

师开堂日,僧问:"诸佛出世,池涌金莲,五峰出世,有何祥瑞[2]?"师云:"总无祥瑞。"僧云:"为什么却无?"师云:"座前纵有天花落，正眼看来亦是邪。"僧以手划一划。师云："切须子细。"僧欲进语，师乃云："问话且止！此一大事，乃是先佛之根本，群生之性命；亘古亘今，未尝改移，在圣在凡，曾无增损。包含天地，混茫太虚，而不知其大；鼓泄阴阳，陶铸万物而不宰其功。浩浩然不可以语言造；昭昭然不可以寂默诣。语言求之，返成诤论；寂默求之，堕于断灭。到此唯圣与贤，乃能共证。在昔裴相国[3]治潭之日，石霜山中有一老僧，号曰普会，虽有道行，不为世人之所钦奉，孤守深山，孑然[4]自善。裴公知之，一日枉驾，公秉以见之。坐次，普会乃问：'相公手中秉者是何物？'公曰：'此有多名，略言其二：在天子手中曰珪[5]，在百官手中曰笏[6]。'普会曰：'敢借一观？'公遂度与善会。会接得，乃拈起示相公云：'在天子手中曰珪，在百官手中曰笏。且道：在老僧手中，唤作什么？'公无说。普会曰：'若也道得，却还相公；若道不得，留在山中，永为法物。'裴公然之。自尔之后，普会之道，大行天下，学者归之如市，堂盈千众，得其旨者，不知其数。普会之道既行，良由裴公不以庙堂尊高为贵，而能屈折于山中一老僧之前，遂住如来正法眼藏，万世光显。此非圣贤用心，则无由能得。虽然如是，三百年来，未曾有人提掇[7]；云盖今日欣逢胜食，不免再三——，乃竖起拂子云：'只这个：不是笏，不是珪；诸佛授手，千圣护持，巍巍荡荡[8]，应物随机，收来则天宽地厚，放去乃斗转星移，且道：即今是收是放？若也道得，裴公普会，不远目前，若也未知，更俟[9]他日！'"

【注释】

[1]潭州云盖山智本禅师。

[2]祥瑞:吉祥的征兆。

[3]裴相国:指裴休,见前文注释"裴休"。

[4]孑(jié)然:孤立,孤单。蒋士铨《桂林霜·再遣》:"夫抛妇,子撇娘,此身孑然存若亡。"

[5]珪:古代用作凭信的玉。

[6]笏(hù):朝笏,古代君臣朝见时所拿的手板。

[7]提掇(duō):提起。

[8]巍巍荡荡:语出《论语·泰伯》:"大哉尧之为君也！巍巍乎！唯天为大,唯尧则之。荡荡乎,民无能名焉。"朱熹集注:"巍巍,高大之貌;荡荡,广远之称也。"后以"巍巍荡荡"形容道德崇高,恩泽博大。

[9]俟(sì):等待。《登楼赋》:"惟日月之逾迈兮,俟河清其未极。"

2.开先广鉴瑛和尚[1]

庄中回,僧问:"如何是道？"师云:"良田万顷。"僧云:"不会。"师云:"春若不耕,秋无所望。"师乃云:"若论此事,譬如田家耕田相似,须是先观时节,次辨肥硗[2]。使夫亩步分明,陂塘[3]有素。应是稊[4]根、稗[5]种,一切屏除;三杷三犁[6],直教纯熟。然后播殖嘉谷,无失其时,甘雨霶[7]沾,秋收百倍。仓箱既满,家道亦隆;纵过水旱凶年,终是资粮不绝。""这一片田地,东西四至,立契来,卖与诸人,固非一朝一夕！深耕浅种则不无。且道:即今水牯牛[8],在什么处？""要见么——穿却了也！"下座。

【注释】

[1]庐山开先行瑛广鉴禅师。

[2]肥硗(qiāo):土地肥沃或贫瘠。

[3]陂(bēi)塘:池塘。

[4]稊(tí):植物新长的嫩芽。

[5]稗(bài):稻田的杂草。

[6]犂:同"犁",一种耕地的农具。

[7]雱(pāng):雨下得很大的样子。

[8]水牿(gǔ)牛:水牛。

师乃顾谓众曰:"昔如来大师,于涅槃会上,舒兜罗绵[1]手,于座前捻少土,置指甲上,问迦叶菩萨曰:"吾指甲上土,与大地土,何者为多?"对曰:"大地之土,转厚无疆,指甲上土,不可与比。"佛言:"如是,一切世间所有众生,从人身得人身,不生边地,长富贵家,十相具足,智围天地,辩涸万物,知忠于君、孝于亲、友于兄弟,不作诸恶,奉行众善,敬信三宝[2],慎护三业,近善知识,求明心达本,穷理尽性,脱离死生,超凡入圣者,如指甲上土。从人身失人身,受地狱身,受饿鬼身,受畜生身,经千百劫,复得人身,生于边地,在贫贱家,十相不具足,愚痴暗塞,不知忠于君、孝于亲、友于兄弟,造作诸恶,不行众善,不敬信三宝,不慎护三业,周流苦趣,无有出期,如大地上土。"

【注释】

[1]兜罗绵:兜罗是梵语 tula 的译音。绵,指绵布。兜罗绵比喻柔软。

[2]三宝:指被佛教徒所尊敬供养的佛宝、法宝、僧宝三宝。佛,指觉悟人生的真象,而能教导他人的佛教教主,或泛指一切诸佛;法,是根据佛陀所悟而向人宣说的教法;僧,指修学教法之佛弟子集团。以上三者,威德至高无上,永不变移,如世间之宝,所以叫做三宝。

由是而观之:三界六道,人身最为难得!既得人身,具是数美,无彼众恶者,益又为难矣!所以唐相裴公有言曰:"鬼神沉幽愁之苦,鸟兽怀猦狋[1]之悲。修罗[2]方瞋[3],诸天[4]正乐:可以整心虑、趣菩提,惟人道为能耳!人而不为,吾末如之何也矣!"此盖勉人学于佛道。人而不学佛道,则为自弃者也。

【注释】

[1]猦狋(yù xuè):指鸟飞兽走。《礼记·礼运》:"凤以为畜,故鸟不猦;麟以为畜,故兽不狋。"

[2]修罗:阿修罗的简称,经常与帝释天战斗的鬼神。

[3]瞋(chēn):形容发怒是瞪大眼睛。

[4]诸天:依照诸经的记载,欲界有六天(六欲天),色界的四禅有十八天,无色界的四处有四天,其他尚有日天、月天、韦驮天等诸天神,总称为诸天。

然则释迦如来之道,寂寥虚旷,不可以形名得;微妙无相,不可以有心知;超群有以幽升,量太虚而永久。言其大,则该括河沙世界;言其细,则收摄归一微尘;言其照耀,则日月不足以比其明;言其盖载,则天地不足以方其德。非春夏而能生长;非

97

秋冬而能变凋；非风雨而能呴濡[1]；非阴阳而能造化。随之不得其终；迎之罔眺[2]其首。先天而生，而不居其尊；后天而老，而不称其寿。迷之则合尘背觉；悟之则入圣超凡；远之则苦海浮沉；趣之则人天快乐。不假广寻文字，只要一念回光；但能除一切颠倒妄想、攀缘染着、生死不净之心，只于一刹那间，便证无生法忍。是故古人道："灵光独耀，迥脱根尘，体露真常，不拘文字。性相无染，本自圆成，但离妄缘，即如如佛。只如诸人，四大五蕴，行住坐卧，有为无为，是语是默，皆是妄缘，且作么生是如如佛？——还会么？""——鱼因解带金鳞活，马为行春玉勒[3]宽！"

【注释】

[1]呴濡(hǒu rú)：指呴沫。比喻慰藉；救助。钱谦益《翰林院侍读学士缪公行状》："与田夫牧竖偶语，呴濡疾苦，尔汝相狎。"

[2]眺：远看。

[3]玉勒：玉饰的马衔。

《嘉泰普灯录》

[南宋]正受[1]

1.答陈知丞书

某启：欣审官舍多暇，焚香静默，坐进此道，何乐如之！参禅如应举，应举[2]之志，在乎等第[3]，若不登第，而欲功名富贵光华一世者，不可得也！参禅之志，在乎悟道，若不悟道，而欲福德智慧超越三界者,不可得也! 窃[4]尝思,悟道之为易,登第之为难。何故? 学术在我,与夺[5]在彼;以我之所见,合彼之所见,不亦难乎! 是以登第之难也。参究[6]在我,证入[7]在我;以我之无见,合彼之无见,不亦易乎! 是以悟道之为易也。然参禅者众,悟道者寡,何也? 有我故也。有我则不能证入,亦易中之难也。读书者众,及第者亦众,何也? 见合[8]故也。见合则推而应选,是难中之易也。故见合为易,无我为难;无我为易,无无为难;无无为易,亦无无无为难;亦无无无为易,亦无无无亦无为难;亦无无无亦无为易,和座子[9]撞翻为难。故庞居士云:"炼尽三山铁,熔销五岳铜。"岂欺人哉! 因笔及此,庶[10]火炉边团圆头说无生话时,聊发一笑。

【注释】

[1]《嘉泰普灯录》,禅宗灯录之一。三十卷,别有目录三卷。作者正受(1146~1208),是南宋平江府报国光孝寺僧人,号虚中,属于云门宗雪窦下第七世。正受禅师根据之前的传灯录偏重于禅门师徒传法的记录的特点,着手补充《景德传灯录》《天圣广灯录》及《建中靖国续灯录》等书的不足,由于内容普及王侯、士庶、女流、尼师等圣贤众庶,所以叫做《普灯录》。全书费时十七年,于嘉泰四年(1204)编成;成书后,宁宗敕许入藏。

[2]应举:参加科举考试。

[3]等第:唐代科举考试,由京兆府考试后选送前十名升入礼部再试,称为"等第"。

[4]窃:私下里,私自。表示个人意见或行为的谦词。

[5]与夺:决定,裁决。《旧唐书·裴漼传》:"琰之命书吏数

人,连纸进笔,斯须剖断并毕,文翰俱美,且尽与夺之理。"

[6]参究:参学究办。在禅宗,即指参访师家,花费力体来得到佛法。

[7]证入:又作悟入、得入、证悟。指以正智如实证得真理。

[8]见合:意见相合。

[9]和座子:又叫全座子,指连座子。

[10]庶(shù):可能,希望。

《宏智禅师广录》
[南宋]正觉[1]

1."好诸禅德!云容初破,雪意已回。清光心醉而醒,皓[2]色眼迷而转。直得全超不借,独脱无依,里许[3]通宗,几人得妙。诸禅德,个是密密绵绵,转功底时节,还体悉得么?"良久,云:"初平不语痴羊卧,消息分明付与谁参。"

【注释】

[1]正觉(1091~1157):隰州(山西)人,宋代曹洞宗僧人。十一岁出家,十四岁受具足戒。相传一天听闻僧人念诵《法华经》,到"父母所生眼,悉见三千界"一句,突然间有所领悟。后参学于丹霞子淳、圆悟克勤等禅师。住天童寺前后近三十年,整备伽蓝,严饬清规,世称天童和尚,被誉为天童中兴之祖。当时正当北宋末年乱世,宗风不振,流弊百端,宏智禅师坚持发扬正统禅宗宗风,并提倡"坐禅""默照"的禅风,世称默照禅、宏智禅。《宏智禅师广录》,宗法等编。

[2]皓:明亮。

[3]里许:里面。

2.好诸禅德！玉林浸月,丹山雏[1]颉[2]颃翔鸣;雪苇浮秋,白沙雁相随缀字。暗中度线,妙处投针,发明心地也,共是一灯,洞照灵台也,更无异影。青山父从来卓卓,白云儿到处飘飘。虽然千里同风,那似一丝不隔;路岐几绝,要须转位流通;言语斯穷,更与借光施设。诸禅德,恁么时节,恁么处所,恁么传持,恁么建立,也须是恁么人始得,敢问诸人,作么生是恁么人,施设底事,还委悉么？——鹡鸰原[3]上和尚语,棠棣[4]枝头烂熳春。

【注释】

[1]雏:幼小的鸟。

[2]颉(xié):鸟飞向上。《诗经·邶风·燕燕》:"燕燕于飞,颉之颃之。"

[3]鹡鸰(jí líng)原:鹡鸰在原的简称。《诗·小雅·常棣》:"脊令在原,兄弟急难。"脊令,后即以"鹡鸰在原"比喻兄弟友爱之情。谢榛《送谢武选少安犒师固原因还蜀会兄葬》诗:"一对邮筒肠欲断,鹡鸰原上草萧萧。"

[4]棠棣(dì):花名,俗称棣棠,花黄色,春末开。李商隐《寄罗劭兴》:"棠棣黄花发,忘忧碧叶齐。"

3.师示众:"好诸禅德！本圆本灵,亘旷古而有种,混太虚而无形,劫外家风澹薄[1],壶中田地丕平[2]。望时眼力欲断,体处心缘未萌。云怀雪意兮鹤梦杳杳[3],天作秋容兮鸿飞冥冥[4]。唯默默而自照,故湛湛而纯清。想凝而结成器界[5],知觉而流作众生。情多少而岐分六道,智大小而区别三乘。境真则触处见佛,道妙而破尘出经。犹明珠而应色,似空谷而传声。只如超凡入圣、转位随缘。且道:路头在什么处?还体悉得么?"良久云:"晓风摩洗昏烟净,隐隐青山一线横。"

【注释】

[1]澹(dàn)薄:淡薄。

[2]丕平:太平。

[3]杳杳(yǎo):幽远渺茫。柳宗元《早梅》诗:"欲为万里赠,杳杳山水隔。"

[4]冥冥:不明亮。

[5]器界:器物世界,是山河大地房屋及一切器用物品的总称。

4.上堂:举僧问忠国师:"教中但见有情作佛,不见无情受记[1]。且贤劫[2]千佛。孰是无情佛耶。国师云:"如皇太子未受位时。唯一身耳。受位之后。国土尽属于王。宁有国土别受位乎。今但有情受记作佛之时。十方国土悉是遮那[3]佛身。那得更有无情受记耶。师云:"刹中之佛。处处现身。佛中之刹。尘尘皆尔。还体悉得么?"良久云:"六国自清纷扰事。一人独檀[4]太平基。"

【注释】

[1]受记:指从佛处接受将来必当作佛的记别。

[2]贤劫：指三劫中现在住劫，即千佛贤圣出世的时分。全称现在贤劫。

[3]遮那：毗卢遮那的简称，见前文注释"毗卢"。

[4]檀：应作"擅"，独揽。

5.好诸禅德！云无心而自闲，天无际而能宽，道无像而普应，神无虑而常安。随之也不见去迹，迎之也不见来端。一藏教只成赞叹，三世佛止可傍观。烛晓堂虚，织妇转机梭[1]路细；水明夜静，渔老拥蓑[2]船月寒。诸禅德，还曾到个田地个时节么？其或未然，不要乱举。

【注释】

[1]梭(suō)：织布的工具。

[2]蓑(suō)：蓑衣，古代用棕榈皮编成的雨衣。

6.上堂。一心万象，万象一心，不近不远，极浅极深。与乾坤同其覆载，与日月同其照临。月在船而船船皆月，金成器而器器皆金。明洁若珊瑚之树，芬馨如薝卜[1]之林。大用自在也获轮王髻宝[2]，正声和合也奏师子弦琴。毛发不遗圆融，照像之监；形壳不碍虚通，度垣[3]之音。能如是也妙超，旷古了在如今。诸仁者且道，如今了底是什么事，还会么？——稳如大地能持物，廓若空不挂针。

【注释】

[1]薝卜(zhān bǔ)：梵语音译，义译为郁金花。

[2]髻宝:即髻珠。"髻珠喻"是法华经安乐行品所说的七种譬喻之一。髻珠,指轮王髻中的宝珠,在这个譬喻中,以轮王比喻如来,以髻比喻二乘权教,以珠比喻一乘实理。珠在髻中时,犹如实理隐没于权教之中。

[3]垣(yuán):泛指墙。

7.心心智通,佛佛道同,十方圆满,八面玲珑。施时也三乘教备,坐处也一切法空。应供而来有不受之受,度世而出得无功之功。动而常静,用时弥[1]冲。处处不乖兮水中夜月;物物斯应兮华上春风。只如教中道,佛身充满于法界,普现一切群生前,一佛身既满法界,只如千佛身,着在什么处。还相委悉么?——音声不凝调和乐,光影相容互照灯。

【注释】
[1]弥:越,更加。

《密庵咸杰禅师语录》

[南宋]咸杰[1]

1.每见士大夫著意学此道极多,只恐末上撞著道眼,不明宗师,胡说乱道,将古今言句妄意穿凿,以为极则。贵图称他会禅,此是第一等大病。恰如一件好物,十分现成,被人雕刻,作千般奇怪,以失其真,深可怜悯。若欲著实理会父母未生已前一著子,到大年三十日临行之际得力,不被生死两字搅吵,须是自家回光返照,向己躬脚跟下时时推勘[2],看是什么。推来推去,推到无依倚处,平生机智伎俩[3]净尽,蓦然一念顿消,心花发现,尘劫[4]来事,尽在于今。好也添一丝毫不得,恶也添一丝毫不得,便是从前著衣吃饭个官人,别无奇特玄妙理性可说,不妨庆快平生。灯下聊书大概,以助真源。知我罪我,尽在是矣。

【注释】

[1]咸杰(1118~1186):福建福清人,临济宗杨岐派分支虎丘派僧人。少年出家为僧,遍参知识,后来到达衢州(浙江)明果庵,参谒应庵昙华,得大悟,受印可。曾经历主祥符蒋山华藏、径山、灵隐、天童等名刹。

[2]推勘:考察,推求。

[3]伎俩(jì liǎng):手段,花招。

[4]尘劫:即尘点劫。尘,指微尘。劫,指极长的时间。尘劫比喻极为长久的时间。《法华经》卷三《化城喻品》说三千尘点劫,即磨一三千大千世界所有之物而为墨,每经一三千大千世界便下一点,墨完了,而所经过的世界又全部碎为微尘,再以每一微尘当作一劫来计算,这是表显大通智胜佛出世迄今非常久远的比喻。

《联灯会要》

[南宋]悟明[1]

1.韶州南华知昺禅师[2]

诸法不自生,亦不从他生,不共不无因,是故说无生。无生之法,性本自空,众生横计,流转生死! 是以从上佛祖,出兴于世,击大法鼓,演大法义,欲令众生,脱彼妄情,背尘合觉;若也顿除妄宰,空不生花;渐竭爱源,金无重矿! 如今法鼓已击——”卓拄杖一下,云:“大义已演! 还有委悉底么?——本自无疮[3],勿伤之也! ”

【注释】

[1]悟明:生卒年不详,福建省福州人,宋代临济宗大慧派僧人。纂修《宗门联灯会要》三十卷。

[2]韶州南华知昺禅师,永康人。

[3]疮(chuāng):伤口。

2.抚州白杨仙林禅寺法顺禅师[1]

粥后一觉睡,斋时一钵[2]饭,此外绝驰求,道业自成辨。只如打睡吃饭,却如何说个道业成辨底道理? 此是仙林成就诸人打睡吃饭底因缘。你若于斯领觉得去:打睡时,光明射四天下;吃饭时,光明射四天下;乃至一动一静、一语一默,悉皆光明射四天下! 脱或未然,且莫错会仙林语好!

【注释】

[1]法顺:即抚州白杨法顺禅师,绵州文氏子,得法于佛眼禅师。

[2]钵(bō):盛放东西的陶制器具。

3.平江府资寿尼妙总禅师[1]

问:“如何是夺人不夺境?”师云:“野花开满路,遍地自清香。"云："如何是夺境不夺人？"师云："茫茫宇宙人无数，那个男儿是丈夫？"云："如何是人境俱不夺？"师云："处处绿杨堪系马，家家门底透长安。"云："如何是人境两俱夺？"师云："雪覆芦花。舟横断岸。"[2]

【注释】

[1]妙总(？~1163)：丹徒(江苏镇江)人，宋代比丘尼，俗姓苏。

[2]临济四料简，或称四料拣，是临济义玄禅师所设四种应机教化的方法与态度。(一)夺人不夺境，即夺主观而仅存客观，于万法之外不承认自己，以破除对人、我见的执着。(二)夺境不夺人，即夺客观而仅存主观，以世界映现在一己心中，破除以法为实有的观点。(三)人境俱夺，即否定主、客观的见解，兼破我执与法执。(四)人境俱不夺，即肯定主、客观各各的存在。

《北涧和尚语录》

[南宋]居简[1]

1.未得黄梅山里信，先开大庾岭头花。如何种柏栽松手，流入担柴卖笼[2]家。今夕无可分岁，岂无露地白牛[3]，不欲踏古人脚迹，不如为梅兄说法。所以古人道："春风不世情，委曲到山家。随分有春色，一枝三两花。"小小生涯，随家丰俭，或若临风千万点，背日两三枝。多多益辨，未称全提。至于为有暗香来，遥知不是雪。依稀越国，彷佛杨州。瞥转一机，落落寞寞路不分,梦中唤作梨花云,清清之水,游鱼自迷。若是玉堂金马,茅舍疏篱,风月不到处。花在不萌枝,也大奇烂熳也。想百花犹自未知。举庞居士问大梅:"久向大梅,未审梅子熟也未?"师云:"到处生事。"大梅云:"你向什么处下口?"师云:"引得春风入菜蓝。"

【注释】

[1]居简(1164~1246):潼川府(四川三台)人,宋代临济宗僧人,俗姓王(一说姓龙),字敬叟。曾得法于育王德光并得其法印,后在杭州净慈寺开法道。

[2]筊(jiǎo):竹笋。

[3]露地白牛:白牛,大白牛车,《法华经·譬喻品》所说三车之一。以羊车比喻声闻乘,以鹿车喻缘觉乘,以牛车喻菩萨乘,而以大白牛车比喻一佛乘。对界内三乘方便权教,以门外露地所授的大白牛车喻界外一乘真实法门,这就是所谓的"会三归一"妙旨。

《兀庵普宁禅师语录》
[南宋]普宁[1]

1.若要参透向上一着,须是离心、意、识参,出圣、凡路学,方有趣向分。岂不见赵州和尚,有僧问云:"狗子还有佛性也无?州答云:"无。"自古及今。恼乱天下衲僧。无有休日。法孙但十二时中,行住坐卧,只向无之一字,切切留心,念念不舍,食息[2]不忘,日久岁深,忽然参透,历历分明,丝毫无疑,自己本来面目，本地风光，顿现在前。便与从上诸佛诸祖，所得所证无别，此生它生，得大自在，得大解脱。便见从前信心、善心、佛心、自己心、它人心、天地同根之心、万物同体之心，无一毫差别；尽大千世界、日月星辰、山河大地，亦无一毫差别。于无差别中，千差万别。信心亦如是，善心亦如是，佛心亦如是，乃至菩萨心、缘觉、声闻之心，天地人、飞走、山河大地之心亦如是。心心既如是，可以治国治家，利人利物，尽未来际无有退失。

【注释】

[1]普宁(1197~1276)：西蜀（四川成都）人，南宋临济宗杨岐派僧人。日本临济宗兀庵派的创始人。幼年出家，早年学习唯识，后依止无准师范禅师门下，在当时与祖智、妙伦、了慧等三人共称师范门下四哲。后东渡日本弘扬宗风，晚年渡海返宋。《兀庵普宁禅师语录》由其门人净韶等编。

[2]食息：吃饭休息，指每时每刻。

2.佛法遍在一切处，一切众生及国土，岂有东土西天，宋朝日本，分疆列界者耶？所以百亿四天下佛法，始自灵山之所传；灵山之佛法，乃自七佛[1]之所传；七佛之佛法，乃自贤劫千佛之所传；贤劫千佛之佛法，乃自过去庄严劫[2]之所传；过去庄严劫佛法，乃自未有世界，未有佛祖，威音王已前[3]之所传。其所传者，本无法可传，但以心传心，如水传器，无传之传，所以流传至今，丝毫不增，丝毫不减。若有有传之传，便成断常之法，终成败坏，无有今日之盛者也。我于然灯佛[4]所，实无一法可得，诚哉是言，所以参禅只图见性，如观掌上，若不见性，无异盲人摸象，有何益哉？我宗无语句，亦无一法与人；若有一法与人，便成断常之法，非正法也。从上佛佛授手[5]，祖祖相传，只贵所得所证，正知正见，廓然荡豁，彻见本源，方谓之正知正见，绳绳有准，法法融通，或于十二分教明得者，或于教外明得者，或有未举先知，未言先领者，或有无师自悟者，盖根性优劣不等，只要明自心见自性，宗眼明、教眼明，如杲日当空，百亿四天下[6]，无幽不烛，何曾有丝毫隔碍来？若是所得所证，半明半灭，何缘得彻见本源，既不彻见本源，终成断常之法，非正法也。

【注释】

[1]七佛：又称过去七佛。指释迦佛及其出世前所出现的佛，共有七位，即毗婆尸佛、尸弃佛、毗舍浮佛、拘留孙佛、拘那含牟尼佛、迦叶佛与释迦牟尼佛。

[2]贤劫、庄严劫都是三劫之一，三劫指过去、现在及未来三大劫。过去的住劫称为庄严劫，现在的住劫称为贤劫，未来的住劫称为星宿劫。各大劫的住劫中，各有千佛出世，称为三劫三千佛。

[3]威音王已前：禅林用语。威音王佛出世以前。是禅林常用以指点学人自己本来面目的话，意同"父母未生以前""天地未开以前""空劫以前"等。盖威音王佛是过去庄严劫最初佛名，所以用他来表示无量无边的久远之前。

[4]然灯佛：又作燃灯佛、普光佛、锭光佛。是在过去世为释迦菩萨授成道记前别的佛。

[5]从上佛佛授手：从无始劫以来，佛和佛传授教法。

[6]四天下：须弥山东南西北之四大洲，又名四天下。

《枯崖和尚漫录》

[南宋]圆悟[1]

1.所谓话头合看与否？以某观之，初无定说。若能一念无生、全体是佛，何处别有话头？只缘多生习气，背觉合尘，刹那之间，念念起灭，如猴孙拾栗相似；佛祖辈不得已，权设方便，令咬嚼一个无滋味话头，意识有所不行，将蜜果换苦胡芦，陶汝业识，都无实义，亦如国家兵器，不得已而用之。今时学者，却于话头上强生穿凿，或至逐个解说，以当事业，远之远矣！棱道者二十年坐破七蒲团，只管看驴事未去，马事到来，因卷帘大悟。所谓八万四千[2]关掘子，只消一个锁匙开，岂在多言也？来教谓：诵佛之言，存佛之心，行佛之行，久久须有得处——如此行履，固不失为一世之贤者，然禅门一着，又须见彻自己本地风光，方为究竟；此事虽人人本有，但为客尘妄想所覆，若不痛加煅炼，终不明净。《圆觉经》云："譬如销金矿，金非销固有。虽复本来金，终以销成就。"盖谓此也。来教又谓：道若不在言语文字上，诸佛诸祖何故谓留许多经论在世？——经是佛言，禅是佛心，初无违背。但世人寻言逐句，没溺教网，不知有自己一段光明大事。故达磨西来，不立文字，直指人心，见性成佛，谓之教外别传，非是教外别是一个道理，只要明了此心，不着教相。今若只诵佛语，而不会归自己，如人数他珍宝，自无半钱分；又如破布裹真珠，出门还漏却。纵使于中得少滋味，犹是法爱[3]之见，本分上事，所谓金屑虽贵，落眼成翳。直须打并一切净尽，方有小分相应也。

【注释】

[1]《枯崖和尚漫录》三卷,宋代圆悟编,简称《枯崖漫录》,景定四年(1263)成书,咸淳八年(1272)序刊。枯崖住持兴福寺期间,曾集古搜遗,将古尊宿的妙行格言、宗师的入道机缘或示众法语,以及漏载于灯录者的名德行事等编录成此书。其中主要内容包括纪传,拈赞,着语等,虽欠缺统一性,却仍然是参学者的重要参考资料。本书与《罗湖野录》《云卧纪谈》《林间录》等并称为"禅门七部书",或为禅门十部书之一。

[2]八万四千:法数之一,指形容数量极多。

[3]法爱:这里指自己由证悟而爱着善法。天台宗十乘观法的第十为无法爱(离法爱、除法爱、法爱不生),就是以此斥责未证真实,而爱着相似法者。

《石溪心月禅师语录》

[南宋]心月[1]

1.日月照临不到,天地覆载不着,劫火[2]坏处彼常安。万法泯时全体现。随流不变,闹处常宁。一道恩光,阿谁无分。古人以此为事贯带,事既如此,理作么生?古人瞒山僧不得,山僧也瞒诸人不得。向官不容针[3]处,道将一句来。

【注释】

[1]心月:眉山人,宋代僧人,俗姓王。《石溪心月禅师语录》,住显等编。

[2]劫火：指坏劫时所起的火灾。在佛教的世界观中，世界的成立分为成、住、坏、空四劫，在坏劫的末期必起火灾、水灾、风灾、火灾，天上将出现七日轮，初禅天以下全被劫火所烧。

[3]官不容针，私通车马为禅林用语。官不容针，原指于公而言，必森严整肃，即连细针一般的差错，也丝毫不予宽宥，在禅林中，转指佛法第一义谛究竟透彻，不允许以丝毫偏差的言说渗和、取代、诠解；私通车马，即相对于"官不容针"，意指原本细针般的差错皆不予宽宥的情形，于私而言，则全面改观，连车马一般庞大的偏差也可通融而行，在禅林中，转指第二义谛的权巧方便，师家为指导学人，往往采取权宜放行的方法。

2.师乃云："举花微笑，单传见性之宗；面壁忘言，直指安心之要。当机分付，岂涉思惟；觌面承当，不容拟议。是以一人应运，千佛同源，如优昙花[1]，时一出现，尘尘显瑞，刹刹敛氛，譬如东方日轮腾空，清净光明，无幽不烛，凡在区宇[2]，悉荷照临，皆由一念感通，自然万善同会，正当恁么时如何？举目碧空净如洗，金乌飞上玉栏干。辄有一颂："尊临四海圣明君，步步毗卢顶上行。自己法身只者是，巍然千古振佳声。"

【注释】

[1]优昙花：梵语音译花名，有祥瑞之意。相传三千年一开花，开花后迅速凋谢。

[2]区宇：境域，天下。

3.小参："难难，无处无从着眼看，静夜谯楼[1]更漏鼓[2]，声

声相唤不相瞒；易易，瞬目扬眉无不是，是则依然又不然，不然
不然谁瞥地。难非难，易非易，盘龙渴饮清溪水，只知天寒人也
寒，不觉大家在这里，既在这里，毕竟是天寒人寒。"良久云：
"果然在这里。"

【注释】

[1]谯（qiáo）楼：城门上的瞭望楼。

[2]更漏鼓：指夜晚打更的鼓。

4.身心一如，身外无余，似石含玉，如渊藏珠。若然者，萧
萧之翠竹，迎风巧演升堂之偈；滴滴之芙蓉，承露全彰入室之
机。是以一夏[1]有口挂壁[2]，也是略得边事，无有空过不空过者，
忽有个出来道，去年贫未是贫，今年贫始是贫，意到不若句
到，眼亲何似手亲，未可生埋死水滨。恶，昔尝闻此语，今喜见
其人。

【注释】

[1]一夏：即一夏安居。阴历四月十六日至七月十五日止
的九十天。指僧侣不行脚，闭居一室，从事坐禅修行的期间。

[2]挂壁：挂在墙上，比喻搁置不用。

5.冬节小参："道出常情，不堕语默动静；禅非意想，离却
见闻觉知。离却见闻觉知，禅作么生参？不堕语默动静，道么
生学？一般不识羞底，便道：'描不成，塑不就，拥不聚，拨不
开。'真所谓猿猴探影，伶利[1]底，一闻此语，攒[2]眉便回，坐断千

差,闭门瓮[3]里捞明月,牢关[4]一字,是处寒岩锁冻云,直得六阴剥一阳复,碓[5]嘴生花,冰河发焰,去年恁么,今岁亦然,且道,来年又作么生？"喝一喝云:"来年说破。"

【注释】

[1]伶利:同"伶俐",聪明,机灵。

[2]攒(zǎn):聚。

[3]瓮(wèng):一种陶制的盛器,口小腹大。

[4]牢关:坚牢的关门(课题、试验)。指不能以思量分别通过到达的向上境地。

[5]碓(duì):木石作的捣米的器具。

6.学道如初,成道有余,若始勤终怠[1],则前功弃矣。常闻径山无准在众时,尝请益于掩室先师,师谓之曰:"我学道,别无长处,只是志不败。"凡学此道者皆然,何独先师也！若是着身江湖,其不败之志,当愈久愈勤,若是数十年程限归乡,其不败之志,吾莫能知之。天彭德清禅人,久依北山,艰难之际,处心泰然,来清溪求一言,为办道之助。昔岩头为点发新学,菩萨正眼,擘[2]破面皮,竖亚一目,已曾见之,不在言也,苟或未见。今双径场中,有一导师,坐大道场,披戏衫挝[3]涂毒[4],以现是相,宜往观之。

【注释】

[1]怠:懒惰,松懈。

[2]擘(bò):分开,分裂。

[3]挝(zhuā)：打，抓。

[4]涂毒：涂毒鼓。涂有毒料，使人闻其声即死的鼓。禅宗以此比喻师家令学人丧心或灭尽贪、嗔、痴的机言。

《五灯会元》

[南宋]普济[1]

1.扣冰澡先古佛[2]

年十三求出家，父母许之，依乌山兴福寺行全为师。咸通乙酉落发受具。初以讲说，为众所归。弃谒雪峰，手携凫茈[3]一包、酱一器献之。峰曰："包中是何物？"师曰："凫茈。"峰曰："何处得来？"师曰："泥中得。"峰曰："泥深多少？"师曰："无丈数。"峰曰："还更有么？"曰："转有转深。"又问："器中何物？"曰："酱。"峰曰："何处得来？"曰："自合得。"峰曰："还熟也未？"曰："不较多。"峰异之，曰："子异日必为王者师。"

【注释】

[1]普济(1179~1253)：四明奉化人，南宋僧人，俗姓张，号大川。十九岁出家，曾学习天台教义，后依止于浙翁如琰禅师。普济禅师住景德灵隐寺期间编纂《五灯会元》二十卷，另有《大川普济禅师语录》一卷。《五灯会元》共二十卷，此书取自《景德传灯录》以下的五本灯录，即于《景德传灯录》《广灯录》《续灯录》《联灯会要》《普灯录》等，撮要合为一书，所以叫做《五灯会元》。其内容收录过去七佛、西天二十七祖，东土六祖以下至南岳下十七世德山子涓嫡传付法禅师的行历、机缘。当

南宋亡时,其板木被元兵烧毁,会稽韩庄节与太尉康里重刻。

[2]扣冰澡先:建宁新丰翁氏子。相传其母夜梦辟支佛,感生怀孕,扣冰澡先生于武宗会昌四年,当时香雾满室,弥日不散。

[3]凫茈(fú zǐ):即荸荠。

2.福州雪峰义存禅师

初与岩头至澧州鳌山镇,阻雪。……师自点胸曰:"我这里未稳在,不敢自谩。"头曰:"我将谓你他日向孤峰顶上盘结草庵,播扬大教,犹作这个语话!"师曰:"我实未稳在。"头曰:"你若实如此,据你见处一一通来。是处与你证明。不是处与你划却。"师曰:"我初到盐官,见上堂,举色空义,得个入处。"头曰:"此去三十年,切忌举着。""又见洞山过水偈曰:'切忌从他觅。迢迢与我疏。渠今正是我,我今不是渠。'"头曰:"若与么,自救也未彻在。"师又曰:"后问德山,'从上宗乘中事,学人还有分也无?'德山打一棒曰:'道什么!'我当时如桶底脱[1]相似。"头喝曰:"你不闻道,从门入者不是家珍?"师曰:"他后如何即是?"头曰:"他后若欲播扬大教,一一从自己胸襟流出,将来与我盖天盖地去。"师于言下大悟,便作礼起,连声叫曰:"师兄,今日始是鳌[2]山成道!"

【注释】

[1]桶底脱:禅林用语。原谓桶底脱落;禅林中,转指达到大悟而丝毫无惑无疑的境地,犹如桶底脱落,桶中之物随而泄地,不再留有任何残物。

[2]鳌（áo）山：山名。在湖南省常德市北。《大明一统志·常德府》："鳌山在府城北七十里，本名兽齿山。相传昔有僧宣鉴、义存、文邃三人同游此悟道，故其徒称'鳌山悟道'。"

3.泉州招庆院道匡禅师

上堂次，大众拥法座而立。师曰："这里无物，诸人苦怎么相促相拶[1]作么？拟心早没交涉，更上门上户，千里万里。今既上来，各着精彩，招庆一时抛与诸人，好么？"乃曰："还接得也无？"众无对。师曰："劳而无功。"便升座。复曰："汝诸人得怎么钝？看他古人一两个得怎么快，才见便负将去，也较些子。若有此个人，非但四事[2]供养，便以琉璃为地，白银为壁，亦未为贵；帝释[3]引前，梵王[4]随后，搅长河为酥酪[5]，变大地作黄金，亦未为足。直得如是，犹更有一级在。还委得么？珍重！"

【注释】

[1]拶（zā）：逼迫。

[2]四事：一说为衣服、饮食、卧具、汤药，或房舍、衣服、饮食、汤药。

[3]帝释：忉利天的天主，俗称为玉皇大帝。

[4]梵王：大梵天王的简称。

[5]酥酪（sū lào）：以牛羊乳精制成的食品。

4.庐山圆通缘德禅师[1]

大将军曹翰部曲渡江入寺，禅者惊走，师淡坐如平日。翰至，不起不揖[2]。翰怒诃[3]曰："长老不闻杀人不眨眼将军乎？"

师熟视曰："汝安知有不惧生死和尚邪！"翰大奇，增敬而已。曰："禅者何为而散？"师曰："击鼓自集。"翰遣裨[4]校击之，禅无至者。翰曰："不至，何也？"师曰："公有杀心故尔。"师自起击之，禅者乃集。翰再拜，问决胜之策，师曰："非禅者所知也。"

【注释】

[1]缘德：钱塘人，宋代禅僧，俗姓黄。

[2]揖(yī)：拱手行礼。

[3]诃(hē)：同"呵"。

[4]裨(pí)：副将。

5.金陵钟山章义院道钦禅师[1]

后江南国主请居章义道场，上堂："总来这里立作什么？善知识如河沙数，常与汝为伴，行住坐卧不相舍离。但长连床上稳坐地，十方善知识自来参。上座何不信取，作得如许多难易？他古圣嗟[2]见今时人不奈何，乃曰：'伤夫人情之惑久矣，目对真而不觉。'此乃嗟汝诸人看却不知。且道看却什么不知？何不体察古人方便？只为信之不及，致得如此。诸上座，但于佛法中留心，无不得者，无事体道去。"便下座。

【注释】

[1]道钦：太原人，清凉文益禅师法嗣。

[2]嗟(jiē)：感叹。

6.汝州风穴延沼禅师[1]

师参南院，入门不礼拜。院曰："入门须辩主。"师曰："端的[2]请师分。"院于左膝拍一拍，师便喝。院于右膝拍一拍，师又喝。院曰："左边一拍且置，右边一拍作么生？"师曰："瞎！"院便拈棒。师曰："莫盲枷[3]瞎棒，夺打和尚，莫言不道。"院掷下棒曰："今日被黄面浙子钝置[4]一场。"师曰："和尚大似持钵不得。诈道不饥。"院曰："阇黎曾到此间么？"师曰："是何言欤？"院曰："老僧好好相借问。"师曰："也不得放过。"便下参众了，却上堂头礼谢。院曰："阇黎曾见什么人来？"师曰："在襄州华严与廓侍者同夏。"院曰："亲见作家来。"

【注释】

[1]延沼(896~973)：浙江余杭人，北宋临济宗僧人，俗姓刘。著有《风穴禅师语录》一卷。

[2]端的：究竟。《西游记》第七四回："端的是什么妖精，他敢这般短路。"

[3]枷(jiā)：一种套在犯人脖子上的刑具。

[4]钝置：折磨，折腾。

7.潭州龙牙山居遁证空禅师[1]

庄宗请入内斋[2]，见大师大德总看经，唯师与徒众不看经。帝问："师为什么不看经？"师曰："道泰不传天子令，时清休唱太平歌。帝："师一人即得，徒众为什么也不看经？"师曰："师子窟中无异兽，象王行处绝狐踪。"帝曰："大师大德为什么总看经？"师曰："水母元无眼，求食须赖虾。"

[1]潭州龙牙山居遁证空禅师：即龙牙居遁，抚州南城人，宋代禅僧，俗姓郭。

[2]内斋：指皇帝在其诞日，诏选高僧入内殿赐食，并厚施财物，以徼福寿的仪式。起始于后魏之际，自唐代宗设置内道场，每年降圣节召名僧，入宫饭噉，称为内斋。

8.郢州大阳山警玄禅师[1]

初到梁山，问："如何是无相道场？"山指观音，曰："这个是吴处士画。"师拟进语，山急索曰："这个是有相底，那个是无相底？"师遂有省，便礼拜。山曰："何不道取一句？"师曰："道即不辞，恐上纸笔。"山笑曰："此语上碑去在！"师献偈曰："我昔初机学道迷，万水千山觅见知。明今辨古终难会，直说无心转更疑。蒙师点出秦时镜，照见父母未生时。如今觉了何所得，夜放乌鸡带雪飞。"山谓"洞上之宗可倚"，一时声价籍籍[2]。

【注释】

[1]警玄(943~1027)：湖北江夏人，宋代曹洞宗僧人，俗姓张。著有《大阳明安大师十八般妙语》一卷传世。

[2]籍籍：形容名声盛大。

9.舒州投子义青禅师

令依圆通秀禅师，师至彼无所参问，唯嗜[1]睡而已。执事白通曰："堂中有僧日睡，当行规法。"通曰："是谁？"曰："青上座[2]。"通曰："未可，待与按过。"通即曳[3]杖入堂。见师正睡，乃击床呵曰："我这里无闲饭与上座吃了打眠。"师曰："和尚教某何为？"通曰："何不参禅去？"师曰："美食不中饱人吃。"通曰："争奈大有人不肯上座。"师曰："待肯，堪作什么？"通曰："上座曾见什么人来？"师曰："浮山。"通曰："怪得恁么顽赖！"遂握手相笑，归方丈。由是道声籍甚。

【注释】

[1]嗜(shì)：嗜好，爱好。

[2]上座：僧寺的职位名，位在住持之下，除了住持以外，更无人高出其上，所以叫做上座。

[3]曳(yè)：拖，拉。

10.襄州洞山守初宗慧禅师[1]

初参云门，门问："近离什处？"师曰："查渡。"门曰："夏在什处？"师曰："湖南报慈。"曰："几时离彼？"师曰："八月二十五。"门曰："放汝三顿棒。"师至明日却上问讯："昨日蒙和尚放三顿棒，不知过在什么处？"门曰："饭袋子。江西湖南便怎么去？"师于言下大悟，遂曰："他后向无人烟处，不蓄一粒米，不种一茎菜，接待十方往来，尽与伊抽钉拔楔[2]，拈却炙脂[3]帽子，脱却鹘[4]臭布衫，教伊洒洒地，作个无事衲僧，岂不快哉！"门曰："你身如椰子大，开得如许大口！"师便礼拜。

【注释】

[1]守初：凤翔良原人，云门偃法嗣云门第二世。

[2]楔(xiē)：填充器物的空隙使其牢固的木橛、木片等。

[3]炙脂:烤动物的油脂。

[4]鹘(gǔ):古代的一种鸟,短尾,青黑色。

11.京兆大荐福寺弘辩禅师

帝曰:"云何名戒?"对曰:"防非止恶谓之戒。"帝曰:"云何为定?"对曰:"六根涉境、心不随缘名定。"帝曰:"云何为慧?"对曰:"心境俱空、照鉴无惑名慧。"帝曰:"何为方便?"对曰:"方便者,隐实覆相权巧[1]之门也。被接中下、曲施诱迪谓之方便。设为上根言,舍方便但说无上道者,斯亦方便之谭。乃至祖师玄言,忘功绝谓,亦无出方便之迹。"帝曰:"何为佛心?"对曰:"佛者西天之语,唐言觉。谓人有智慧觉照[2]为佛心。心者,佛之别名,有百千异号,体唯其一,无形状,非青黄赤白、男女等相。在天非天,在人非人,而现天现人,能男能女,非始非终,无生无灭,故号灵觉之性。如陛下日应万机,即是陛下佛心。假使千佛共传,而不念别有所得也。"[3]

【注释】

[1]权巧:如来的权谋,指巧协于时机。

[2]觉照:用觉悟的心观照一切。

[3]这一篇是唐代著名禅师弘辩答唐宣宗问,宣宗问戒定慧、佛心于弘辩禅师,弘辩禅师指出佛就是觉悟之心,是世间万事万物的本体,无始无终、不生不灭。

12.南康军清隐院惟湜禅师

僧问:"如何是道?"师曰:"斜街曲巷。"曰:"如何是道中人？"师曰:"百艺百穷[1]。"

【注释】

[1]穷:穷尽,精通。

13.婺[1]州承天惟简禅师

僧问:"佛与众生,是一是二？"师曰:"花开满树红,花落万枝空。"曰:"毕竟是一是二？"师曰:"唯余一朵在,明日恐随风。"

【注释】

[1]婺:音 wù。

14.嘉定府九顶寂惺惠泉禅师

僧问:"心迷法华转,心悟转法华。未审意旨如何？"师曰:"风暖鸟声碎,日高华影重。"上堂:"昔日云门有三句,谓函盖乾坤句,截断众流句,随波逐浪句[1]。九顶今日亦有三句,所谓饥来吃饭句,寒即向火句,困来打睡句。若以佛法而论,则九顶望云门,直立下风。若以世谛而论,则云门望九顶,直立下风。二语相违,且如何是九顶为人[2]处。"

【注释】

[1]见前文注释"文偃"。

[2]为人:指接引学人。

124

《通玄百问》[1]

[金]圆通 问　行秀 答

1.玉溪通玄庵圆通禅师设问,摩诃菩提兰若万松行秀禅师作答。其旨在"激励学徒阐一心,弘持祖道"。

问:"行玄犹是涉崎岖,如何是平坦处？"

答:"东西南北。"

问:"玄玄玄处亦须呵,且道有什么过？"

答:"罪不重科[2]。"

问:"万物推迁[3],还有不推迁底么？"

答:"住岸却迷人。"

问:"德山是佛祖儿孙,为什么佛来也打？祖来也打？"

答:"不敢怠慢。"

问:"临济是佛祖苗裔[4],为什么佛来也喝？祖来也喝。"

答:"只为佛来、祖来。"

问:"赵州指柏[5]、灵鹫[6]拈花,且道是同？是别？"

答:"竖两指。"

问:"亦无有涅槃,为什么却向双林[7]灭？"

答:"白曰不移轮。"

问:"我有一句子,明尽十玄门[8]、六相义[9],还有人道得么？"

答:"收。"

问:"佛语心为宗,未审心以何为宗？"

答:"何所不宗。"

问:"佛性与法性如何分别？"

125

答:"别日再商量。"

问:"性德本有为什么不觉不知?"

答:"几乎忘却。"

问:"千差万别如何融会?"

答:"展开两手。"

【注释】

[1]《通玄百问》又称《通选问答集》,记载了青州一辩法嗣宋代僧圆通的提问,和行秀禅师的回答,江西广信府通玄庵圆通设百问以激励学人,并宣扬祖道。

[2]重科:犯重罪。

[3]推迁:推移变迁。

[4]苗裔(yì):后代子孙。

[5]赵州指柏:禅宗公案,《联灯会要》卷六记载:"僧问:'如何是祖师西来意?'师云:'庭前柏树子。'僧云:'和尚莫将境示人。'师云:'我不将境示人。'僧云:'如何是祖师西来意?'州云:'庭前柏树子。'"在这一则公案中,赵州以"庭前柏树子"教人会取眼前者即是,而截断学人别学佛法的思路。即以超越人、境相对等分别见解的本来风光,拈提达磨要旨真风。

[6]灵鹫:灵鹫山,位于中印度摩揭陀国王舍城东北,简称灵山。在灵山法会上,世尊拈花,迦叶微笑成就一段公案。

[7]双林:娑罗双树林。

[8]十玄门:全称十玄缘起无碍法门,表示法界中事事无碍,明白了这个道理,就可以进入华严大经玄海,所以叫做玄门;又这十门相互为缘而起,所以叫做缘起。十门相即相入,互

为作用,互不相碍。华严宗以十玄门与六相圆融说作为根本教理,并称"十玄六相",二者会通构成法界缘起的中心内容。

[9]六相:《华严经》所说万有事物所具足之六种相。即总相、别相、同相、异相、成相、坏相。

《剑关子益禅师语录》
[南宋]子益[1]

1.道不可学,学而得之非实学;禅不可参,参而得之非实参。从空放下,两手撒开,机境顿忘。心法双泯。直下如大火聚,如太阿剑,近之,则燎[2]却面门;觑之,则丧身失命。禅之与道,境之与心,向甚处着? 正恁么时,只如七十二候,二十四气,还管带得它也无。且置是事。

【注释】
[1]子益:剑州(今四川剑阁)人,号剑关,南宋临济宗僧人,师范禅师法嗣。《剑关子益禅师语录》,善琪等编。
[2]燎(liáo):火烧。

《雪岩祖钦禅师语录》
[元]祖钦[1]

1.佛涅槃,上堂:"若谓释迦老子,古已入灭[2]。又道:'佛身充满于法界,而常处此菩提座。'若谓释迦老子,曾本不灭,面前触目,无非山河大地,草木丛林,桃红柳绿,燕语莺吟,毕竟那个是释迦老子。"蓦召大众,众回首。乃云:"将谓瞌睡。"

【注释】

[1]祖钦(?~1287):婺州(浙江)人,宋代僧人,属临济宗杨岐派分支破庵派。少年出家,后得法于无准师范禅师。

[2]入灭:入于灭度,与"入涅槃"同义,指佛的死亡。灭除一切烦恼之火,入于解脱的境地。

《元叟行端禅师语录》
[元]行端[1]

1.昔张拙秀才,访禅月、齐己、泰布衲[2]于石霜会中,一向只与此三人,说诗讲文章,初不知有脚跟下奇特事。禅月向他道:"堂头和尚[3],是肉身菩萨,何不参礼?"拙因依教而往霜,问云:"秀才何姓?"拙云:"姓张名拙。"霜云:"觅巧了不可得,拙自何来?"张拙秀才当下豁然大悟,如贫得宝,如暗得灯,如白衣拜相,如平地登仙,随口便说个偈道:"光明寂照遍河沙,凡圣含灵共我家。一念不生全体现,六根才动被云遮。断除烦恼重增病,趣向真如亦是邪。随顺世缘无墨碍,涅槃生死等空华[4]。"只者便是明自本心,见自本性,到大休大歇,大安乐田地。

【注释】

[1]行端(1254~1341):浙江临海人,元代临济宗大慧派僧人,俗姓何,号元叟。少年学儒,后剃发出家,参学于径山藏

叟善珍得法。

[2]禅月、齐己、泰布衲都是前代著名禅师。禅月,即贯休(832~912),唐末五代僧人,以诗、画著称于世。婺州兰溪(浙江金华)人,俗姓姜,字德隐,一字德远。齐己,唐末五代僧人,湖南益阳人,俗姓胡,自号衡岳沙门。泰布衲,即玄泰,唐末五代僧人,因一生不着丝帛,只穿棉衣僧衲,时号“泰布衲”,常与贯休、齐己相交唱和。

[3]堂头和尚:方丈的别称。

[4]空华:指空中之华。空中原本无华,但是眼有病疾的人因为眼中有翳,常常在空中妄见幻化的华,比喻本无实体的境界,由于妄见而起错觉,以为实有。所以在自身中见有一常住之我,或于一切万物中,妄见其有实体,则称为如见空华。

2.道人之心,其直如弦,但无人我是非,圣凡优劣,诈妄谄曲,诸等过患,自然得入无住心体,从本以来,不是人,不是我,不是凡,不是圣,不是心,不是佛,不是物,不是禅,不是道,不是玄,不是妙,只为一念妄心,分别取舍,突然起得如许多头角[1],被他万境回换,十二时中,不能得个自由自在。所以道:“寻牛须访迹,学道访无心,迹在牛还在,无心道易寻。”

【注释】

[1]头角:禅林用语。指烦恼的念头。又指凡夫起有所得之心,称为头角生。

《天目明本禅师杂录》

[元]明本[1]

1.行之力则到必远,学之苦则悟必深,学者当谋远大之计,莫期浅近之功,无上大道,高越泰华[2],广逾[3]十虚,一切有情本来具足,自非圣贤器量而欲穷其高尽其大者,犹跛足[4]之鳖[5]望千里之程,岂朝夕可能达哉!所以古先圣人知其不可强,乃有渐而顿,顿而圆之义,晓然载于典籍矣。

【注释】

[1]明本(1263~1323):浙江钱塘人,元代临济宗僧人,俗姓孙。幼年在天目山参谒高峰原妙禅师。二十四岁从高峰出家,并继承他的禅法。此后居无定所,或泊船中,或止庵室,自称幻住道人。

[2]泰华:泰山、华山的并称。

[3]逾(yú):超过。

[4]跛(bǒ)足:瘸腿。

[5]鳖(biē):甲鱼。

2.参禅并无一切造作,只要一个为生死大事,正念真切提起所参话也,不要与精进昏散较量多少,将心较量转成散乱去也。但去寻个稳便处住了,不问年深月远,但有一日精神,参取一日,久久不变不异,不知不觉自然有开悟之时,如未获开悟,切不得将心意识向一切佛法道理上卜度[1],不怕道业不成也。

勉之。

【注释】

[1]卜度:推测,臆断。龚自珍《法性即佛性记》:"于无相中,而发互相,即立即破,无前无后,不容商量,不受唇吻,不堕卜度。"

3.死生大事,是无量劫前,流浪至今,非一朝夕所成者。今日要将此无量劫前所流浪生死根尘和底一翻翻转,甚非易事也。须以决定志气尽形命为期,此生或不了辨,便拼取来生后世与之打捱[1],当知此事无你着力处,无你急性处,无你用情处,转着力转迷闷,愈急性愈纷飞,益用情益昏散,但只要一切处密密切切,把定一个所参底话头,一切处不得放舍,不得间断,只与么徐徐切觑捕将去,第一不要指立期限,第二不要避喧求寂,第三不要拣择境缘,第四不要住心待悟,第五不要计算功程,第六不要别觅方便,第七不要遇难而忧,第八不要逢顺而喜,第九不要瞥生畏怯,第十不要取舍依违,离此十事,谨守个四大分散时向何处安身立命话,尽平生乃至未来际只如此做向前,此回更做不上,不可再换所参话也。

【注释】
[1]打捱:拖延。

《古林清茂禅师语录》

[元]清茂[1]

1. 师乃云："第一义谛,作么生观？古者道：昭昭于心目之间,而相不可覩[2]；晃晃于色尘之内,而理不可分。既不可覩,又不可分,则眼耳鼻舌身意,色声香味触法,皆是影子边事,于第一义谛,了无交涉。倘能直下承当,新长老今日开堂一期事毕,其或未然,有疑请问。"时有僧问："三通鼓罢,大众咸臻[3],学人上来,请师祝圣。"师云："云静日月正,雪晴天地春。"进云："与么则四海尽归皇化里,万灵何处不沾恩。"师云："也少上座一分不得。"进云："只如古人道,扑落[4]非它物,纵横不是尘,山河并大地,全露法王[5]身,意旨如何？"师云："透顶透底。"进云："野色更无山隔断,天光直与水相通。"师云："欲穷千里目,更上一层楼。"僧礼拜。师云："元来只在者里。"乃云："始从鹿野苑,终至提河,于是二中间,未曾谈一字,大众,释迦老子与么道,是说耶？不说耶？说与不说且置,只如它与么道,还当得宗门中向上事也无。"蓦拈主丈云："举一不得举二,放过一着,落在第二,天高地厚,水阔山遥,一句全提,风恬浪静。"卓主丈云："黄河三千年一度清。"

【注释】

[1]清茂(1262~1329)：温州(浙江)乐清人,元代临济宗杨岐派松源派僧人,俗姓林,号金刚幢、休居叟。十二岁出家,后游方天下,曾经参学于明州雪窦山简翁敬、南屏石林巩、承

天觉庵真等禅师。后得法于横川如珙并弘扬其禅法。清茂禅师的嗣法弟子有了庵清欲、仲谋良猷、竺仙梵仙、月林道皎、石室善玖等人，其中竺仙梵仙到日本开创竺仙派，为日本禅宗二十四派之一。该派因创始者梵仙是古林清茂的嫡嗣弟子，所以又被称为古林派。

[2]觑：同"睹"。

[3]臻(zhēn)：到达。

[4]扑落：落，落下。

[5]法王：佛于法得胜自在，所以比喻为君王，称为法王。

《石屋清珙禅师语录》

[元]清珙[1]

1.示众云："吾佛世尊，有四种清净明诲[2]，所谓：摄心为戒，因戒生定，因定发慧。云何摄心[3]？何名为戒？若诸世界六道众生，其心不淫，则不随其生死相续。"又道：若不断淫修禅定者，如蒸砂石欲其成饭，经百千劫，只名热砂。何以故？此非饭本，砂石成故。汝以淫身求佛妙果，纵得妙悟，皆是淫根，根本成淫，轮转三途，必不能出。又道：若不断杀修禅定者，譬如有人自塞其耳，高声大叫，求人不闻：此等名为欲隐弥露。清净比丘，于岐路行，不踏生草，况以手拔；云何大悲，取诸众生血肉充食，名为释子。又道：若不断偷修禅定者，譬如有人水灌漏卮[4]，欲求其满，纵经尘劫，终无平复。若诸比丘，衣钵之余，分寸不畜，乞食余分，施饿众生。又道：若诸世界六道众生，虽则身心无杀盗淫，三行[5]已圆，若大妄语，则三摩地[6]不得清净。如刻人粪,为旃檀[7]形,欲求香气,无有是处。杀盗淫妄,既已消亡,成定慧学,自然清净;若太虚之云散,如大海之波澄。得到这般田地了,方可以参禅,方可以学道。

你且道:禅又怎么生参?道又怎么生学?从上以来,多有样子!福源不惜口嘴,略举数段。

【注释】

[1]清珙(gǒng)(1272~1352):苏州常熟人,元代临济宗虎丘派僧人,俗姓温。在兴教崇福寺永惟座下出家。后参天目山高峰原妙,继承了建阳及庵宗信的禅法。曾在天湖庵山居住长达四十年许,是一位清苦严厉的古禅僧。其嗣法弟子为高丽的太古普愚。普愚为韩国佛教史上的名僧。也是现代韩国太古宗所追尊的远祖。《石屋清珙禅师语录》,至柔等编。

[2]诲(huì):教导,教诲。

[3]摄心:摄散乱之心于一。在禅观时,为了让余念不生,选择闲静的地方,数息调心,以防驰散,使心安住摄止于一境之中。

[4]卮(zhī):古代的一种酒器。

[5]三行:即福行、罪行、不动行。福行是修行十善等福业;罪行又名非福行,就是造作十恶等恶业;不动行是四禅、四空处的禅行,也可以说是无漏解脱三昧的出世间行。

[6]三摩地:意译为定,即住心于一境而不散乱的意思。

[7]旃檀(zhān tán):檀香。

二祖初到少林,参礼达磨,断臂立雪,悲泣求法,达磨曰:

"诸佛最初求道，为法忘形，汝今断臂，求亦可在。"二祖曰："诸佛法印，可得闻乎？"达磨曰："诸佛法印，匪[1]从人得。"二祖曰："我心未安，乞师安心。"达磨曰："将心来，为汝安。"二祖曰："觅心了不可得。"达磨曰："我为汝安心竟。"二祖于此悟入。——这个便是为法忘躯、参禅学道第一样子。

【注释】

[1]匪：通"非"，不是。

大梅常禅师[1]，参问马祖："如何是佛？"祖曰："即心是佛。"常领旨，直入大梅山卓庵。后马祖闻之，令僧去问曰："和尚见个什么道理，便住此山？"常曰："马祖向我道：即心是佛。我向这里住。"僧曰："马祖佛法如今又别了也！"常曰："作么生别？"僧曰："如今又道：非心非佛。"常曰："这老汉，惑乱人未有了日在！任他非心非佛，我只管即心即佛。"其僧回举似祖，祖曰："梅子熟也！"——这个便是有决定信、无疑惑心、参禅学道第二个样子。

【注释】

[1]大梅常禅师，襄阳人，唐代禅僧，俗姓郑，马祖道一禅师法嗣。

临济初在黄蘗会下，行业纯一，首座[1]问曰："上座在此多少时也？"济曰："三年。"首座曰："参问也无？"济曰："不曾参问：不知问个什么？"首座曰："汝何不去问堂头和尚：如何是佛法的大意？"济便去问。声未绝，蘗便打！如是三度发问，三度被打！济白座云："幸蒙慈悲，令某问话：三度发问，三度被打。自恨障缘，不领深旨，今且辞去。"座云："汝若去时，须辞方丈去。"座先到方丈云："问话底后生，甚是如法，若来辞时，方便接他。向后成一株大树，与天下人作阴凉去在！"济去辞，蘗云："不得往别处：向高安滩上大愚处去。"济到大愚，愚问："什么处来？"济云："黄蘗处来。"愚云："黄蘗有何言句？"济云："某甲三度问佛法的的大意，三度被打。不知某甲有过无过？"愚云："黄蘗与么老婆[2]，为汝得彻困，更来这里问有过无过！"济于言下大悟，云："元来黄蘗佛法无多子！"愚搊[3]住云："这尿床鬼子！适来道有过无过，如今却道黄蘗佛法无多子：你见个什么道理？速道！速道！"济于大愚肋下[4]筑三拳。愚托开云："汝师黄蘗，非干我事。"济辞大愚，却回黄蘗。蘗见来便问："这汉来来去去，有什么了期？"济云："祇[5]为老婆心切。"蘗问："什么处去来？"济云："昨蒙慈旨，参大愚去来。"蘗云："大愚有何言句？"济遂举前话。蘗云："作么生得这汉来，待痛与一顿！"济云："说什么待来？即今便吃。"随后便掌。蘗云："这风颠[6]汉，却来这里捋虎须[7]。"济便喝！蘗云："侍者引这风颠汉参堂[8]去！"——这个便是宿因[9]深正、有大根器、参禅学道第三个样子。

【注释】

[1]首座：僧堂六头首之一。又作上座、首众。即居一座之首位而为众僧之表仪者。

[2]老婆：在禅林中，指教导学人亲切、殷殷叮咛的态度，有

136

慈悲之意。

[3]搊(chōu):拉紧。

[4]筑:打,捣。

[5]祗(zhī):仅仅,只。

[6]风颠:疯癫。

[7]将(luō)虎须:比喻冒犯厉害的人。

[8]参堂:禅林用语。禅林中,沙弥新加入为僧堂的一员,称为参堂。

[9]宿因:过去世所造之业因。因有善恶,但宿因一般均指善因而言。业也有善恶,但宿业多指恶业。

　　长庆棱禅师[1]未悟时,看个"驴事未去,马事到来",如是在雪峰、玄沙,往来三十年,坐破蒲团七个。一日卷帘,豁然大悟,便说个颂子道:"也大差,也大差,卷起帘来见天下!有人问我解何宗,拈起拂来劈口打。"这个便是不肯造次承当、必欲见大休大歇田地,参禅学道第四个样子。

【注释】
[1]长庆棱禅师,杭州盐官人,俗姓孙。

　　仰山在百丈会下,问一答十,口吧吧[1]地。百丈曰:"汝已后去遇人在。"后到沩山处,沩问曰:"承闻子在百丈,问一答十,是不?"仰云:"不敢。"沩云:"佛法向上一句,作么生道?"仰拟开口,沩便喝!如是三问,仰三拟答,三被喝!仰低头垂泪云:"先师道:教我更遇人始得。今日便遇人也。"遂发心看牛三年。

一日沩山见仰在树下坐禅,沩以拄杖点背一下,仰回首。沩云:"寂子[2]道得也未?"仰云:"虽道不得,且不借别人口。"满云:"寂子会也!"这个便是去却知解、真实参禅学道第五个样子。

【注释】

[1]口吧吧:话很多的样子。

[2]寂子:即仰山寂会。

保宁勇禅师[1],初入天台教,更衣谒雪窦显禅师。显以为堪任大法,乃熟[2]视,呵之曰:"央庠座主[3]!"勇发愤下山,望雪窦山礼拜曰:"我此生行脚参禅,道不过雪窦,誓不归乡。"便往泐潭,踰[4]年疑情未泮[5]。后参杨岐,顿明心地。岐没,更从同参白云端,研穷玄奥。这个便是具决定志、无退转心,参禅学道第六个样子。

【注释】

[1]保宁勇禅师,四明竺氏子。

[2]熟:仔细。

[3]座主:禅林用语。又称坐主。禅林中,称从远方来参问的讲经僧为座主。

[4]踰:同"逾",超过,越过。

[5]泮:消融。

雪峰悦禅师[1],在大愚芝座下,一日芝示众曰:"大家相聚吃茎薤[2]:唤作一茎薤,入地狱如箭。"悦闻之骇然[3],便上方丈请开示。芝曰："法轮[4]未转，食轮先转。后生家趁色力健，何不为众乞食？我忍饥不暇[5]，何暇为汝说禅乎？"悦不敢违。未几，芝迁翠严，悦纳疏罢，复过翠岩求开示。芝曰："佛法不怕烂却，今正雪寒，可为众乞炭。"悦亦奉命。化炭归，复上方丈请益。芝曰："堂司即日缺人，今已烦汝。"悦受之不乐，恨芝不去心。一曰后架桶箍忽散，自架堕落，豁然大悟，顿见芝用处。急趋[6]方丈。芝见来，笑曰："且喜维那[7]大事了毕。"悦不措一词，礼拜了退。这个便是为众竭力，不废寸阴，参挥学道第七个样子。

更有第八个样——此是微尘佛，一路涅槃门！过去诸如来，斯门已成就；现在诸菩萨，今各入圆明；未来修学人，当依如是法。

【注释】

[1]雪峰悦禅师，太原王氏子，得法于汾阳善昭禅师。

[2]齑(jī)：切碎的葱、姜、蒜等。

[3]骇(hài)然：惊讶的样子。

[4]法轮：以轮比喻佛法，能摧破众生之恶，就好像轮王的轮宝，能碾摧山岳岩石，所以叫做法轮。又一说为佛之说法，不停滞于一人一处，展转传人，就好像车轮一样，所以将佛法比喻成法轮。

[5]暇：空闲。

[6]趋：奔赴，奔向。

[7]维那：管理寺中事务的人，寺中三纲之一。

2.拟学佛法，被佛法缚[1]；拟学玄妙，被玄妙缚；拟学古今差别言句,被古今差别言句缚。坐被坐缚,卧被卧缚,寂寂惺惺,昏沉散乱,被寂寂惺惺昏沉散乱缚,静被静缚,闹被闹缚,迷被迷缚,悟被悟缚。殊不知,缚即是解,解即是缚,岂不见道:"执之失度[2],必入邪路;放之自然,体无去住。"任性听其逍遥,随缘纵其放旷,山僧等是入泥入水,向你道,自生至老,不是别人,阴极阳生,不离当处,有佛处不得住,无佛处急走过,三千里外摘杨花。

【注释】

[1]缚:捆绑。

[2]失度:正常的状态、规则、标准产生错乱。

3.上堂:"一心不生,万法无咎,无咎无法,不生不心。所以道:山僧居庵时,只见居庵时境界。门对千峰,心闲一境,朝看白云冉冉[1],暮听流水潺潺,煮藜藿[2]于折脚铛[3]中,穿破衲于尖头屋下,自由自在,无束无拘,娑罗树影落天湖,檐萄华香浮台石,是非不到,名利杳忘。住院时,即见住院时境界,门连湖市,地接海州,早起晏眠,迎来送去,整规模于颠危之际,聚衲子于寂寞之中,渔歌牧笛长闻,山色溪光罕见,红尘滚滚,白日匆匆[4]。且道:住湖寺,居山庵,是同是别?"良久云:"无山不带云,有水皆含月。"

【注释】

[1]冉冉:形容事物慢慢变化或移动。郁达夫《病后访担风先生有赠》:"冉冉浮云日影黄,维摩病后气凋丧。"

[2]藜藿(lí huò)：泛指粗劣的饭菜。

[3]折脚铛：断脚锅。

[4]匀(yí)匀：美好的样子。

《了庵清欲禅师语录》

[元]清欲[1]

1.学此道者，大贵精敏而沉潜。精敏而不为物惑，沉潜而不与物竞。不为物惑，则虚而灵；不与物竞，则寂而妙。然精敏沉潜，亦岂易至哉？良由内见通明，前境湛净，莫非夙[2]有灵骨，具大智慧，触境遇缘，不待照烛，而诸法自泯，六根互用，一体同观，不滞不着，离诸色相，所以观自在，行深般若，而五蕴皆空，度一切苦厄[3]，便是者个时节。者个时节，不从人得，只消日用现行，常自捡点[4]，世出世间，何处有一法可得担带，直是净裸裸、赤洒洒，上无攀仰，下绝已躬，常光现前，壁立万仞。如大火聚，一切物近傍你不得；如太虚空，一切物栖泊[5]你不得。自家涵养，资人锻链，却要就本色炉排，恶辣钳锤，发大勇猛，不退不怯，自然久久入妙，堪为法器，非惟自利，亦可利人，回入尘劳，普摄群有，总是菩萨不思议解脱境界，又何佛法玄妙，向上向下之足芥蒂[6]耶？古人道：得坐披衣，向后自看，决非小缘，却须努力。

【注释】

[1]清欲(1288~1363)：台州(浙江)临海人，元代禅僧，俗姓朱，字了庵，号南堂。九岁丧父。十六岁出家，后往苏州开元

寺参访古林清茂,得悟并继承其禅法。

[2]夙(sù):平素,旧有的。

[3]苦厄:苦患与灾厄。

[4]捡点:注意约束,使合乎规矩。

[5]栖泊:停留。吴泰来《金缕曲·上元日丹阳旅寓对雪同述庵作》:"百年身世悲秋箨,最愁人,试灯风里,天涯栖泊。"

[6]芥蒂:介意。

2.禅是断生死底刀子,禅是解执结底觿子[1]。禅是辩妍[2]丑底镜子,禅是斩邪妄底剑子。禅是伐荆棘林底斧子,禅是破怨敌底策子。禅是成佛作祖底本子,以故佛祖依之而建立,众生由之而得度,禅之功用若此,可不尽心乎!不尽心则不得其力,不得其力,则劳而无功,劳而无功,则不见禅之真体也,不见禅之真体,则无以为人,无以为人,则慧命断绝,慧命断绝,则何以为僧耶?佛者觉也,自觉觉他,觉行圆满,可谓了事大丈夫矣。今世学佛而不知佛道之广大周备,则诚为忝窃[3]耳,岂有奇男子,肯为忝窃哉。

【注释】

[1]觿(xī)子:古代一种解结的锥子。

[2]妍:美丽。

[3]忝(tiǎn)窃:谦言辱居其位或愧得其名。杜甫《长沙送李十一》:"李杜齐名真忝窃,朔云寒菊倍离忧。"

《竺仙和尚语录》

[元]梵仙[1]

1.示蕴晃:"如汝所问一大事因缘,并出离生死之事,求以指示冀得其道:奇哉丈夫,天然有在,能问是事! 然则据如所问,余合无言。何故? 言多去道转远! 虽则,三百余会,浩浩宣扬,亦非少也。今既有请,岂能默哉。所谓出离生死者,即是大事因缘;大事因缘,即是道也。然其道甚近,以求之故,如前所谓转远之矣! 然已知之者乃可耳,倘或未能,而无师自悟之者,几何人哉! 求亦宜矣! 所求之法,乃当如失重宝,恒作是念,毋令间断。所有世间一切善恶之境,为缘为对之者,即就剖析而谛观之:有耶无欤? 如是而求,求之不得,是为得也! 如复未然,则当返觅所求之心,从何而起? 极其根源,不见其相,处所亦无,所求妄心即当寂灭,一切境界同时消殒;所谓道者,斯现前矣! 倘[2]能至此,则如鱼饮水,冷暖自知,不可以告以人也。然后,至于咳唾[3]掉臂[4],无不是道。然不可以为有所得,有所趣向,为胜为妙。如一有其纤毫可当情者,即是生死根本,无有出离解脱之分! 又复若乃既得解脱,而复忌坐于解脱之处——是谓解脱深坑! 一堕于是,而无转身之路,犹水浸顽石,不能变化,一无所用。古德云:'百尺竿头[5]坐底人,虽然得入未为真;百尺竿头须进步,十方世界现全身。'僧问五祖演和尚:'百尺竿头如何进步?'祖云:'快走始得。'此乃三百余会之所表尝谈者! 思之。"

[1]梵仙(1292～1348):明州(浙江)象山人,元代临济宗僧人,俗姓徐,号来来禅子、寂胜幢、思归叟。梵仙为古林清茂禅师法嗣,后东渡日本弘扬佛法,嗣法者有大年法延、椿庭海寿等人,该法系称为竺仙派(又作古林派,梅林门徒),为日本禅宗二十四流之一。

[2]倘:假如。

[3]咳唾:咳嗽,吐唾液。

[4]掉臂:甩动胳膊。

[5]百尺竿头:比喻极高。"百尺竿头不动人,虽然得入未为真。百尺竿头须进步,十方世界是全身。"比喻已经达到极高的境界,但还须增添功夫,向上进一步。

2.示蕴成:"祖师西来,直指人心,见性成佛,此是第一个题目也;然到我儿孙,吾则谓之恶口!然,若夫一向,又安能随宜导引,并复岂肯自局之讳而不言哉?且汝特以是请,当为言之:如汝来前,动汝足目举体,乃至足司[1]行履,目职瞻视,司职攸[2]分,惟在一心,举体若是,悉无他物。又若举体无足与目其何能至,亦犹是矣!能识此心,当见本性。见本性已,与佛何殊!或曰:心之与性,孰不识哉?即如所谓瞻视者,莫不昭昭然,所谓行履者,莫不堂堂然,至于举体云者一也。余曰:非是,乃心之所使为识也,如世下愚,认奴为郎,斯害也矣!又复有者,劳身苦体,百种千般,为之驰求,求之至急,或至狂失!而其人也,不知最亲而最近,因以求之,乃转琉而转远也!譬如有人,怖[3]自影迹,驰于日下,而欲逃之,而影愈疾迹愈多也!就阴而息,其理如何？思之。"

【注释】

[1]司：主管，掌管。

[2]攸：放在动词前面，组成名词性的词组，相当于"所"。《周易·坤卦》："君子有攸往。"

[3]怖：惊恐，害怕。

3.示禅贤居士："据如所谓，信向此道，孜孜不倦，而朝夕彼寻经教，并古人语录，匪遑[1]宁居：即此是无量劫来，八识田[2]中，菩提种子发生如是也，更非他物。又云：未蒙激发蒙滞，愿以不涉他途径直开示本分一路——此即含元殿里，更见长安！作如是说，可谓直否？""然，世间人，多是错会，便曰：一切动静施为，是皆自己如来藏海；一切山河大地，无非自己妙明真心——若如是会，则是无量劫[3]来，八识田中无明荒草，参天荆棘，根深而蒂固，未能划除：说甚菩提种子而发生耶！然直菩提种子亦须划却，其庶几[4]也！其况他乎！然居士自实会，岂须忉怛[5]；有此忉怛，悉是无故横入他途，皆非直也：又奚[6]能开示本分一路！然则直中曲，曲中直，划却菩提种荆棘，看他结个大葫芦，挂向赵州东院壁。"

【注释】

[1]遑（huáng）：恐惧。

[2]八识田：所有世间法和出世间法的一切种子，都收藏在第八识里，遇到缘，就会发行现行，像是田地放下了种子就会

生出果来一样，所以叫做田。

[3]无量劫：多到不可计量的劫数，指无从估计的长远时间。劫是长远时间的单位。

[4]庶几：差不多，近似。

[5]忉怛(dāo dá)：啰唆。

[6]奚：怎么。

4.示聪大师："聪明伶俐，乃是入道之媒，又是障道之贼。其为媒者，能以善巧妙慧，如见所失之物，固知不远，不动声色，运筹而已，一举而获，一见便见，一得永得也。其为贼者，唯纵奸黠[1]，种种狂妄，虽欲求之，计较过之，差之毫厘，失之千里！聪明伶俐者，人之使也，唯在主人翁，任用如何耳！主人翁者心也；一切善恶，莫不由心。然道之一字，亦无所谓善恶也！参。"

【注释】
[1]奸黠(xiá)：奸猾。

《万峰和尚语录》

[元]时蔚[1]

1.月头是初一，光明渐渐出，月尾是三十，光明何处觅？假饶[2]老释迦，也道拈不出！拈得出，万事毕。大众若有人道得，出来道看？如无，嵩山与你诸人露个消息——"舒两手云："我见灯明佛[3]，本光瑞如此！"

【注释】

[1]时蔚(1303~1381):温州乐清(位于浙江)人,元代临济宗杨岐派分支破庵派僧人,俗姓金。禅师十一岁得度,习《法华经》,读到"诸法从本来"时忽然有所省悟,就四出游方。十九岁受具足戒,曾经参谒虎跑普成、天台山无见先睹。后投伏龙山千岩元长门下,契机证悟。《万峰和尚语录》,普寿编。

[2]假饶:纵使,即使。

[3]灯明佛:即日月灯明佛,是过去世中出现宣说《法华经》的佛。其光明在天如日月,在地如灯,所以叫做日月灯明佛。

2.示众(以拂子打圆相[1])云:"天地未分,日月未明,这一着子,观时无物,听时无声,无色无声,如天常清,如空常明,圣凡俱泯[2],生灭全沉,动静不生,非假非真,了无边表,亦无升沉,空空寂寂,绝见绝闻,你还识么?若向这里得个消息,便可与三世诸佛同一眼见,同一耳闻,历代祖师一口所宣,一音演畅[3],放光动地,亘古亘今,开迷情之眼目,洗执垢之尘心,转万物为自己,转自己为万物,融通法界,变化山川,说凡说圣,说有说空,说权说实。俱无障碍。亦不滞于空寂,亦不沉于有无,亦不堕于凡圣,亦不落于生死。放行把住,机轮互换,出没卷舒,纵横妙用,法法全彰。建立也在我,扫荡也在我,我为法王,于法自在!"

【注释】

[1]圆相:在禅宗,描画一个圆形图来象征真如、法性、实相,或众生本具的佛性等。禅僧常常用拂子、如意、拄杖或手指

等,在大地或空中画一圆相,有时也用笔墨书写此类圆相,表示真理的绝对性。

[2]泯:灭,消失。

[3]演畅:阐明,阐发。

《楚石梵琦禅师语录》

[元]梵琦[1]

1.鸦啼古木,犬吠深林,云横不断青山,潮落无边沧海。渔歌出浦,行行宿鹭群飞;日影穿林;处处炊烟竞出。田家麦熟,即便栽禾;邻妇蚕眠,相将剥茧。沽[2]盐买醋,运木搬柴,解缆张帆。垂鞭嚲[3]袖,烧香扫地,合掌摇头,文殊普贤,无端起佛见法见,贬向二铁围山了也。还有人救得么?若有,不妨起死回生;如无,且听填沟塞壑[4]。

【注释】

[1]梵琦(1296~1370):明州(浙江)象山人,元代临济宗大慧派僧人,俗姓李。少年出家,相传一天读《楞严经》有所顿悟,后参学于元叟行端禅师,一天,听见西城楼上鼓鸣,豁然大悟。著作有《楚石梵琦语录》二十卷、《西斋净土诗》三卷、《上生偈》、《北游凤山西斋》三集、《和天台三圣诗》数卷。

[2]沽(gū):买。

[3]嚲(duǒ):下垂的样子。

[4]填沟壑:委婉的指死亡。

《恕中无愠禅师语录》

[元]无愠[1]

1.上堂:"鱼以水为命,鸟以树为家。伐却树鸟获栖迟,竭却水鱼全性命。且道既伐却树竭却水,因什么鸟反获栖迟?鱼反全性命?若向者里明得,许你有个入处;若向者里明不得,也许你有个入处。明得明不得则且置,只如庄周道,北冥有鱼,其名曰鲲,化而为鸟,其名曰鹏[2],正与么时,唤作鹏又是鲲,唤作鲲又是鹏,且鲲之与鹏,还有分别也无?若谓有分别,本出一体;若谓无分别,又化作两形。毕竟作么生评论?"击拂子"——竿头丝线从君弄,不犯清波意自殊"。

【注释】

[1]无愠(1309~1386):浙江临海人,明初临济宗僧人,俗姓陈,号空室。壮年登径山,投元叟行端剃发,未久在昭庆律寺受具足戒。后与同学木庵聪、大宗兴等一起到台州紫箨山参礼竺元妙道禅师,一天想要问"狗子无佛性"的话头,刚想开口,妙道一喝。无愠禅师当下大悟,就作了一首偈颂,受印可。先后在灵岩广福寺、瑞岩净土寺弘扬佛法,来参者颇多,禅师设三问以接禅客,不契则逐,世称"瑞岩三关"。后隐居在松岩之顶。著有《恕中和尚语录》六卷、《山庵杂录》二卷、《净土诗》一卷、《重拈雪窦拈古百则》等。《恕中无愠禅师语录》,宗黼等编。

[2]出自《庄子·逍遥游》:"北冥有鱼,其名为鲲。鲲之大,

不知其几千里也。化而为鸟，其名为鹏。鹏之背，不知其几千里也。怒而飞，其翼若垂天之云。是鸟也，海运则将徙于南冥。南冥者，天池也。"

2.冬至小参："海寺荒凉，岩峦攒拱，门外寒潮浸月，庭前古木号风。人人眼见耳闻，一一超今迈古，戢[1]玄机于未兆，藏冥运于即化，慈明揭榜堂前，鬼门贴卦，洞山掇退果卓，欺陷平人，若非智眼洞明，尽作奇特话会。所以道，参禅须透祖师关，学道要穷心路绝。心路不绝，祖关不透，未免受他寒暑变迁，生死笼罩。"拈拄杖云："此土西天十万程，冬至寒食一百五。"

【注释】
[1]戢(jí)：收敛。陶潜《归鸟》："翼翼归鸟，戢羽寒条。"

3.上堂："心无自性，全物而彰；物无自体，全心而现。有时拈一茎草，作丈六金身[1]；有时将丈六金身，作一茎草。七出八没，筑着磕着。——明月堂前垂玉露，水精殿里撒真珠。"

【注释】
[1]丈六金身：佛有三身，法身、报身和化身。一般称佛的化身为"丈六金身"，《传灯录》曰："西方有佛，其形丈六而黄金色。"

4.冬节小参："始见重阳，又逢冬至，大法本无变迁，寒暑自成来去。是以山僧自到此山，首尾将及二载[1]，运水搬柴，迎宾送客,与诸人同一眼见,同一耳闻,同一心思意想,同一鼻嗅舌尝,山僧移易诸人,一丝毫不得,诸人移易山僧,一丝毫不得。所以道:是法平等,无有高下。又有道:具足凡夫法,凡夫不知;具足圣人法,圣人不会。圣人若会,即同凡夫;凡夫若知,即同圣人。与么说话,大似掩耳偷铃,今夜打动法鼓,集众小参,不说同法,不说异法,不说不同不异法,若是皮下有血底,向者里翻身一掷,抹过太虚,便见觉城[2]东际,始见文殊,楼阁门开,方参慈氏[3],总是鬼家活计,日下孤灯。"喝一喝:"好事不须频话会,留将和气煖丹田。"

【注释】

[1]载:年。

[2]觉城:指印度摩揭陀国伽耶城。是佛陀成正觉的都城,所以称为觉城。

[3]慈氏:即弥勒菩萨。取慈悲亲近人的意思。

5.今之学道人,不明大道,惟务贪求,只如打初发心学道一解便错了也。夫道者,本原清净之道也。旷大劫来,而至今日,无得无失,无新无旧,无明无暗,无相无名,在诸佛不添,在众生不减,强名之曰道,早是染污。若言学之方有所成,是所谓错也。古者不得已,呼向上人,为学道人。盖其以无可学为学,无可道是道,无可学则无执着,无可道则无遵守。等闲蹉口,道着佛字,直须漱口三年,始可谓之真学道人也。南泉和尚[1]云:"道不属知,不属不知。"知是妄觉,不知是无记,若真达不疑之道,犹若太虚,岂可强是非耶?王老师可是忘躯为物,不顾危

151

亡,殊不知,我王库内,无如是刀。

【注释】

[1]南泉和尚:即普愿禅师,马祖道一禅师法嗣。

6.禅和家道,我无有不知,无有不会。忽有人问:"如何是行脚事?""便口如扁檐[1]。""病在于何?""病在多知多解。""怎么参学?""不如三家村里种田汉。"忽有人问:"今岁稼穑[2]如何?""一一道出如瓶泻水。"盖其无知解故,无简择故,秋气向寒,各自归堂。珍重。

【注释】

[1]檐:覆盖物的边沿或伸出的部分。

[2]稼穑(sè):指农作物,庄稼。

《愚庵智及禅师语录》
[元]智及[1]

1.因雪上堂,僧问:"雪覆千山,为什么孤峰不白?"师云:"别是一乾坤。"进云:"九天垂瑞雪,万国尽欢心。"师云:"片片不落别处。"僧礼拜。师拈拄杖卓一卓云:"乾坤大地,一时粉碎了也。十方诸佛,六代祖师,天下老和尚,直得瓦解冰消,独有普贤菩萨,具大神力,见大神变,欢喜踊跃。喃喃说偈云:'雪子落纷纷,乌盆变白盆。忽然日头出,依旧是乌盆。'忽有个汉出来道:'长老长老,此是雪诗。衲僧分上,合作么生?'只向道:

'三冬多瑞雪，鼓腹乐尧年。'"

【注释】

[1]智及(1311~1378)：江苏吴县人，元代临济宗大慧派僧人，俗姓顾，字以中，号愚庵，又称西麓。《愚庵智及禅师语录》，观道等编。

2.上堂，僧问："古人拈椎竖拂，意旨如何？"师竖起拂子。进云："毕竟意作么生？"师云："待汝一口吸尽西湖水，只向汝道。"乃云："譬如琴瑟、箜篌[1]、琵琶，虽有妙音，若无妙指，终不能发。"横按拄杖以手作抚琴势，云："发则发了也，诸人还闻么？佛以一音演说法，众生随类各得解，不见祖师道。幽幽寒角发孤城，十里山头渐杳冥。一种是声无限意，有堪听有不堪听。"

【注释】

[1]箜篌(kōng hóu)：古代拨弦乐器名。

3.上堂：僧问："真空不坏有，真空不坏色。作么生是真空？"师云："山河大地。"进云："治生产业皆与实相不相违背，如何是实相？"师云："无明烦恼。"进云："便恁么去时如何？"师云："笑破虚空。"乃云："拨草瞻风[1]，只图见性。即今上人性在甚处？""识得自性，方脱生死。眼光落地时作么生脱？脱得生死，便知去处，四大[2]分离向什么处去？大众不得孤负兜率[3]，不得孤负老僧，不得孤负自己。"

153

[1]拨草瞻风:比喻善于观察事物。

[2]四大:佛教的元素说,指物质(色法)是由地、水、火、风四大要素所构成。

[3]兜率:天名。是欲界六天中之第四天名,分内外二院,内院为弥勒菩萨的净土,外院为天人享乐的地方。

4.乃云:"今岁今宵尽,世事悠悠,何时而尽,明年明日催,只知事逐眼前过,不觉老从头上来。寒随一夜去,去去实不去。春逐五更来,来来实不来。既是寒随一夜去,且如何说个去去实不去?春逐五更来。又如何说个来来实不来?合水和泥,岂堪持论;斩钉截铁,未称全提[1]。北禅分岁,烹露地白牛[2],遭人追纳皮角,平地造妖捏怪。径山今夜小参,与诸人聚集片时,虽则寻常事例,也是醉后添杯。东山演祖云:"汝等诸人,见山僧竖起拂子,便作胜解[3]。及乎山禽聚集,牛动尾巴,却作等闲。"殊不知,檐声不断前旬雨,电影还连后夜雷。阿呵呵。会也么?——甜瓜彻蒂甜。苦瓠[4]连根苦。达磨大师非是祖。复举,僧问云门:"如何是云门一曲[5]?"门云:"腊月二十五。"僧云:"唱者如何?"门云:"且缓缓。"

【注释】

[1]全提:完全提起宗门纲要。

[2]北禅烹牛是一则禅宗公案。北禅,指北宋云门宗禅师福严良雅法嗣智贤,因为久居衡州(湖南)常宁北禅院,世称北

禅智贤。北禅曾于某年除夕小参时，对大众开示道："年穷岁暮，无可与诸人分岁，且烹一头露地白牛，炊黍米饭，煮野菜羹，向榾柮火唱村田。何故？免见倚它门户、傍它墙！"露地，指门外天井，或平安无事处。白牛，指的是清净之牛。

[3]胜解：又作信解，即净心信顺教法。《唯识论》五曰："云何胜解？于决定境印持为性。不可引转为业。"

[4]苦瓠(hù)：即苦匏(páo)。瓜类，味道很苦，不能食用。

[5]云门一曲：禅林用语。形容云门宗风艰深玄奥，非常人所能理解。《云门曲》原为我国古乐曲名，曲调艰深，歌者难咏唱，听闻者也难以领受。禅林中就以《云门曲》的艰深，难以歌咏，而评价它为"云门天子"，并用以转指云门宗风。云门宗祖云门文偃的家风，向来以难以理解著称，所以借《云门曲》的名字来比喻它。

《续传灯录》[1]

[明]居顶 编著

1.汀州开元智谭禅师

上堂：僧问："如何是无私句？"师曰："片月流辉，光含万象。"云："谢师指示。师曰："指示个什么？"云："争奈言犹在耳。"师曰："是什么言？"云："片月流辉，光含万象。"师曰："学语之流。"问："如何是道？"师曰："亘古亘今。"云："目前无异路，达者共同途。"师曰："汝怎么生会？"云："踏着秤锤[2]硬似铁。"师曰："犹较些子。"问："如何是佛法大意？"师曰："春寒秋热。"云："学人不会。"师曰："秋热春寒。"问："如何是古佛家风？"师曰："赞叹不及。"云："如何是无缝塔[3]？"师曰："风吹不入。"云："如何是塔中人？"师曰："鼻孔大，头向下。"乃曰："物我冥契[4]，显露真机；法法灵通，心心独耀。卷舒自在，隐显无拘。有时阒尔[5]无踪，有时廓周沙界，般若光中悉皆应现，尘尘既尔念念皆如。说什么目连鹙子[6]具大神通，到这里作生摸索！"

【注释】

[1]《续传灯录》三十六卷，另有目录三卷。明代居顶编。收于大正藏第五十一册。继《景德传灯录》之后，集录禅宗六祖大鉴慧能以下第十世至第二十世的传法世系。本书在编修过程中，采择《五灯会元》《佛祖慧命》《僧宝传》《禅门宗派图》《诸祖语录》等书。

[2]秤锤：秤砣。

[3]无缝塔：即卵塔，用一碑石造成像鸟卵一样的椭圆形塔，作为僧侣之墓碑。

[4]冥契：默契，暗相投合。

[5]阒（qù）尔：寂静的样子。《永明智觉禅师唯心诀》："阒尔无声，而群音揭地，荡然无相，而众像参天。"

[6]鹙（qiū）子：佛教人名。指佛大弟子舍利弗。

2.真州灵岩志愿禅师

曰："看，看，云山叠叠，同万卉以青苍；烟渚[1]依依，共孤舟而阒寂。楼台耸峻，殿塔交光，法法无私，古今冥贯。正当恁么时，还相委悉么？"良久曰："不在低头，思量难得。"又曰："山家活计无多事,直下分明不用猜。敷坐岂容知与见,任他鸟兔去还来。诸人还委悉么?若委悉得去,心猿[2]罢跳,性海[3]无波,白云青嶂,任运萧然,紫陌红尘,随缘豁畅!其或未晓根源,切忌寻玄讨妙,直饶讨得倜傥分明,敢保斯人未彻!"良久曰:"任教沧海变,应不对君通。"又曰:"露卷云收,日上月落,林间幽鸟语呢喃,岭上樵夫歌间错,东南西北本来人!"喝一喝,云:"莫向外边生卜度。"

【注释】

[1]烟渚:雾气笼罩的洲渚。

[2]心猿:人心散动就像猿猴一样。《慈恩传》九曰:"守察心猿,观法实相。"

[3]性海:指本性之海。

3.庐山开先广监行瑛禅师[1]

上堂喝一喝曰:"三月青春强半,溪山雨散云飞。庭花自开自落,梁燕双去双归。"复云:"木中有火,不钻不出;砂中有金,不淘不得;心中有道,不学不悟。游方行脚[2]唤作道人。还曾悟道么?"良久曰:"白日莫空过,青春不再来。"

【注释】

[1]行瑛禅师,桂州毛氏子。

[2]行脚:又作游方、游行。指僧侣无一定居所,或为寻访名师,或为自我修持,或为教化他人,而广游四方。

4.汉州无为宗泰禅师[1]

上堂："此一大事因缘,自从世尊拈花,迦叶微笑。世尊曰:吾有正法眼藏,分付摩诃大迦叶。以后灯灯相续,祖祖相传,迄[2]至于今,绵绵不坠,直得遍地生华。故号涅槃妙心,亦曰本心、亦曰本性、亦曰本来面目、亦曰第一义谛、亦曰烁迦罗眼[3]、亦曰摩诃大般若[4],在男曰男、在女曰女。汝等诸人,但自悟去,这般尽是闲言语!"遂拈起拂子曰:"会了唤作禅;未悟果然难难难,目前隔个须弥山!悟了易易易,信口道来无不是!"

【注释】

[1]宗泰禅师:涪(fú)城人。

[2]迄(qì):至,到。

[3]烁迦罗眼:又名金刚眼、坚固眼,即指明定正邪、辨别得失之眼。

[4]摩诃大般若:了解了诸法实相,最极最胜的大智慧。

5.汉州无为随庵守缘禅师[1]

值峰上堂举永嘉曰:"一月普现一切水。一切水月一月摄。"师闻释然领悟。住后上堂曰:"以一统万,一月普现一切水;会万归一,一切水月一月摄。展则弥纶[2]法界,收来毫发不存;虽然收展殊途,此事本无异致。但能于根本上着得一只眼去,方见三世诸佛,历代祖师,尽从此中示现;三藏十二部,一切修多罗[3],尽从此中流出;天地日月,万象森罗,尽从此中建立;三界九地,七趣四生,尽从此中出没;百千法门,无量妙义,

158

乃至世间工巧诸技艺,尽现行此事。所以世尊拈华,迦叶便乃微笑;达磨面壁,二祖于是安心;桃华盛开,灵云疑情尽净[4];击竹作响,香严顿忘所知[5]。以至盘山于肉案头悟道[6],弥勒向鱼市里接人[7]。诚谓造次颠沛必是,经行坐卧在其中。既有如是奇特,更有如是光辉,既有如是广大,又有如是周遍。尔辈诸人,因什么却有迷有悟?要知么?——幸无偏照处,刚有不明时!"

【注释】

[1]守缘禅师:俗姓史,得法于禅慧目能禅师。

[2]弥纶(lún):统摄;笼盖。

[3]修多罗:一切佛法之总称。

[4]禅宗公案,灵云志勤禅师曾经见桃花悟道,作偈曰:"三十年来寻剑客,几回落叶又抽枝;自从一见桃华后,直至如今更不疑。"

[5]禅宗公案,是香严禅师悟道的机缘。《景德传灯录》卷十一载,智闲往依沩山灵佑,佑知其为法器,欲激发之,一日谓之曰:"吾不问汝平生学解及经卷册子上记得者,汝未出胞胎未辨东西时,本分事试道一句来!吾要记汝。"师进数语,皆不契机,复归堂遍检所集诸方语句,无一言可将酬对,于是尽焚之,泣辞沩山而去。抵南阳,睹忠国师遗迹,遂憩止焉。一日,于山中芟除草木,以瓦砾击竹作声。俄失笑间,廓然省悟。遽归沐浴,焚香遥礼沩山,赞云:"和尚大悲,恩逾父母。当时若为我说却,何有今日事耶?"

[6]禅宗公案,是盘山宝积禅师省悟的因缘。《五灯会元》

卷三："幽州盘山宝积禅师因于市肆行,见一客人买猪肉,语屠家曰:'精底割一斤来。'屠家放下刀,叉手曰:'长史!那个不是精底?'师于此有省。"

[7]禅宗公案,《景德传灯录》卷二十七《婺州善慧大士》:"善慧大士者,婺州义乌县人也,齐建武四年丁丑五月八日降于双林乡傅宣慈家,本名翁。梁天监十一年,年十六,纳刘氏女名妙光,生普建、普成二子。二十四,与里人稽亭浦漉鱼,获已,沈笼水中,祝曰:'去者适,止者留。'人或谓之愚。"善慧大士傅翁被视为弥勒菩萨的化身之一。

《答四十八问》

[明]袾宏[1]

1.心净土净,语则诚然。但语有二义,一者约理,谓心即是土,净心之外,无净土也;二者约事,谓心为土因,其心净者,其土净也。若执理而废事,世谓清闲即是仙,果清闲之外,无真仙乎?至如揽身分而言净土,此则邪见尤甚,苦报弥深,盖吾佛唯明一心,而胶人恒执四大,是故认肉络[2]为宝罗,指妄想为真佛,肺属西而便名金地,舌生津而遂号华池,鄙伪千途,莫可枚举,岂知革囊[3]不净,幻质非真,徒费辛勤,终成败坏。而复迷醉无知,窃附于心净土净之说,不但愚夫愚妇惑之,士大夫亦有受其害者,良可叹也。

【注释】

[1]袾宏(1535~1615):浙江仁和人,明末杭州云栖寺僧

人,俗姓沈,字佛慧,自号莲池,也被称作云栖大师,是净土宗第八代祖师。禅师三十一岁投性天理和尚出家。后不久在杭州昭庆寺受具足戒,历游诸方,遍参高僧大德。三十七岁时回杭州云栖结茅安居,渐渐发展成了丛林。同门因此尊称他为云栖大师。他住持云栖寺四十多年弘扬禅法,编著著作三十多种,包括《云栖法汇》《戒疏发隐》《禅关策进》等等。

[2]肉络:人的躯体。络,人体的经络。

[3]革囊:佛教称人的躯体。

2.干名图利,乃现世之功能,人斯共见;念佛往生,实隔世之因果,人所难知。虽然,莲华实荣悴[1]于目前,而迷者不觉耳,净心为善,则神清气爽,而内志开舒,秽心为恶,则气暴神粗,而衷怀沮丧,华荣华悴,不昭然[2]乎!况夫目亲圣像,远祖之诚言,池降银台,珍公之故事,以至身泛红莲,如高浩象,且代有其人矣,孰曰现世无征哉。

【注释】

[1]荣悴:枯荣。王世贞《醉后劝客饮》:"请看草木有荣悴,荣者何恩怨者谁。"

[2]昭然:明明白白,显而易见。

《缁门崇行录》[1]

[明]袾宏

1.宋慈受深禅师[2],小参示众云:"忘名利,甘淡薄,世间心

161

轻微，道念自然浓厚。匾担山和尚一生拾橡栗[3]为食，永嘉大师不吃锄头下菜，高僧惠休三十年着一緉鞋，遇软地则赤脚。汝今种种受用，未饥而食，未寒而衣，未垢而浴，未睡而眠，道眼未明，心漏未尽，如何消得？"

【注释】

[1]《缁(zī)门崇行录》，全一卷，明代袾宏辑。本书作者因慨叹末世出家沙门的堕落，所以撰辑本书，内容简述自佛世至明代，百数十位有德行的出家沙门。

[2]见前文注释"慈受怀深"。

[3]橡栗：栎树的果实。

《无异元来禅师广录》
[明]元来[1]

1.凡心入觉，须善用心，不善用心，魔得其便。所以一个计字，出九十六种外道[2]；一个着字，出五十蕴魔[3]，及魔王眷属等，具在教乘，不可不知。《经》云："譬如有孔隙处，风则能入，摇动于物，而不自在，菩萨亦尔。"若心有间隙，心即摇动，而不自在，乃至成就，皆魔业耳。何谓魔也？欢喜是魔也，烦恼是魔也，昏沉是魔也，掉举是魔也，惧动是魔也，厌静是魔也，喜谈论是魔也，爱游行是魔也，乃至斥像毁经，破律犯戒，拈颂机缘，擅开异解，诗赋词章，文艺杂学，并贪求说法，悉是魔也。所以博山教诸昆仲[4]，提一则无意味公案，蕴在八识田中，当下不知有血肉身心，前境不知有山河大地，非内非外，滚作一个疑团,行不知行,坐不知坐,如一人与万人敌,又如心心常似过桥时,直须发明此事,到磕着撞着,打破疑团,通身是眼,纵遇释迦大师,摩顶[5]授记[6],佛亦不做,何况魔军而能入耶,诸昆仲如斯会去,谁不丈夫,虽然如是,事怕有心人,直须当下一念无生,超彼三乘权学等见,若将心令无心却成有,直须觅心了,不可得,即证超魔法门。

【注释】

[1]元来(1575~1630):龙舒(安徽舒城)人,明代曹洞宗僧人,俗姓沙,又称大叔,字无异,世称博山禅师。曾经参学于无明慧经,相传读《景德传灯录》而有所领悟。然后跟随慧经到玉山,受印可。后来隐居在信州博山能仁寺,蔚成丛林。禅师一生弘扬禅净不二的法门,著有《无异禅师广录》三十五卷,弘瀚等编。

[2]九十六种外道:九十六种佛世前后出现于印度而异于佛教的流派。

[3]五十蕴魔:即五蕴所具有的五十种恶。

[4]昆仲:兄弟。

[5]摩顶:指佛为嘱付大法,以手摩弟子的头顶,或为预示当来作佛的授记。

[6]授记:区别、分析、发展的意思。本指分析教说,或以问答方式解说教理,转指弟子所证,或死后的生处,最后专指未来世证果及成佛名号的预言。

2.上堂:"佛法有因缘,因缘非佛法,彼此不相涉,莲华从口发。昔释迦大师,托质[1]阎浮[2],降神兜率,未受羯蓝[3]之孕,便展无碍之锋,现世界而无边,化众生而无量,检点将来,要且不曾度着一个,既出母胎,舍皇宫之快乐,受雪岭之饥寒,觌明星而悟真常,即尘劳而成佛,事要且不曾悟着一法,及乎开场四十九载,谈经三百余会,龙宫塞满,而法界全彰,要且不曾谈着一字,逮末后,拈花示众,便云:'有教外别传。'说印心之妙偈,付上行之金襕[4]。要且不曾传着一丝,及乎三千七百,承虚接响,人人拖泥带水,而棒喝交驰,各各带水拖泥,而眉毛倒竖,要且不曾沾着一滴。今日博山,远承慈荫,虽是他家儿孙,要且不行他故辙,是佛亦划,域内不留朕兆[5];是魔亦划,缘中岂涉尘劳;是僧亦划,拂罗汉之我人;是法亦划,出智眼之金屑[6]。当此法筵[7]之际,向苍烟紫雾之中,细观豹变[8],于流沙绝域之外,捷见飞黄[9],直下举向上机,彻头示末后句,诸昆仲既是直下,唤什么作向上机?既是彻头,因甚是末后句?"复笑云:"金背黄牛眠绿草,银蹄黑犬吠青天。"

【注释】

[1]托质:寄身;托体。

[2]阎浮:一种树名。后泛指人间世界。

[3]羯(jié)蓝:即揭蓝婆,指鬼的住处。

[4]金襕(lán):佛教僧尼穿着的金色袈裟。

[5]朕兆:征兆,预兆。

[6]金屑:黄金的粉末、碎末。佛教中指佛经中的片言只语,佛法中的一知半解。

[7]法筵(yán):法事的坐席,法会或典礼。

[8]豹变:指像豹文那样发生显著的变化。幼豹长大褪毛,然后疏朗焕散,其毛光泽有文采。《易·革》:"上六,君子豹变,其文蔚也。"

[9]飞黄:传说中的神马名。又名"乘黄"。

《紫柏尊者全集》
[明]真可[1]

1.死生回环,爱憎为根,故我无心,则梦中天地人物,不烦遣而自空,空待天地人物而名。我无心时,虽空亦无地也,人为万物灵,不知此而他知,则灵者昧焉。所以寒暑迭迁[2],古今代谢,荣荣辱辱,死死生生,皆能劫我也。如灵不昧则伪心空,伪心空,则彼劫我者,岂待我建旗鼓,然后逃哉!人而知此,则千穷万变,我应之而不劳矣。

【注释】

[1]真可(1543~1603):吴江(江苏)人,明末四大师之一,俗姓沈,字达观,号紫柏老人。与莲池、憨山、蕅益并称为明代四大高僧。十七岁时投虎邱明觉剃发,二十岁受具足戒,后游历诸方,偶然在五台山参一老宿获得证悟。禅师主张释、道、儒三教一致。因为过去梵夹本《大藏经》阅读不便,就在万历十七年,在五台山以明代北藏为基础,校明代南藏,创刻方册《大藏经》,四年后,移到径山(浙江)寂照庵继续刊刻,因此称为"径山藏"。

[2]迭迁:更替,变化。

2.夫众人之与圣人,初非两人也,圣人人也,众人亦人也。然圣人则无往而非率性,众人则无往而非率情。率性则惺寂双流,率情则昏散齐骋[1]。惺寂双流[2],则根尘空,而不废能所之用,昏散齐骋,则根尘障而昧一真之体。故我永嘉大师,于无门之中,开此十门,门虽次第,理实一条,譬之珠虽有数,线本一条,故心通理达者,门无不历,浅深不同,然其究竟不越乎理即也。天台智者大师[3],有六即之科:一理即,二名字即,三观行即,四相似即,五分真即,六究竟即[4]。此六即精而明之,则楞严五十五位真菩提路,不烦遍探,而其要领在我矣。觉皮来前,吾语汝,汝当谛听,此集乃永嘉祖师心髓也。始由读读而诵,诵而持,持而精,精则一,一则独立,独立则物我平等,古今一条矣。嘻!人为万物之灵,不此精而他精,非愚则狂也。觉皮勉之(示觉皮持《永嘉集》)。

【注释】

[1]骋:施展。

[2]双流:二事并行。

[3]即天台大师智顗(yǐ)(538~597),是我国天台宗开宗祖师。隋代荆州华容(湖南潜江西南)人,俗姓陈,字德安,世称智者大师、天台大师。

[4]六即,指与真理相即、成为一体的六个阶段。天台宗立圆教菩萨六行位,称为"六即"。"六"是表示理即至究竟即的初后位阶有浅深,"即"是表示初后为不二。(一)理即,一切众生都具足三千三谛之理,而无缺减。(二)名字即,了解三千三谛

之理,对十方三世的佛法无疑。(三)观行即,念念观照三千三谛之理,相续不止。(四)相似即,三千三谛之观念相续,使见思二惑尽,而得六根清净。(五)分真即,指彻底观照三千三谛之理境,无明之惑渐除,法性的理体部分彰显。(六)究竟即,指无明之惑全尽,法性的理体究竟彰显。

3.吾尝静而思之,天下未始有吉凶也,吉凶之生,生于毁誉[1]耳。故毁我者,则人凶而我吉;誉我者,则人吉而我凶。又毁誉生于好恶,好恶又生于未始好恶者。吾故曰:"天下未始有吉凶也。"虽然,吾尝以未始有好恶者,观天下之吉凶,皆龟毛兔角[2]也,若以吉凶观未始有吉凶者,则未始有吉凶者,无往而非吉凶也。若然者,吉凶初无所从,顾我所观何如耳。故箭穿石虎,鱼跃冰河,若不以未始有吉凶者,感冰与石,则冰鱼与石虎,岂能随我而变之哉?如君子不宿怒于心,正此道也。但众人昧[3]理而纵情,始乃物我亢然耳。且凡好恶不能自生,必因前境而生,既因前境而生,则我现前之好恶,本前境之好恶,与我初无有涉也。譬如亲疏之人,我心坦然,或亲疏忽至,则我好恶之情,油然而生,不能自禁矣。谓此情我心固有,因境牵而始彰,则我真心,生尚不有,安得有我,有我则有待,有待则可说,心与境相牵,而生此情,谓我心无生,而能生此情者,得非无因生乎,自生,他生,共生,以理折之,俱不能生,况无因生乎? 昔人有言曰:"暂时不在,即同死人。"盖言理昧而情驰也。曹溪亦曰:"若真修道人,不见世闲过。"吾以是知,见世间有过者,则我心未忘,所以物敢待我,如我无心,则物亦随无心而化矣,岂烦重加排遣,然后消哉! 汝曹[4]能以此观,观逆顺境缘,则境缘真吾大师也,敢忤逆[5]大师乎?

[1]毁誉:诋毁和赞誉。《庄子·德充符》:"死生存亡、穷达贫富、贤与不肖、毁誉、饥渴、寒暑,是事之变、命之行也。"

[2]龟毛兔角:龟生毛,兔长角。本指战争的征兆,后比喻不可能存在或有名无实的东西。

[3]昧:蒙蔽。

[4]汝曹:你们。杜甫《渡江》:"戏问垂纶客,悠悠见汝曹。"

[5]忤逆:冒犯,违抗。

4.飘风不终朝,骤雨不终日。飘风骤雨,天地为之,尚不能保其终且久,况天地之下者乎!然天地之道,未穷而密变,故万物虽处乎变化之域,而万物不知也。如一岁之道,冬未穷而变春,春未穷而变夏,夏未穷而变秋,秋未穷而变冬。冬终也,终穷也。昔人有"海日生残夜,江春入旧年"[1]之句,此亦未穷而知变者也。如一身之道,生未穷而变少,少未穷而变壮,壮未穷而变老,老未穷而知死,知死,则死不能穷我矣。死不能穷我,则生岂能悦我哉?夫死既不能穷,生亦不能悦,而我以生死为舟航,游于祸福之海,适当飘风骤雨之惊,是能惊众人耳,焉能惊我乎?夫三皇[2]以道化天下,道未穷而变德;五帝[3]以德治天下,德未穷而变仁义;三王[4]以仁义治天下,而不知变,故穷于仁义也。仁义穷则五伯[5]乘其隙,而以智力劫天下,有不可言者矣。是故有身有家国者,不知此,则身不能修,家不能齐,国能不治也。然未穷而知变者,其惟圣人乎!

【注释】

[1]出自王湾《次北固山下》。

[2]三皇:传说中上古三帝王。所指说法不一。通常指燧人、伏羲、神农或者天皇、地皇、人皇。

[3] 五帝:传说中的五个古代帝王。通常指黄帝、颛顼(zhuān xū)、帝喾(kù)、唐尧、虞舜。

[4]三王:指夏、商、周三代之君夏禹、商汤、周武王(或周文王)。

[5]五伯:五个霸主。(一)指夏昆吾、殷大彭、豕韦、周齐桓公、晋文公。(二)指春秋齐桓公、晋文公、楚庄王、吴王阖闾、越王句践。

5.夫云有聚散,水有升沉,日月交迁,时序代谢,好恶相凌[1],兴废相禅[2],千态万状,变化无端。究其所以然之说,则彼种种奇特变幻,神智莫测者,不异梦中所见,推梦之所自,则由昼想所成,推昼想之所自,则耳目无待,声色无根,所谓当处出生,随处灭尽,圣人岂欺我哉?乃众人闻生则喜,闻死则悲,又有失常者,闻死则喜,闻生则悲,是皆蔽于情,未达于理故也。至人设教[3]难以尽同,达本忘情,则千途一致,余读龙胜大士[4]死生偈,顿见周易原始反终之旨。偈曰:"若使先有生,后有老死者。不老死有生,生不有老死。"若使有老死而后有生者,是则为无因,不生有老死,偈旨皎如日星,不待穷搜竭思,然使众人道其所以然,往往瞠目如见父讳,推其所蔽,特不能原始反终耳。苟能之,则知始不本于终,始何所始,终不本与始,终何所终,始何所始,未尝始始也;终何所终,未尝终终也。始终不惑,则喜怒、好恶、吉凶、祸福、死生、成败,果有所以然者为之耶?果无所以然者为之耶?至是则所称极天下之难明者,譬如明镜湛水,见我须眉[5],又何蔽耶?

【注释】

[1]凌:压倒。

[2]禅(shàn):事物更替。

[3]设教:实施教化。《易·观》:"圣人以神道设教,而天下服矣。"

[4]龙胜大士:即龙树菩萨。南天竺人,生于佛灭后八百年间,古印度大乘佛教中观学派的创始人。主要著作有《中论》《十二门论》《大智度论》等。

[5]须眉:胡子和眉毛。

6.夫饮食男女,声色货利,未始为障道,而所以障道者,特自身自心耳。故昔人有言:"功劳莫先于有智,大患莫若于有身。"智即妄心也,身即妄身也。夫妄心者,托物而生者也;妄身者,假物而成者也。然唯真心,物生不生,物灭不灭;真身,气聚不聚,气散不散。物者何?前尘之谓也。气者何?四大之谓也。所谓妄心者,触境生情,好恶代谢,从生至老,从老至死,绵然不断,于不净处,躭湎[1]味着,如自髓脑,执吝[2]不舍,虽有良师父兄善友,言以觉之,非唯不能顿然弃舍,改恶迁善,犹至于结恨者,不少也。此纵妄心情识,顺则欢然,逆则不悦。如此者,所谓人头牛耳,又有劳劳勤勤,深谋远虑,以养生为计者,贫则冀[3]富，富则冀贵，贵则冀寿，寿则冀仙，情波浩浩，无有穷已，此谓痴众生也。究而言之，如此妄念，终朝汩汩[4]，毕世辛勤，不过最初一点妄心不能空耳。我故曰：饮食男女，声色货利，非能障道也。障道者，惟此妄心也。此妄心，又名智者何哉？以其善谋能画故也。若能废此妄心，从前种种勤劳，如汤消冰，泮然[5]荡矣。然能废此心者，非真为死生汉子，英灵豪杰，未易易也。《金刚般若经》中，须菩提首以降心为问者，盖知此心苦海源头生死根株故也。此心一废，智识销融，所谓真心者，如浮云散而明月彰矣。明月照世，高低远近，四海百川，行潦蹄涔[6]，处处影见，然未尝有心也，惟悟此心者，虽凡夫而即佛矣；不悟，佛亦凡夫也。妄心真心，并陈于此，有志出世者留心焉，妄身真身不暇言矣。

【注释】

[1]耽(dān)湎：沉湎，酷嗜。

[2]执吝：指悭吝不化。

[3]冀：希望，期望。

[4]汩汩(gǔ)：不安。杜甫《自阆州领妻子却赴蜀山行》之一："汩汩避群盗，悠悠经十年。"

[5]泮(pàn)然：释然，疑虑消除的样子。刘禹锡《答柳子厚书》："相思之苦怀，胶结赘聚，至是泮然以销。"

[6]行潦蹄涔(cén)：行潦、蹄涔都是体积不大的水。

7.修行易而悟心难，悟心易而治心难，治心易而无心难，无心易而用心难。如倚门傍户[1]者，不可与语此也。学佛者，倚傍释迦;学儒者,倚傍孔子;学道者,倚傍老子。离却倚傍,露地上立脚,如师子王[2]往返游行,跳踯自在,了无依倚。唯悟彻心光者,信手便用。若定上座从临济来,或问如何是禅和穷到底,定即搊住,掷向桥下。有同行者解之,定曰:"若不是这老冻脓,直教禅和穷到底,定可谓信手便用者矣。"如是之用,出世即名为佛,经世即名为儒,养生即名为老。彼倚门傍户者,譬犹贾舟[3],自无势力,假冒他势,扁其额曰:某翰阁,某部寺,某台谏。以欺诳一切不知者,鲜不望风而靡[4]。若彼真主卒然相值[5],则所冒扁,不唯不敢炫燿,而且覆藏之不暇矣。呜呼!男儿家顶天立地,睁眉努眼,高谈阔论,孰不自谓圣贤豪杰之徒,一朝撞着个没面目汉子,将无孔铁椎,轻轻敲击,未有不眼目动定,支吾不及,如是而安望其能知四难之旨乎!

【注释】

[1]倚门傍户:因袭、依靠他人。

[2]师子王:用狮子中的王来比喻佛菩萨等无一切畏惧的人。

[3]贾舟:商船。

[4]靡:败退。

[5]相值:相遇。苏轼《芙蓉城》:"此生流浪随沧溟,偶然相值两浮萍。"

8.夫饥寒之于荣辱,贫贱之于死生,天下莫不以为患。呜呼!知其为患,而不知患之所自,是之谓迷。迷则不觉,不觉则不能返,既不返,则自生至死,莫非背本而行。殊不知一生背本，乃至于无量生[1]，如能直下返照，达本忘情，情忘则烦恼根拔，烦恼根拔，前所云患之所自得矣。得而治之，则皮烦恼立地根抽，始得治肉烦恼，骨烦恼。嘻！皮烦恼抽，则六通[2]纵任无为，山壁由之直度，此谓枝末无明[3]尽也。枝末无明尽，其灵用尚乃如斯，况骨肉烦恼尽乎！此三烦恼，世人名尚不知，恶知其义；义既不知，恶知其理；理既不知，恶知其道，而所谓德者，尤不知矣。夫名者，义之筌[4]也，义者鱼也。义有众多，会而通之之谓理，理而行之之谓道，行而功忘之谓德，今欲治身心，而名义不辨，毋乃徒役其名，徒役其名，计治而有效，不亦痴乎！即如有身，则有饥寒之迫，次之荣辱，再次之，莫大乎死生，又有心则有好恶，顺我则喜，逆我则瞋，自是而后，则有不可胜言者矣。故我大觉圣人，示之以毗舍浮佛偈，如读而成诵，诵而推义，推义会理，理会可行，行则有证。

【注释】

[1]无量生：多到不可计量，一再受生于这世间。

[2]六通：是佛菩萨依定慧力所展现的六种无碍自在妙用。即神足通、天耳通、他心通、宿命通、天眼通、漏尽智证通。

[3]枝末无明：从根本无明中，生起更为粗显的种种烦恼。

[4]筌(quán)：用竹或草编制的捕鱼器具。"夫名者，义之筌也，义者鱼也"一句所用鱼和筌的比喻出自《庄子·外物》："筌者所以在鱼，得鱼而忘筌；蹄者所以在兔，得兔而忘蹄；言者所以在意，得意而忘言。"指只要把握了意思，就不必再计较言语。

9.夫梧叶落而知秋,葭灰[1]动而知春。梧叶葭灰,非可见者乎?春与秋非不可见者乎?然微可见之物,则不可见者,终不见之矣。苟圣人不以可见之情,见不可见之性,则性终不可见也。夫性不可见,则我固有之全失,固有之全失,则我欲立于大全之中,而运其末,亦终不可得而易之,道亦几乎息矣。易息而谓天地万物存,则天地万物,皆易外有也。虽至愚不信,予以是知,性有性之体,性有性之用,性有性之相,何谓体?用所从出也。何谓用?相所从出也。何谓相?昭然而可接者也。如善恶苦乐之情,此相也;苦乐之情未接,灵然而不昧者,此用也;外相与用,而昭然与灵然者,皆无所自矣,此体也。昔人以性无善恶,情有善恶,殊不知性无性,而具善恶之用,用无性,而着善恶之相,若赤子堕井,而不忍之心生,此善之情也。[2]此情将生未生之闲,非吉凶有无可能彷佛者,乃不知其为心,而遂认心以为性,所以性命之学,于是乎晦[3]而不明也。即易之卦爻[4],有谓卦寓性,爻寓情,此亦认心为性者也。夫卦六十有四,而吉凶之情,具而未着也,具故非无也,未着故,非有也,非无故,则不可谓之性,非有故,则不可谓之情,既不可谓之性与情,谓之心非乎?故六十四卦,心之所寓也;三百八十四爻,情之唐肆[5]也。故内外之情,吉凶之机,虽错变无常,然不出乎卦之内外,爻之奇偶也。内近亲,外近疏,吉近善,凶近恶。亲疏具而无我,心也;善恶具而有状,情也。夫心与情,《易》之道穷于是矣。而心之前,有所谓性者,则非卦爻所能彷佛者也。然离卦爻而求之,则又离波求水也。然如之何,曰非予所知也。知之者,非知之者也。是何故?良以性不知性,如眼不见眼故也。

【注释】

[1]葭灰:葭莩的灰。古人烧苇膜成灰,放置在律管中,放在密室内,来预测气候。某一节候到,某律管中的葭灰就会飞出,表示该节候已到。

[2]典故出自《孟子·公孙丑上》:"今人乍见孺子将入于井,皆有怵惕恻隐之心。"

[3]晦:昏暗。

[4]卦爻(yáo):《易》的卦和组成卦的爻。

[5]唐肆:集市。

10.诸法无生。何谓也?心不自心,由尘发知;尘不自尘,由心立尘。由尘发知,知果有哉!由心立尘,尘果有哉!心尘既无,谁为共者,若谓无因,乌有是处。吾以是知山河大地,本皆无生,谓有生者情计耳,非理也。故曰:"以理治情。如春消冰。"

11.夫烦恼之与菩提,浊波之与清水,空之与色,屈之与信,果一物乎?两物乎?忽而弗观,则三惑[1]浩然;反而推之,则三德[2]宛尔。此非劳形役骨而可入,贵乎于妄心忽生时,穷其所自,或牵于声耶?或牵于色耶?逆耶顺耶?生耶死耶?随心生处,即而体之,极而穷之。生于自乎?生于他乎?两者合而生乎?绵然无闲,坚然痛究。至于智力无所加功,情根无地可植。越着精彩,如饥狗之啮[3]枯骨,细嚼则无味,舍之则无聊,啮之,啮之,又啮之,忽而精力之与枯骨,能所命断,始不疑空不异色,屈不异信,烦恼不异菩提,众生不异诸佛矣。噫[4]!能拼命者,可以杀人;能割情者,可以入道。虽圣人复生,不易吾言矣。

【注释】

[1]三惑:又称三障。天台宗就界内、界外之惑分成见思、尘沙、无明三惑。

[2]三德:指大涅槃所具的三种德相,即法身、般若、解脱。

[3]啮(niè):咬。

[4]噫(yī):表示感叹。

12.夫万物皆心也。以未悟本心,故物能障我;如悟本心,我能转物矣。是以圣人促万劫为一瞬,延一刻为千古,散一物为万物。如片月在天,影临万水也。卷万物为一物,如影散百川,一月所摄也。此非神力为之,吾性分如是耳。

《憨山老人梦游集》

[明]德清[1]

1.凡修行人,有先悟后修者,有先修后悟者。然悟有解证之不同,若依佛祖言教明心者,解悟也,多落知见,于一切境缘,多不得力,以心境角立,不得混融,触途成滞,多作障碍,此名相似般若,非真参也。若证悟者,从自己心中朴实做将去,逼拶[2]到水穷山尽处,忽然一念顿歇,彻了自心,如十字街头[3]见亲爷一般,更无可疑,如人饮水,冷暖自知,亦不能吐露向人,此乃真参实悟。然后即以悟处融会心境,净除现业流,识妄想情虑,皆熔成一味真心,此证悟也,此之证悟,亦有深浅不同,若从根本上做工夫，打破八识窠臼，顿翻无明窟穴，一超直入，更无剩法，此乃上上利根，所证者深，其余渐修，所证者浅，最怕得少为足，切忌堕在光影门头，何者以八识根本未破，纵有作为，皆是识神边事，若以此为真，大似认贼为子。古人云："学道之人不识真，只为从前认识神。无量劫来生死本，痴人认作本来人。"于此一关最要透过，所言顿悟渐修者，乃先悟已彻，但有习气，未能顿净，就于一切境缘上，以所悟之理，起观照之力，历境验心，融得一分境界，证得一分法身，消得一分妄想，显得一分本智，是又全在绵密工夫，于境界上做出，更为得力。

【注释】

[1]德清（1546~1623）：金陵全椒（安徽）人，明代高僧，俗姓蔡，字澄印。憨山德清一生经历坎坷，其禅法重在参禅，他曾致力恢复南华寺，后人尊他为曹溪的中兴祖师。他精通内外学，不立门户，主张各宗并进，禅净双修，儒、释、道互相补充，认为"不知《春秋》，不能涉世，不精老、庄，不能忘世，不参禅，不能出世"。著有《观楞伽经记》《华严经纲要》《大乘起信论疏略》等经论注疏共 121 卷；外典注释和诗文等著作合 19 卷，并有门人编辑《憨山老人梦游集》40 卷（今流通本为 55 卷）。

[2]逼拶（zā）：逼迫。

[3]十字街头：即纵横交叉的热闹街道。《五灯会元》卷十九："大众须知，悟了遇人者，向十字街头与人相逢，却在千峰顶上握手；向千峰顶上相逢，却在十字街头握手。"在禅宗里，"十字街头"一般指世间，事相等。与"千峰顶上"所指的出世间、理体等相对而言。禅宗还用"十字街头，撞见爷娘"比喻参

禅者在繁杂的尘劳和事相中,忽然开悟,顿见清净自性。

2.学道人第一要发决定长远之志,乃至尽此形寿[1],以极三生五生十生百生千生万生,以至劫劫生生直是一定以悟为期,若不悟此心决定不休,纵然堕落地狱三途,或经驴胎马腹,誓愿不舍此决定成佛之志,亦不以苦故退失今日之信心,譬如有人发心,有万里之行,决定以所至之处为的,从今日出门发足一步,直至入彼所至之门,亲彼所求之人,以至升堂入室,与之交欢浃洽[2],以极忘形而后已,如此方称有决定志也。苟无此判然决定之志,只说出门要去,回顾目前,种种所爱放不下,或因循延挨,口去心不去,或者幸有亲朋大力之人,促发出门,及乎上了路头,悠悠荡荡,或遇歌管队里,富贵场中,贪恋耳目近玩,忘却未出门的念头,邈然[3]不知所向往。或中道缘差,撞遇恶友恶缘,弄得囊空资竭,加之疾病缠绵,进退回惶[4],生无量苦,或身体疲顿,久沐风霜,不奈劳苦,便生退还之念;或将近及门,遇见一机、一境、一事之差;或讹言误听以为实,使其将见而不及见其人,临门而不得入其室。如此者举皆枉费辛勤,终无实到究竟之地,盖缘初发心时,无决定志耳。苟如此欲作世闲小小功名事业,亦不能成,何况无上佛道,了死生,证菩提乎?故曰:"佛道长远,久受勤苦,乃可得成。"岂可取近效,求速就哉?虽然如是,有决定之志,更须要真实之见。若知见不真,志其所不当志行其所不当行,亦更枉用工矣。吾人求道既有此志,须要的信自心,当体是佛,本来清净无物,本来光明广大,如此所以日用现前不得受用者,只为彼此幻妄,四大拘蔽[5],介尔妄想浮心遮障,难得透彻,过此生死关捩子,不啻[6]若干生万劫之远也。吾人既知此心，谛信不疑，今日发心，定要以悟为期，即从今日发心做工夫，便是出门第一步，今日亲承善知识开导，便是促发之者，至其促发上路，途中种种境界，种种辛勤，种种迟回，留连不留连，退惰不退惰，皆在学人自己脚跟底本分上忖量[7]，皆非善知识所可与也。冯生文孺，有志于此，剔起眉毛，且看脚跟下最初出门一步。

【注释】

[1]形寿：寿命。

[2]浃洽：和谐，融洽。

[3]邈(miǎo)然：茫然，懵懂。《文选·陆机〈文赋〉》："或操觚以率尔，或含毫而邈然。"

[4]回惶：眩惑而恐惧。

[5]拘蔽：拘泥片面；局限遮蔽。

[6]不啻(chì)：不止。

[7]忖(cǔn)量：思量，揣测。

3.出家儿要明大事，第一，要真实为生死心切；第二，要发决定出生死志；第三，要拌一生至死不变之节；第四，要真知世闲是苦，极生厌离；第五，要亲近绝胜知识，具正知见，时时参请，承顺教诲，如教而行，精勤弗[1]懈[2]，不为五欲[3]烦恼遮障，不为恶习所使，不为恶友所移，不为恶缘所夺，不以根钝自生退屈。如是发心，如是趋造，久久纯熟，自然与本所愿求，函盖相合，纵今生不能了悟，明见自心，即百劫千生，亦以今日为最初因地也。若不如是，但以狭劣[4]知见，软暖习气，因循宴安[5]，而欲以口头禅,狂妄心,秽浊气,邪见根,将为出家正业,以此望出苦海,是犹适越而之燕[6],却步而求前也。嗟嗟!法正信者稀,禅人既知所向,当审知本心,以真实决定为第一义也。勉之勉之。

【注释】

[1]弗:表示否定,不。

[2]懈:松懈,懈怠。

[3]五欲:指染着色、声、香、味、触五境所起的五种情欲。

[4]狭劣:浅陋卑劣。

[5]宴安:安逸享乐。

[6]越、燕分别为战国时期南方和北方的国家,这里指前进的方向和目标南辕北辙。

4.学道人第一要看破世间一切境界,不随妄缘所转;第二要办一片为生死大事,决定铁石心肠,不被妄想攀缘以夺其志;第三要将从前夙习[1]、恶觉、知见,一切洗尽不存一毫;第四要真真放舍身命,不为死生病患恶缘所障;第五要发正信正见,不可听邪师谬误;第六要识得古人用心真切处,把作参究话头;第七要日用一切处正念现前,不被幻化所惑,心心无闲,动静如一;第八要直念向前,不可将心待悟;第九要久远,志不到古人田地,决不甘休,不可得少为足;第十做工夫中念念要舍要休,舍之又舍,休之又休,舍到无可舍,休到无可休处,自然得见好消息,学人如此用心,庶与本分事少分相应,有志向上,当以此自勉。

【注释】

[1]夙习:积习。

5.零陵李生应祯,请益心性之旨,因示之曰:"夫心性者何?乃一切圣凡生灵之大本也。以体同而用异,因有迷悟之差,故有真妄之别。所谓三界惟心,万法唯识,以迷一心而为识,识则纯妄用事,逐境攀缘,不复知本有真心矣。若知真本有,达妄元无,则可返妄归真,从众生界,即可顿入佛界矣。达磨西来,单传心印,顿悟法门,正是顿悟此心,此禅宗心性真妄之旨也。若夫吾儒所宗,尧、舜、禹、汤、文、武、周公、孔子所传之心性,则曰唯精惟一,以精一为宗极[1],而有人心道心之别,此亦真妄之分也。但世教所原不出乎此,其曰道心,则不迷不妄之性也。其曰人心,则迷性而为情,世人但知用情而不知用性,但知波而不知波原水也。故孔子曰:'性相近也,习相远也。'性近则水原无波,习远则逐波忘水,水尚不知,而况了达湿性无二乎?且如本一水也,而以醎酸苦辣和之,则淡性亡矣,其湿性则本无二也,是知众味乃妄之变也,其湿性不可变也,不可变者真,可变者妄,若达湿性无二,则众味不可得而有也,所谓尧舜与人同耳,同者性也,不同者妄也。又曰:'人皆可以为尧舜。'[2]其可为者性也,不可为者习也,人之所习,苟舍污下而就高明,则日远所习而近于性,是可与为尧舜者亦此习耳。习近于性,即禅家渐修之行也。以世儒之学,未离凡近,去圣尚远,非渐趋无以致其极,故圣人立教,但曰习,曰致,曰克,其人道工夫,在渐复不言顿悟,若夫禅门则远妻子之爱,去富贵之欲,诸累已释,切近于道,故复性工夫,易为力,故曰顿悟。以所处地之不同,故造修有难易,其实心性之在人,本无顿渐之差,但论习染之厚薄,此入道要也。若究心性之精微,推其本源,禅之所本在不生灭,儒之所本在生灭,故曰生生之谓易,此儒释宗本之辨也。心性之说盖在于此,若宗门向上一着,则超乎言语之外,又不殢[3]心性为实法也。"

【注释】

[1]宗极:教义的究极。

[2]出自《孟子·告子下》。

[3]殢(tì):困扰,纠缠。

6.佛言:"蠢动含灵,皆有佛性。"传曰:"人可以为尧舜。"由是而知灵觉之性,物之本也。人莫不具,窃观古今生人,豪杰不少,而圣贤不概见者,何哉?盖以习染之偏,随情逐逐而不返也。所谓百姓日用而不知,苟能自求知,则圣不难矣。故曰自知者明,以不自知,故迷日厚而心日昏,苟有豪杰之士,塞情而复性,则圣可期,而事业当垂不朽矣。佛之十戒[1],孔之四毋[2],禅之一心,皆复性之要,有志之士,可不勉哉!袁子道生,今素亮者,往通问予于曹溪,知为上根利器,及予过匡山,生远候予,见其所赋,骨奇性敏,但习重而气高,故但任习而不见性,苟能奋力远情复性,则不骄不背,不逆寡,不雄成,则器广而不溢,志坚而不移,心冷气消,则可坐进此道矣。圣贤可期,况事功乎,老人爱之,示究心之法,大似圮[3]上之敝履耳,因字之曰公寥,冀其日淡于爽口也。

【注释】

[1]十戒:不杀生、不偷盗、不淫、不妄语、不饮酒、不着华鬘好香涂身、不歌舞观听、不坐高广大床上、不非时食、不捉钱金银宝物。

[2]四毋:《论语》:"子绝四:毋意、毋必、毋固、毋我。"

[3]圯(yí):桥。

7.一切众生,皆以我执[1]而为生死根本,以有我则有物,物与我对,则形敌生,以我招敌,则众忤[2]皆归,忤则为其所惑矣,故眼为色惑,耳为声惑,鼻为香惑,舌为味惑,身为触惑,意为法惑,惑则扰,扰则乱,乱则失其正,既失其正,则被所伤者多矣。世之人皆为其惑而不自知,为其所伤而不知痛,愚之甚矣!且将以为资我也。而又爱而执之取之,又愚之愚者也。惟有智者知其不我益也,故远而避之。苟[3]避之不若忘我,诚能忘我,则于众敌,犹夫众箭攒空,则无可寄矣。有志道者,试从此始。

【注释】

[1]我执:执着实我,"人"原无真性实体,世俗人不懂"蕴、处、界","十二因缘"等缘起无常之理,由此产生"我"的观念。佛教将此作为应破的一种主要执着。

[2]忤(wǔ):违反,抵触,不顺从。

[3]苟:随便,苟且。

8.佛性之在人,如水在高原,有穿凿者,无不得之。良以吾人烦恼根深,爱憎情固,不啻高原之土也。苟能力凿深求,施工不已，务在拔烦恼之根，裂爱憎之网，则法性渊泉，源源不竭，溉[1]灵根而沃智慧之芽，不唯道果可期，且将濬[2]潜流而润焦枯，普益人天，同归法海，涓滴而与渤澥[3]同彼，此岂外求之耶？圣冲元深昆季，久入紫柏之室，哲人往矣。恐性水清流，不无雍阏[4]，老人适来，而为疏之。今则开发源头，从此永无枯竭，其无以烦恼干土，投而浊之也。

【注释】
[1]溉：浇灌。
[2]濬(jùn)：疏通，深挖。
[3]渤澥(xiè)：渤海。
[4]雍阏(è)：阻塞。

9.道学人，往参老人于曹溪，特为发明金刚般若宗旨，以吾人修行，不仗般若根本智，生死难出，然此般若，非向外别求，即是吾人自心之本体，本自具足。故今修行，但求自心，更不别寻枝叶，佛祖教人，只是返求自心，故云："识心达本源，故号为沙门。"又云："若人识得心，大地无寸土。"以我自心，元是般若光明，本来无物，但因一念之迷，故日用而不知。但知有此幻妄之假我，即不知有本来常住法身，即今要悟本来法身，即就日用现前，六根门头起心动念执着我处，当下照破，本来无我，无我则无人，无人则了无众生，众生既空，则生死根绝，生死既脱，则无寿命，是则四相[1]既除，一心无寄，岂非无住之妙行乎？若不能当下了悟，只将六祖本来无物一语[2]，置在目前，但见一切境缘，对待生心之时，便是我执，就此执处一照照破，则当下情忘,对待心绝,即是无我。无我则无人,人我既空,则日用身心,了无挂碍,以日用逆顺境界,皆是生死路径,若境界看破,了无挂碍,则生死根株,亦从此倒断矣。如是,岂非善修般若无住之妙行乎! 禅人有志,要出生死,必以此为第一义,此外别求,即落外道邪径矣。

【注释】

[1]四相:指显示诸法生灭变迁的生、住、异、灭等四相。生相即由无而有;住相即成长之形;异相即衰老变坏;灭相即最终灭亡。此生住异灭四相,迁流不息,此灭彼生,此生彼灭。

[2]指《坛经》中的偈颂"菩提本无树,明镜亦非台。本来无一物,何处惹尘埃"。据《坛经》记载,此偈针对大通神秀:"身是菩提树,心如明镜台;时时勤拂拭,勿使惹尘埃。"一偈而发,慧能即以此偈蒙五祖弘忍传授衣钵,而成为禅宗六祖。

10.念佛审实公案者,单提一声阿弥陀佛作话头,就于提处,即下疑情,审问者念佛的是谁? 再提再审,审之又审,见者念佛的毕竟是谁? 如此靠定话头,一切妄想杂念,当下顿断,如斩乱丝,更不容起,起处即消,唯有一念,历历孤明,如白日当空,妄念不生,昏迷自退,寂寂惺惺。永嘉大师云:"寂寂惺惺是,寂寂无记非。惺惺寂寂是,惺惺乱想非。"谓寂寂不落,昏沉无记,惺惺不落妄想,惺寂双流,沉浮两舍,看到一念不生处,则前后际断,中闲自孤,忽然打破漆桶[1],顿见本来面目,则身心世界,当下平沉,如空华影落,十方圆明,成一大光明藏,如此方是到家时节,日用现前,朗朗圆明,更无可疑,始信自心,本来如此,从上佛祖,自受用地,无二无别。到此境界,不可取作空见,若取空见,便堕外道恶见,亦不可作有见,亦不可作元妙知见,但凡有见,即堕邪见,若在工夫中,现出种种境界,切不可认着,一咄便消,恶境不必怕,善境不必喜,此是习气魔,若生忧喜,便堕魔中,当观惟自心所现,不从外来,应知本来清净,心中了无一物,本无迷悟,不属圣凡,又安得种种境界耶!今为迷此本心,故要做工夫,消磨无明习气耳。若悟本心本来无物,本来光明广大清净湛然,如此任运过时,又岂有什么工夫可做耶!今人但信此心,本来无物,如今做工夫,只为未见本来面目,故不得不下死工夫一番,方有到家时节,从此一直做将去,自然有时顿见本来面目,是出生死永无疑矣。

【注释】

[1]漆桶:用黑色漆桶比喻无明胶固难破。众生累劫的无明,结习胶固,以致隐覆本具的佛性;就好像贮漆的桶,黑洞洞的不明一物。打破漆桶,指的是彻悟的状态。

11.吾佛说法,以一心为宗,无论百千法门,无非了悟一心之行,其最要者,为参禅念佛而已。而参禅乃此方从前诸祖创立,悟心之法,其念佛一门,乃吾佛开示三贤十地[1]菩萨,总以念佛为成佛之要,十地菩萨,已证真如,岂非悟耶?然皆曰:"不离念佛念法念僧。"善财[2]参五十三善知识,第一德云比丘,即单授以念佛解脱门,及至末后,参见普贤,为入妙觉善知识,乃专回向西方净土云:"亲睹如来无量光,现前授我菩提记。"由是观之,即华严为最上一乘,而修称法界行,始终不离念佛。十地圣人,已证真如,尚不离念佛,而末法妄人,乃敢谤念佛为劣行,又何疑参禅念佛为异耶!是阙[3]多闻[4],不知佛意,妄生分别耳。若约唯心净土,则心净土净。故初参禅未悟之时,非念佛无以净自心,然心净即悟心也。菩萨既悟,而不舍念佛,是则非念佛,无以成正觉,安知诸祖,不以念佛而悟心耶!若念佛,念到一心不乱,烦恼消除,了明自心,即名为悟,如此则念佛即是参禅,若似菩萨,则是悟后不舍念佛,故从前诸祖,皆不舍净土如此,则念佛即是参禅,参禅乃生净土,此是古今未决之疑,此说破尽,而禅净分别之见,以此全消,即诸佛出世,亦不异此说,若舍此别生妄议,皆是魔说,非佛法也。

【注释】

[1]三贤十地:即三贤十圣,是大乘佛教的菩萨修行阶位。

[2]善财:佛弟子名。曾南行参访五十五位善知识,遇普贤菩萨而成就佛道。大乘佛教用以作为即身成佛之例证,其求法过程,则表示华严入法界的各阶段。

[3]阙:即缺。

[4]多闻:多闻经法教说而受持。据《月灯三昧经》卷六记载,多闻有十种利益,即知烦恼资助、知清净助、远离疑惑、作正直见、远离非道、安住正路、开甘露门、近佛菩提、为作光明、不畏恶道。

《指月录》

[明] 瞿汝稷[1]

1.向居士[2]

幽栖林野,木食涧饮,北齐天保初,闻二祖盛化,乃致书曰:"影由形起,响逐声来。弄影劳形,不识形为影本;扬声止响,不知声是响根。除烦恼而趣涅槃,喻去形而觅影;离众生而求佛果,喻默声而求响。故知迷悟一涂,愚智非别,无名作名,因其名则是非生矣。无理作理,因其理则争论起矣。幻化非真,谁是谁非,虚妄无实,何空何有,将知得无所得,失无所失,未及造谒,聊申此意,伏望答之。"二祖回示曰:"备观来意,皆如实,真幽之理竟不殊,本迷摩尼谓瓦砾,豁然自觉是真珠,无明智慧等无异,当知万法即皆如,愍[3]此二见之徒辈,申辞措笔作斯书,观身与佛不差别,何须更觅彼无余,居士捧披祖偈,乃申礼觐[4],密承印记。"

【注释】

[1]瞿汝稷(1548~1610):明代江苏常熟人。字元立。号那罗窟学人,又称盎谈。万历三十年(1602),编纂历代禅宿法语为《指月录》三十卷,盛行于世。所谓"指月",是以"指"比喻言教,以"月"比喻佛法。禅宗以"本来无一物"的境界为上乘,以"万虑皆空"为最大的德行。主张不立文字,不下注脚,亲证实相,方为究竟。认为一切言教无非为示机的方便而设,就好像指月,使人因指而见月。用言教来显示实相,但是言教本身并

188

非实相。这便是书名最重要的旨意。全书集录自过去七佛至宋代大慧宗杲的禅宗传承法系六百五十人的言行传略而成。卷一至卷三收录过去七佛、应化圣贤、西天祖师（西天二十八祖）；卷四收录东土祖师，从菩提达磨到六祖慧能；卷五至卷三十收录慧能下第一世至第十六世；卷三十一、卷三十二为径山宗杲禅师语录。

[2]向居士：北齐人，二祖慧可禅师法嗣。

[3]愍(mǐn)：同"悯"。

[4]觐(jìn)：拜见，会见。

2.天台山云居智禅师

尝有华严院僧继宗问："见性成佛其义云何？"师曰："清净之性本来湛然，无有动摇，不属有无净秽长短取舍，体自翛然[1]，如是明见，乃名见性，性即佛，佛即性，故曰见性成佛。"曰："性既清净，不属有无，因何有见？"师曰："见无所见。"曰："既无所见，何更有见？"师曰："见处亦无。"曰："如是见时，是谁之见？"师曰："无有能见者。"曰："究竟其理如何？"师曰："汝知否，妄计为有即有能所，乃得名迷，随见生解，便堕生死，明见之人即不然，终日见未尝见，求名处体相不可得，能所俱绝，名为见性。"曰："此性遍一切处否？"师曰："无处不遍。"曰："凡夫具否？"师曰："上言无处不遍，岂凡夫而不具乎？"曰："因何诸佛菩萨不被生死所拘，而凡夫独萦[2]此苦，何曾得遍？"师曰："凡夫于清净性中，计有能所，即堕生死，诸佛大士善知清净性中，不属有无，即能所不立。"曰："若如是说，即有能了不了人？"师曰："了尚不可得，岂有能了人乎？"曰："至理如何？"师曰:"我以要言之,汝即应念,清净性中无有凡圣,亦无了不了人,凡之与圣,二俱是名,若随名生解,即堕生死,若知假名不实,即无有当名者。"

【注释】

[1]翛(xiāo)然:形容自由自在、无拘无束的样子。

[2]萦(yíng):缭绕。

3.隆兴府宝峰克文云庵真净禅师

上堂,举"古人云:如珠在盘,不拨而自转"。只如大众开单展钵[1],拈匙把箸[2],一切时中所作所为,又何假人拨而后转!乃至云门胡饼,赵州柏树,德山棒,临济喝,又何假人拨而后转!自是你诸人不悟,却错会,又干他胡饼柏树棒喝什么事?岂不见六祖大师云:"汝当一念自知非,自己灵光常显现。"

【注释】

[1]展钵:禅林用斋前的重要行事。

[2]箸(zhù):筷子。

《居士分灯录》[1]

[明]朱时恩

1.(游酢[2])尝致书开福宁禅师[3]曰:"儒者执五常[4],欲各尽其分。释氏谓世间虚妄,要人反常合道,旨殊用异何欤?"宁答曰:"人溺情尘爱网,昼思夜度,无一息之停,须力与之决,收其放心,死生乃可出,若只括其同异,揭揭[5]焉尽分于郛廓[6]之间,我习内薰[7]爱缘,外染于道,何能造,合能反,厥常则心自通,道自合,不然难以口舌争也。"又问:"造道必有要法。"宁曰:"道不在说与示也。说示者方便耳,须用就已知归,外求有相佛,与汝不相似也。"酢默然。吕居仁以书问酢曰:"定夫既从二程学后,又从诸禅游,则儒释两家必无滞阂[8],敢问所以不同何也?"酢答曰:"佛书所说,世儒亦未深考。往年尝见伊川云:'吾之所攻者,迹也。然迹安所从出哉?'此事须亲到此地,方能辨其同异,前辈往往不曾看佛书,故诋此如此,而其所以破佛者,乃佛书正不以为然者也。"

【注释】

[1]《居士分灯录》,全二卷,明代朱时恩编。成书于崇祯五年(1632)。此书仿效《缁门传灯录》,辑录在家信众参禅办道的事缘。包括西土的维摩居士,唐代的傅大士、庞居士、韩愈、吕岩真人,宋代的苏东坡、朱熹,及明代的宋濂等,共计一百一十人。

[2]游酢(zuò)(1053~1123):建州建阳人,北宋著名理学家,字定夫。

[3]开福宁禅师,歙州注氏子,名道宁,世称道宁者。

[4]五常:这里指儒家提倡的五种伦理道德,即父义、母慈、兄友、弟恭、子孝。

[5]揭揭:动摇不定的样子。

[6]郛廓:屏障。夏侯嘉正《洞庭赋》:"此乃方舆之心胸,溟

海之郭廓也。"

[7]薰：通"熏"。

[8]滞阂(hé)：停留，阻隔。

《湛然圆澄禅师语录》

[明]圆澄[1]

1.安思危，乐思苦，此古人之至言。所以有终身之忧，无一朝之患。尔今兄弟家共住此一会，实非小缘，此事在古犹难，不悟且置，即如大悟之后，尚依丛林三二十年，今时人才出家，便住小院，或守山坐关，或住庵堂庙宇，规矩有所不闻，道业[2]曾不之办，纵自在贪饕[3]，干[4]名觅利，光阴暗去，曾不知觉，无常卒来，曾何得知！除有智慧之人，密密观察，念念提持，始不为其所瞒，此外更无出得者。兄弟，我辈学道，多为衣食所忙，不能成办，今此云门，虽非大厦，颇可容身，虽无美供，粥饭粗足，正好猛利修行，夏间酷热，首座规矩稍纵，你等自宜简点，不可依例度时，当如父子上山，各自努力，以求决了，若只恁么度时，窃恐临命终时，眼光落地，无可把柄，终是一端大患也。故余谓安思危，乐思苦，正今日之要语矣。

【注释】

[1]圆澄(1561~1626)：会稽(浙江)人，明代曹洞宗僧人，俗姓夏，号散水道人。得法于袾宏，三十岁悟道，以平易简亮名重一时，宗风大畅。《湛然圆澄禅师语录》由丁元公、祁骏佳编。

[2]道业：可成佛果的善业称为道业。

[3]贪饕(tāo)：贪得无厌。

[4]干：追求。

2."兄弟！还知么？若也不知,山僧为你们说破:所谓一切声色是瞒人处,一切语言是瞒人处,一切文字是瞒人处。如是乃至世间一切是非、物欲、利名、恩爱,总是被瞒处。而我出家之徒,既已跳出,复有生死可出,涅槃可证。如是乃至神通、三昧[1]、禅定、解脱、光明、相好,凡有名相碍于胸中,总被其瞒也！直得洒落落地、虚廓廓地,无一物挂于胸中,然后时节因缘到来,一念发明,疑情顿断,始不受其瞒也。兄弟！还有问话者?出来。"众无出者。师曰:"如此,则你等都是佛。长老[2]瞒不得也。"

【注释】

[1]三昧:梵语音译,指将心定于一处(或一境)的一种安定状态。《智度论》五:"善心一处住不动,是名三昧。"

[2]长老:指年龄长而法腊高,智德俱优的大比丘。

3.凡学道者,犹如种禾,日日要见工程,以至收割已竟[1],方始放心。若是应种不种,当耘[2]不耘,失其时序,欲望其收,盖亦难矣。今时兄弟家,徒见古人一语之下,心地开通,半轴之中,义天朗曜,便向门头户底,学一转两转语句,以当平生。参学,便乃放心自在,笑傲云山,更不加功询法,不亦难乎！未悟之人,且置而勿论,只如已悟之人,岂肯便放其心。故曰大事已明,如丧考妣[3],故有牧牛之说,所言寻牛者即参扣话头也,见迹者初见静功也,见牛者即开悟见性也,放牛者断习也,牛驯者习气薄熟也，牛睡者忘功也，忘牛忘人者证二空也，返本还源者得正位也，经云十劫坐道场佛法不现前，即此位也[4]。此乃犹是因心法身，未说报身，若论报身，历劫熏修相好，方乃成佛，故梵语卢舍那[5]，此云福智圆满，所以南泉石巩等诸大老有牧牛之说，岂是如今这等容易！经教不明一卷，公案不透一则，出语大似醉人，一任便宜自在，规矩不循，威仪不整，于止静时强坐一炷香，坐香才罢，便乃出外闲游，乃云：无挂无碍，才上单来。便被昏沉，及与散乱。递相混扰，却不奈何。即起寄心放逸，不知不觉把好光阴差过了也。山僧不解佛法，所说的都是老实事，若肯相悉，不枉同住；若不相信，莫谓山僧不说好。

【注释】

[1]竟：结束，完成。

[2]耘：除草。

[3]如丧考妣(bǐ)：像死了父母一样。形容极度悲伤和着急。考妣，父母的别称。

[4]宋代廓庵师远曾撰绘牧牛图，牧牛图是表现禅宗修行阶次的十幅图画。各图都以牛为喻，因此称为十牛图或牧牛图。这十图的名称依次为寻牛、见迹、见牛、得牛、牧牛、骑牛归家、忘牛存人、人牛俱忘、返本还源、入廛垂手。佛教是告诉世人如何由迷起悟的宗教。其教义大体针对"迷"与"悟"两种层次作深入的解析。庞大的佛学系统，即以此为支柱。十牛图，便是禅宗对这一庞大教义体系的浓缩。其显然可见的特色，是抛弃印度式的严格思辨方法及理论架构，而取用图画与诗歌。十牛图的思想基础，源自《六祖坛经》的见性法门。这是印度大乘

佛教真常唯心思想的推演。这种思想,强调每一位众生的本性(或佛性、自性、如来藏心)是真常清净,具足无量功德属性的。由于无始以来,众生耽于迷执,忘失本性,终致不认得"自己"。因此,修行者最重要的目标,就是去发现这原本具足的"本性"。彻底证得自性之本来具足,便是开悟,便是成佛。其所具足的无量功德,也自然会开显。这也就是禅宗所常标榜的"见性成佛"。

[5]卢舍那:毗卢遮那佛的略称。为佛之报身或法身。

《龙池幻有禅师语录》
[明]幻有[1]

1.汝等但于十二时中,第一要不起分别之念,不作妄想执情,则此心即是佛,佛即是此心,此心历历孤明,惺惺不昧者是。此心虽无形相,亦不离形相,即世间无一物不属吾心,以吾心之外无一物耳。故谓此心即佛,佛即此心。

【注释】
[1]幻有:明代临济宗僧人。《龙池幻有禅师语录》由其门人圆悟、圆修等编。

《永觉元贤禅师语录》
[清]元贤[1]

1.中秋示众:"欲识佛性义,当观时节因缘。今夜金风透幙[2]，玉露垂枝，素月流辉，碧天如洗。落叶点点飘林，寒蛩[3]声声入耳，帘外之青山尽曙，江中之白浪摇光。只此因缘，还有佛性义也无？若说有，错认驴鞍桥；若说无，面南看北斗。毕竟如何？——咦！不因夜来雁，怎见海门秋。"

【注释】

[1]元贤(1578~1657)：福建建阳人，明代曹洞宗僧人，俗姓蔡。元贤禅师是宋代大儒蔡元定十四世孙。幼年钻研周程张朱学说。十八岁读《六祖坛经》开始接触禅宗典籍。四十岁投寿昌无明落发。后来去到信州博山能仁寺参学于无异元来，并受具足戒。历主宝善庵、福州鼓山涌泉寺、泉州开元寺、真寂院等名刹。并建鼓山涌泉寺，成为八闽丛林之冠。禅师主张学道者应博参远访，反对当时闭关的风气，力斥在家二众滥受三衣。其禅学一反当时流行学偈颂、学答话及上堂、小参等徒具形式的风气，自己标榜鼓山禅。其思想以调和禅净与儒释为主，并力图调和禅宗内部及临济、曹洞两派之间的对峙，以提倡洞上心法为己任，同时又阐扬临济宗旨；此外还师法百丈修持与劳动并行的精神。主要著作有《禅余内集》《楞严略疏》《鼓山志》等。

[2]幙：同"幕"。

[3]寒蛩(qióng)：深秋的蟋蟀。关汉卿《谢天香》第一折："寒蛩秋夜忙催织，戴胜春朝苦劝耕。"

2.上堂："论是论非，好似将军徒骂阵；灭踪灭影，恰如顽石碍当门。说妙说玄，捕风捉影而徒劳；行棒行喝，带水拖泥难自脱。到这里，教老僧作么生开口？"良久云："听取一偈：宝善

196

庵中日似年,北窗高卧羲皇[1]前。枝头红叶无心绪,一任风吹落枕边。"

【注释】
[1]羲皇:即伏羲氏。

3.至道玄默,灵智绝依,任你行喝行棒,早已落二落三,更加如何若何,直是千里万里,所以从上诸佛结舌有分,历代诸祖举似无门。昔三祖《信心铭》[1]云:"至道无难,唯嫌拣择。但莫憎爱,洞然明白。"岂不是剖心剖胆,说与后人!但既曰唯嫌,便是拣择;既曰但莫,便是憎爱。况有明白可指,岂为究竟之谈!须知,至道无难亦无易,无拣择亦无无拣择,无憎爱亦无无憎爱,无明白亦无无明白,只如老僧恁么道,还免得过也无,老僧虽不落拣择憎爱,亦是借拣择憎爱为弄引,岂能免过,毕竟作么生免得,老僧是洞下[2]儿孙,却忆洞上[3]之言。

【注释】
[1]三祖僧璨禅师《信心铭》:"至道无难,唯嫌拣择。但莫憎爱,洞然明白。毫厘有差,天地悬隔。欲得现前,莫存顺逆。违顺相争,是为心病。不识玄旨,徒劳念静。圆同太虚,无欠无余。良由取舍,所以不如。莫逐有缘,勿住空忍。一种平怀,泯然自尽。止动归止,止更弥动。唯滞两边,宁知一种。一种不通,两处失功。遣有没有,从空背空。多言多虑,转不相应。绝言绝虑,无处不通。归根得旨,随照失宗。须臾返照,胜却前空。前空转变,皆由妄见。不用求真,唯须息见。二见不住,慎莫追寻。才

有是非,纷然失心。二由一有,一亦莫守。一心不生,万法无咎。无咎无法,不生不心。能由境灭,境逐能沉。境由能境,能由境能。欲知两段,元是一空。一空同两,齐含万象。不见精粗,宁有偏党。大道体宽,无易无难。小见狐疑,转急转迟。执之失度,必入邪路。放之自然,体无去住。任性合道,逍遥绝恼。系念乖真,昏沉不好。不好劳神,何用疏亲。欲取一乘,勿恶六尘。六尘不恶,还同正觉。智者无为,愚人自缚。法无异法,妄自爱着。将心用心,岂非大错?迷生寂乱,悟无好恶。一切二边,良由斟酌。梦幻空花,何劳把捉。得失是非,一时放却。眼若不睡,诸梦自除。心若不异,万法一如。一如体玄,兀尔忘缘。万法齐观,归复自然。泯其所以,不可方比。止动无动,动止无止。两既不成,一何有尔。究竟穷极,不存轨则。契心平等,所作俱息。狐疑尽净,正信调直。一切不留,无可记忆。虚明自照,不劳心力。非思量处,识情难测。真如法界,无他无自。要急相应,唯言不二。不二皆同,无不包容。十方智者,皆入此宗。宗非促延,一念万年。无在不在,十方目前。极小同大,忘绝境界。极大同小,不见边表。有即是无,无即是有。若不如是,必不须守。一即一切,一切即一。但能如是,何虑不毕。信心不二,不二信心。言语道断,非去来今。"

[2]洞下:曹洞宗门下。

[3]洞上:曹洞宗对于末师末流称为上,永觉元贤禅师曾经辑录《洞上古辙》,内容主要为曹洞宗的古德语要。

4.孝之一字,儒家谓之天经地义至德要道,至我释门,梵网一经[1],演说菩萨大戒,开口便道孝名为戒,亦云孝顺至道之法,是儒释并以孝为首重也。但吾释之孝,与儒不同。儒者之孝,不过口体奉养,尽诚尽敬,立身扬名,葬祭以礼,孝之道惟斯而已矣。吾释之道,则异于是。盖以人子所有法身,即是父母之本身,若能知此法身,然后加奉重之功,念兹在兹,至于承当担荷,一旦顿忘,则与法身冥合[2]无间,古人谓之着力推爷向里头,又谓之全身归父,到此,始称孝顺之子,不然,虽能立身扬名葬祭以礼,亦只是一场梦事,其与父母之精神命脉,迥然违背,又安能孝乎?大众不可不知。

【注释】

[1]《梵网经》:全称《梵网经卢舍那佛说菩萨心地戒品第十》。梵网指佛随众生的机根设教,根据病症来开药,都令他们达到彼岸,不漏一人,就好像大梵天王的因陀罗网。上卷讲菩萨位阶的十住、十行、十回向、十地等的四十法门,下卷讲菩萨戒的十重禁戒、四十八轻戒。上下卷皆是为大乘菩萨而说法,在中国、日本颇受重视。

[2]冥合:暗合。柳宗元《始得西山宴游记》:"心凝形释,与万化冥合。"

5.我尝谓学道之士,第一要信得及,第二要放得下,第三要守得坚。有此三要,方可学道。何谓信得及?信得我本来是佛,不少一毫,又信得佛祖垂下一言半句,等闲如倚天长剑,必能断人命根,有此实信,方可策进,若稍涉狐疑,策进无由,所以要个信得及。何谓放得下?人被许多虚名、浮利、恩爱、业缘种种牵缠,如铁城铜锁,无能自解,必须勇猛奋发,一切斩断,再不复顾,方可策进,若稍有留恋,必遭绊倒,所以要个放得下。何谓守得坚?缘人一时感激向前,亦似信得及放得下,但恐遭逆顺二风吹将去,则信者不信了也,放得下者,依旧要担取去了也,所以要个守得坚。具上三者,然后看一句话头,不管生不管死,不管闲不管忙,尽力提撕[1],日久岁深,自然瞥地[2],此是历代诸祖已行的路,上人勉之。

【注释】

[1]提撕:提挈的意思。即导引后进之人。

[2]瞥地:禅林用语。速急的意思。

6.禅之道尚参,参之为义也。非师长所能诏[1],非兄弟所能代,非客气所能杂,非外形所能拘,唯在自心之力,勇猛直前,如关壮缪[2]单刀匹马,直入百万军中,斩其渠魁[3],岂不伟哉!但稍计其难易,虑其远近,忧其成败,则自且不立,况参乎!至于自不立,则客气得而乘之,而自杂矣;外形得而拘之,而自局矣。至于杂且局,虽师长兄弟,日从而策励之,其何能之,有忆。昔人有一偈曰:"学道须是铁汉,着手心头便判。直取无上菩提,一切是非莫管。"参之义其如是乎。上人字自参,执纸来求法语予,但为拈此,令其顾名思义,力而行之,其于道或庶几[4]焉。

【注释】

[1]诏:告诉。

[2]关壮缪:指三国时期蜀国的关羽。壮缪是宋高宗建炎

二年追赠给他的封号。

[3]渠魁：首领，头领。

[4]庶几：或许可以，表示希望或推测。《诗·小雅·车辖》："虽无旨酒，式饮庶几；虽无嘉殽，式食庶几。"

7.天下之至约者，莫如心；天下之至博者，亦莫如心。何以言其约也？以其体之至微，而为万有之所共宗也。何以言其博也？以其用之至广，而非虚空之所能囿也。然则求心者，将安所致力乎，亦惟致力于约而已。致力于约者，毋分其志，毋淆[1]其神，终日亟亟[2]焉，如有所失，务必得之。且持之以久，守之以纯，如水之必东，而逝者弗回也。如日之必运，而照者弗息也。诚如是，则可以默契其约之体，既契其约之体，则其用之博，自能弥纶[3]宇宙，焜燿[4]古今，又何待修而后成，学而后得哉！上人勉之。

【注释】

[1]淆(xiáo)：混杂，混淆。

[2]亟亟(jí)：急忙，急迫。

[3]弥纶(lún)：统摄，经纬，贯通。《易·系辞上》："《易》与天地准，故能弥纶天地之道。"

[4]焜(kūn)燿：照耀。

8.觉皇之道，莫尚乎参禅；参禅之法，贵乎妙悟。所谓妙悟者，非可以一毫人力。与于其间，惟是天然神照，冥契于不思议之表而已。今日学人，十个有五双，俱要参禅，而卒流于不肖之归者何哉？以不求妙悟也。不得妙悟者何哉？以不知所避忌也。汝今欲学斯道，须知有四种避忌，一者立心不可不正，以立心乃造道之本，如造屋之有基也。若立心不正，则基先缺陷，虽有禅定智慧，皆为魔业，岂可以入圣人之道哉！故今入道之始，一切希名誉，图利养，起生灭，竞人我等心，悉皆屏除可也。二者用心不可不专，无上妙道，非粗心浮气可入，必须一其志，凝其神，专以求之，庶可企及，若分心于他岐，则方寸既杂，而浊智流转，邪气外乘，与斯道背而驰矣。三者宿解不可不捐，学人昔于经卷上分别，或师友边商量，起种种见，执之为实，则灵机窒碍[1]，妙悟弗彰，必须荡去，方能发起新悟。四者新解不可不除，钻研之久，忽然新解顿生，或遇境便成四句，此乃聪明境界，正是阴魔[2]作病，行人不达，以为妙悟，其祸非细，必须自觉，大抵此解，虽极其巧妙，要之必缘境而发，故非真实，若不急于划除，神机何由廓彻。此上四种，并是生死之重病，随犯其一，功必唐捐[3]，必须深自省察，而剪灭之，然后方可称宗门下真实用心者也。勉之。

【注释】

[1]窒碍：阻碍，障碍。

[2]阴魔：五阴（色、受、想、行、识）能害众生佛性，所以比喻为魔。是四魔之一，其他三魔分别为烦恼魔、死魔、天子魔。

[3]唐捐：落空，虚耗，虚掷。《法化经·观世音菩萨普门品》："若有众生，恭敬礼拜观世音菩萨，福不唐捐。"

《隐元禅师语录》

[清]隆琦[1]

1.世间一切事物无一真实,惟有当人脚跟下一着子,明如杲日,阔若虚空,不属成坏,了无真假,不增不减,无去无来,明之者唤作本源佛性,炳[2]世明珠,暗之者返为业识茫茫,未免物欲所累,从生至死,从死至生,无由得脱,诚可悯也。有志衲僧正好在此茫茫之中,着得只眼,且看忙者是谁?略有少闲,又看闲者是谁?无分昼夜,匪间闲忙,转追转究,忽于不知不觉处迸[3]出星儿,不妨辉天监地。则脚跟下大事已竟,非惟但能转物即同如来,亦乃事事法法转归自己矣。而后,忙时也得,闲时也得,不忙不闲也得,亦忙亦闲也得,呵佛骂祖也得,唤佛祖来洗脚也得,为伊踏着佛祖上头关捩,千圣万贤尽在下风。所谓终日忙忙,那事无妨,岂昧我耶。否则日久月深,便打在流俗阿师[4]队中,去吾末如之何也已矣。

【注释】

[1]隆琦(1592~1673):福建福州人,明代高僧,日本黄檗宗之祖,俗姓林。隆琦禅师得法于密云圆悟大师,清代顺治十一年(1654),应日僧逸然的邀请,远赴日本入住长崎兴福寺。日纪宽文元年(1661,即顺治十八年),创建黄檗山万福寺,拈唱祖道,举扬黄檗禅风。著有《普照国师语录》三卷、《普照国师法语》二卷、《松堂集》二卷、《太和集》二卷等,《隐元禅师语录》由海宁等编。

[2]炤(zhào):照耀。《荀子·天论》:"列星随旋,日月递炤。"

[3]迸(bèng):喷射。

[4]阿师:禅林中对和尚之亲切称呼。"阿"为发语词。

《百痴禅师语录》

[清]行元

1.耳澄说

夫眼之见色,随色起想,则眼被色碍矣;耳之闻声,随声起想,则耳被声碍矣。有所碍,即有所缘,缘爱生贪,缘憎生瞋,常住真心,昏浊日固,吾知其未能澄也。然而澄必于耳,何说也?娑婆世界,以音声为佛事,琴瑟、琵琶、箜篌、鼓乐,人之所乐闻也,且以人之六根,惟耳根最利,随所闻而入之,澄澄湛湛,不动不摇,即安全真,应时解脱,无处而非常住心,无处而非净明体矣。由是推之,六律五音[1],澄耳之具也,松籁风涛[2],澄耳之谱也,鸟啼蚁斗,蛙吠驴鸣,澄耳之官也,儿笑妇骂,鬼哭神号,山动雷轰,川腾谷应,澄耳之节奏也。只为耳不善澄,澄不关耳,遂至种种蹉过,习焉不之察耳。若夫古隐闻让国而洗耳临渊[3],隔壁闻坠钗而籍名破戒[4],此犹泥耳澄之迹,非吾所谓澄也[5]。耳澄上人得虔老三绝[6],而进乎禅者也,学以成之,悟以通之,自澄澄人,于兹可卜矣。是故书耳澄之说以赠。

【注释】

[1]六律五音:六律,定乐器的标准。五音,指宫、商、角、徵、羽五个音阶。泛指音乐。

[2]松籁风涛:松籁,风吹松树发出的自然声韵。风涛,风浪。

[3]许由洗耳典故,出自蔡邕《琴操·河间杂歌·箕山操》,许由听到尧让位给自己而感到耳朵受到了污染,因而临水洗耳。

[4]隔帘闻坠钗声,《小窗幽记》中记载:"阮籍邻家少妇有美色,当垆沽酒,籍常诣饮,醉便卧其侧。隔帘闻坠钗声,而不动念者,此人不痴则慧。我幸在不痴不慧中。"

[5]这里的意思是这两种听声音而不受污染的做法仍然是拘泥于"耳澄"的形式,而并不是真正彻悟后的澄净。

[6]虔老三绝:虔老,即唐人郑虔,相传郑虔诗、书、画造诣颇深。李绰《尚书故实》记载:"郑广文学书而病无纸,知慈恩寺有柿叶数间屋,遂借僧房居止,日取红叶学书,岁久殆遍。后自写所制诗并画,同为一卷封进,玄宗御笔书其尾曰:'郑虔三绝。'"

2.清响说

搅而不浊之谓清,触而能应之谓响,识清响之义者,可以了然会心矣。然则花翻蝶舞,水动鱼行,竹叶吟风,松梢坠露,皆清响也;奔潮浩浩,伐木丁丁[1]钟鼓交参,村歌互答,皆清响也;乃至迅雷震地,白雹飞空,狮子咆哮,须弥[2]岌峇[3],亦皆清响也。故曰根尘既销,空觉圆净,刹刹尘尘,归吾妙性,内无所著,外无所依,清响不存,听将安寄?克圣上人乞庵名于予,予甚爱乎清响,而书是额以赠,盖窃取夫从闻思修之意云。庵去梵胜咫尺许,予每兴至,即携诸子,坐于古梅下,割然[4]长啸,杳不知尘世之所之。

【注释】

[1]丁丁:形容伐木的声音。

[2]须弥:须弥山。原为古印度神话中的山名,后为佛教所采用,指一个小世界的中心。

[3]岌岔(jí bā):象声词。《文选·马融〈长笛赋〉》:"雷叩锻之岌岔兮,正浏溧以风冽。"

[4]剨(huò)然:象声形容词。

《高僧摘要》

[清]徐昌治[1]

1.牧云禅师

卓挂杖云:"佛子住此地,则是佛受用。常在于其中,经行及坐卧。若论此事,如海滨人家取鱼相似。只因知得大海有鱼,思欲取之,乃生个计较,造个船只,扯个风蓬,把定舵柄,请个熟海路的人,为了船师,直至大洋去处,待等鱼来,一网撒去,大鱼小鱼,满载而归,到家市卖,养育子孙,受用不尽。参学人亦如是!先要知凡夫身中,决定有佛祖广大灵明的大事:如海有鱼,不生疑惑,不肯自昧。即思参禅,急图发明;如取海鱼生计较,放舍世缘,打起精进。千里万里,觅访知识,亲近善友,求指路头,切切提持;如依船师指导。忽于自己身中,悟得佛祖的大事,归家保养,入尘垂手,兴隆法门,上可以报佛恩德,下可以启迪将来,受用亦无有尽。虽然如是,大海中岂无风浪?岂无惊险?然而不生恐怖,一往直前者,盖取鱼的念头切也,参禅何不如是!要图发明佛祖大事,也须不顾危亡,不论境缘顺逆,千

206

魔万难，直往不退，不愁佛法不到手也。"

【注释】

[1]徐昌治：明末清初人，生卒年不详。法名孝廉，别号无依道人。任杭州府海宁县盐官。因读《楞严经》而弃官舍儒，趣入禅门。崇祯元年（1628），到金粟寺参学于密云圆悟。其后，历参金粟寺的隐元隆琦、福严寺之寿和尚等人。撰有《祖庭指南》二卷、《醒世录》八卷、《高僧摘要》四卷、《无依道人录》二卷、《百痴和尚梵胜散录》一卷等。徐氏由于对各集高僧传的内容分类颇不同意，所以编撰这本《高僧摘要》，本书历代高僧分为四类，一为道之高者，二为法之高者，三为品之高者，四为化之高者。

《五灯全书》
[清]超永[1]

1.兜率戒阇黎

台城西南有龙潭，名灵江，其龙化为老人，每日至寺听法。一日师掩门，老人立门外，良久叩头流血，师知其诚恳，开门问故，老人曰："我堕畜身，皆是不闻正法，今宿有幸，遇师在世，愿求解脱。"师曰："谁缚汝？"老人曰："无人缚。"师曰："既无人缚，何求解脱？"老人曰："我心忧乱，堕此业身，愿师为安脱此躯壳。"师曰："心异千差竞起，心平法界坦然。心凡三毒萦缠，心圣六通自在，心空一道清净，心有万法纵横。心猿意马，宜自调伏，作佛证圣，堕狱受畜，皆自能为，非天所生，非地所出。"老人听师言，心惑未即解悟。师曰："汝将何听？"老人曰："我将耳听。"师曰："耳听增惑，何不心闻？所谓心闻洞十方，生于大因力[2]，此是普贤法门，普贤以心闻，成大行愿，汝性既灵，当知此能闻说法之人，是何相状？若执作相，则堕于有，若执作非相，又堕于无，执着有无，生死根本，但自返观息听，则本有大光明藏悉得现前，诸惑自然亡矣。"老人闻此，心地朗然，顿首拜谢，遂复龙身，于西山投身自陨。

【注释】

[1]超永：生卒年不详，浙江携李人，明末清初临济宗僧人。《五灯全书》一百二十卷，另有目录十六卷。康熙三十六年(1697)刊行。全书内容主要是超永从《五灯会元》等诸多传灯录中摘取重要的话，费时十几年亲自前往各地搜集文献。除七佛、西天、东土诸祖外，凡《五灯会元》以后之祖师、耆宿、居士等，无论是正系旁系，都广为搜录立传，共计有七千多人，是传灯录的集大成者。

[2]因力：是万物生成时直接的力。

2.越州大珠慧海禅师

问："如何得大涅槃？"师曰："不造生死业。"曰："如何是生死业？"师曰："求大涅槃，是生死业。舍垢取净，是生死业。有得有证，是生死业。不脱对治[1]门，是生死业。"曰云："何即得解脱？"师曰："本自无缚，不用求解。""直用直行，是无等等。"曰："禅师如和尚者，实谓希有。"礼谢而去。有行者问："即心即佛，那个是佛？"师曰："汝疑那个不是佛指出看。"者无对，师曰：

"达即遍,境是不悟,永乖疏。"律师[2]法明,谓师曰:"禅师家多落空。"师曰:"却是座主家落空。"明大惊曰:"何得落空?"师曰:"经论是纸墨文字,纸墨文字者,俱是空,设于声上,建立名句等法,无非是空座主执滞教体,岂不落空?"明曰:"禅师落空否?"师曰:"不落空。"明曰:"何得却不落空?"师曰:"文字等,皆从智慧而生,大用现前,那得落空!"

【注释】

[1]对治:原意为否定、遮遣。在佛教中,则指以道断除烦恼等。

[2]律师:指专门研究、解释、读诵律的人。

3.越州大珠慧海禅师

曰:"如何用功?"师曰:"饥来吃饭,困来即眠。"曰:"一切人总如是,同师用功否?"师曰:"不同。"曰:"何故不同?"师曰:"他吃饭时,不肯吃饭,百种须索;睡时不肯睡,千般计较,所以不同也。"律师杜口。韫光问:"禅师自知生处否?"师曰:"未曾死,何用论生?知生即是无生,法无离生,法无有生。""祖师曰:'当生即不生,曰不见性人。'亦得如此否?"师曰:"自不见性,不是无性,何以故?见即是性,无性不能见;识即是性,故名识性;了即是性,唤作了性;能生万法,唤作法性,亦名法身。马鸣祖师[1]曰:'所言法者,谓众生心。'若心生故,一切法生;若心无生,法无从生,亦无名字。迷人不知法身无象,应物现形,遂唤青青翠竹,总是法身;郁郁黄华,无非般若。黄华若是般若,般若即同无情,翠竹若是法身,法身即同草木,如人吃笋,应总吃

法身也。如此之言,宁堪齿录[2],对面迷佛,长劫希求,全体法
中,迷而外觅,是以解道者,行住坐卧,无非是道;悟法者,纵横
自在,无非是法。"

【注释】

[1]马鸣祖师:菩萨名,中天竺人,是佛灭后六百年间出世
的大乘论师,有马鸣比丘、马鸣大士、马鸣菩萨等尊称,印度四
大士之一。相传其讲经时,马能听他的话,为之长鸣,所以称为
马鸣。

[2]齿录:收录,录用。

4.湖南长沙景岑招贤禅师

我若一向举扬宗教,法堂里须草深一丈,事不获不已,向
汝诸人道:尽十方世界,是沙门眼;十方世界,是沙门全身;尽
十方世界,是自己光明;尽十方世界,在自己光明里;尽十方世
界,无一人不是自己。我常向汝诸人道:三世诸佛,法界众生,
是摩诃般若光。光未发时,汝等诸人,向什么处委悉?光未发
时,尚无佛无众生,消息何处得?山河国土来。时有僧问:"如何
是沙门眼?"师曰:"长长出不得。"又曰:"成佛成祖出不得,六
道轮回出不得。"僧曰:"未审,出个什么不得?"师曰:"昼见日,
夜见星。"曰:"学人不会。"师曰:"妙高山色青又青。"

5.杭州真身宝塔寺绍岩禅师[1]

山僧素寡知见,本期闲放以了余年,岂谓今日大王勤重苦

勉,山僧劝诸方宿德,施张法筵,然大王致请,也只图诸仁者明心,此外别无道理。诸仁者!还明心也未?莫不是语言谈笑时、凝然杜默[2]时、参寻知识时、道伴商略[3]时、观山玩水时、耳目绝对时——是汝心否?如上所解,尽为魔魅所摄,岂曰明心?更有一类人,离身中妄想外,别认遍十方世界,含日月,包太虚,谓是本来真心——斯亦外道所计,非明心也。诸仁者要会么?心无是者,亦无不是者,汝拟执认,其可得乎?

【注释】

[1]绍岩禅师,雍州人,俗姓刘。

[2]杜默:沉默。

[3]商略:商讨。

6.节使李端愿居士

公曰:"只如人死后,心归何所?"颖曰:"未知生,焉知死?"公曰:"生则某已知之。"颖曰:"生从何来?"公罔措。颖起揸其胸曰:"只在这里!更拟思量个什么?"公曰:"会得也。"颖曰:"作么生会?"公曰:"只知贪程,不觉蹉路[1]。"颖拓开曰:"百年一梦,今朝方醒。"既而说偈曰:"三十八岁,懵然[2]无知。及其有知,何异无知。滔滔汴水,隐隐隋堤。师其归矣,箭浪东驰。"

【注释】

[1]蹉路:失路。

[2]懵(měng)然:不明的样子。

7.安州白兆山通慧珪禅师

上堂："幸逢[1]嘉会,须采异闻;既遇宝山,莫令空手。不可他时后日,门扇后,壁角头,自说大话也。穷天地,亘古今,即是当人一个自性,于是中间更无他物。诸人每日行时行着,卧时卧着,坐时坐着,只对语言时,满口道着。以至扬眉瞬目,嗔喜爱憎,寂默游戏,未始间断——因什么不肯承当,自家歇去?良由无量劫来,爱欲情重,生死路长,背觉合尘,自生疑惑。譬如空中飞鸟,不知空是家乡;水里游鱼,忘却水为性命。何得自抑,却问旁人!大似捧饭称饥,临河叫渴,诸人要得休去么?各请立地定着精神,一念回光,豁然自照。何异空中红日,独运无私;盘里明珠,不拨自转。然虽如是,只为初机[2],向上机关,未曾踏着。且道作么生是向上机关?"良久曰:"仰面看天不见天。"

【注释】

[1]逢:遇到。《桃花源记》:"忽逢桃花林,夹岸数百步。"

[2]初机:机,即机根、机类。初机,指的是初学之人。

8.饶州荐福曹源道生禅师

春风东扇西扇,春雨似晴不晴;浅碧深红,烂铺锦绣;莺啼燕语,互奏笙簧[1]:一一揭示圆通妙门,头头流通正法眼藏!拟心凑泊[2],依前万水千山;直下知归,便见七穿八穴!

【注释】

[1]笙簧:指笙的乐音。张素《初至江南》:"山村隐图画,鸟

语替笙簧。"

[2]凑泊:凝合,聚合。

9.建宁府回龙古航道舟禅师

宗门无语句,实无一法与人。只要人自参自悟,自证自修,以见自己本来面目而已,非有他术。盖此本来面目,不以圣贤而庄严,不以庸愚而丑陋,王公与士庶同,士庶与含生等,凡属有情,体元无二,特以迷而不参,昧却自己精光,谓之众生。若参究一明,如天普盖,似地普擎[1],则谓之佛祖矣。佛祖众生,只一迷悟间。参究不参究,斯有天地之殊耳。达磨西来,直指人心,见性成佛,灵俐汉一觑便了,更无许多周折。所以宝志[2]云:"欲识大道真体,不离声色言语。"者里无疑,说个见性,说个成佛,早成剩语也!如未然者,必须猛着精彩,二六时[3]中,看是谁见谁闻?谁为觉知?是谁穿衣御膳?是谁起居动作?看到无可看处,自然大悟!彻底洞明,迷云破散,智日高升。始知大地众生,由来一体,森罗万象,共贯同条。且无情与非情之异,又何有贵贱凡圣之殊哉!

【注释】

[1]擎:向上托、举。

[2]宝志(418~514),金城(陕西南郑,或江苏句容)人,南朝僧人,俗姓朱。

[3]二六时:中国古代用十二地支记昼夜十二时辰,即子、丑、寅、卯、辰、巳、午、未、申、酉、戌、亥。昼夜各六个时辰,所以叫做"二六时"。这是佛门的一句熟语,指一整天,整日整夜。佛

门劝人要在"二六时"中保持正念,精进正道。

10.宝庆紫云密严达刚禅师[1]

僧问:"从上宗乘即不问,如何是金刚正体?"师举拂子。曰:"百千法门即不问,如何是般若真光?"师放下拂子。僧礼拜。师乃曰:"金刚正体堂堂露,般若真光处处彰,三世十方俱坐断,剑轮挥处凛[2]如霜。"

【注释】

[1]达刚禅师(1609~1669),茶陵(湖南)人,明代临济宗僧人,俗姓萧。最初从南岳玄印出家,后礼拜山茨通际为师,并继承了他的禅法。禅师一度隐居于江西大云山,顺治八年(1651)在湖南宝庆开创紫云寺。

[2]凛(lǐn):寒冷。

11.花药字云踪禅师

春暮上堂:"大道分明,谁能解了,绿水青山,春深更好,百般鸟语在林间,声唤声呼须及早,杜鹃啼血[1]春去了,鹧鸪[2]苦切肝肠倒。提壶[3]提壶,嘴自多卢,郭公[4]郭公,明以告公,鸦鸣鸦,鹊鸣鹊,早暮庭前为惊觉。"拍禅床云:"山僧有口不如他!"

【注释】

[1]杜鹃啼血:中国古代传说杜鹃鸟啼叫时,嘴里会流出血来,这是形容杜鹃啼声的悲切。

[2]古人将鹧鸪鸣声谐音为"行不得也哥哥",诗文中常用

以表示思念故乡。

[3]提壶:即鹈鹕(tí hú)。鸟名。

[4]郭公:布谷鸟的别称。布谷鸣声如呼"郭公"。

《正源略集》[1]

[清]达珍

1.润州鹤林云屋音禅师

近日诸方据曲录床者,说法务要尖新,出语必求玄妙。殊不知秘魔一向擎叉,禾山只解打鼓,打地和尚,初无棘句钩章[2],振铎[3]阿师,曾不攒花簇锦,汾州只道莫妄想,俱胝惟竖一指头[4],更有老鸟窠,但道诸恶莫作,众善奉行。如此朴实禅,今人那肯说!山僧尝谓:古人说禅如莲华,花在实亦在;今人说禅,如牡丹芍药,花有实无。奈何。禾黍[5]不阳艳,竞栽桃李春,翻令力耕者,半作卖花人。

【注释】

[1]《正源略集》,十六卷,收录了南岳下三十四世至四十世、青原下宗镜三世至十三世,及居士八人,共计四百零五人的本籍、姓氏以及机缘语要。

[2]棘句钩章:比喻文辞艰涩。

[3]振铎:指从事教职。

[4]俱胝一指:俱胝禅师名,一指是俱胝禅师悟得的一指禅。凡是遇到有人请示佛法,便竖起一根指头,学者都能因此有所契悟。

215

[5]禾黍:禾与黍。泛指黍稷稻麦等粮食作物。

2.龙王山清凉千智幢毅禅师

茶话:"新茶嫩笋,芳草垂杨,徐步山谷,铁石心肠,好鸟相唤,其音叮当,如何白云飞来满床。山下有田,菜麦青黄,山外有屋,烟树苍茫,忽来明月,岩上生光。谁为侍者,松杉两傍,横揰拄杖,击碎空王。正恁么时,日出东方,如大火聚,今古文章。山泉自流,清声勿狂,金毛狮子,哮吼高冈。惊走无路,妖怪狐狼,一喝两喝,佛祖潜藏。无人可伴,灵树家乡,长年受用,百结衣裳。佛祖慧命,伶俐儿郎,吾师授受,时刻不忘。呵呵,且道:是诗耶偈耶?世谛[1]耶?佛法耶?"遂举杯云:"总不妨吃茶。"

【注释】

[1]世谛:即俗谛,见前文注释"真俗二谛"。

《御选语录》[1]

[清]雍正

1.幽州宝积禅师

禅德,可中学道,似地擎山,不知山之孤峻;如石含玉,不知玉之无瑕。若如此者,是名出家,故导师云:"法本不相碍,三际[2]亦复然。无为无事人,犹是金锁难[3]。"所以灵源独耀,道绝无生,大智非明,真空无迹,真如凡圣,皆是梦言,佛及涅槃,并为增语。禅德,直须自看,无人替代。

【注释】

[1]《御选语录》,十九卷,其内容集录我国古今禅僧、居士及清世宗自身的禅语等,共计正集十二卷、外集一卷、前集二卷、后集三卷、当今法会一卷。其中,正集收录僧肇、永嘉玄觉、寒山、拾得、沩山灵佑、仰山慧寂、赵州从谂、云门文偃、永明延寿、紫阳真人张平叔、雪窦重显、圆悟克勤、玉琳通琇、筇溪行森、和硕雍亲王圆明居士(世宗)等十五人的短篇语要。外集收录云栖袾宏的净土问答等,前集、后集均为历代禅师语录。

[2]三际:指过去、现在、未来三世。

[3]金锁难:禅宗典故。《智度论》:"譬在囹圄,桎梏所拘,虽复蒙赦,更系金锁,人为爱系,如在囹圄,虽得出家,更着禁戒,如系金锁。"

2.长沙景岑招贤禅师

问:"如何是文殊?"师曰:"墙壁瓦砾是。"曰:"如何是观音?"师曰:"音声语言是。"曰:"如何是普贤?"师曰:"众生心是。"曰:"如何是佛?"师曰:"众生色身是。"曰:"河沙诸佛体皆同,何故有种种名字?"师曰:"从眼根返源,名文殊;耳根返源,名观音;从心返源,名普贤。文殊是佛妙观察智;观音是佛无缘大慈[1];普贤是佛无为妙行。三圣是佛之妙用,佛是三圣之真体,用则有河沙假名,体则总名一薄伽梵[2]。"

【注释】

[1]无缘慈:慈悲分三种,无缘慈为其一。龙树《大智度论》卷四十曰:"慈悲心有三种,众生缘、法缘、无缘。凡夫人众生

缘;声闻、辟支佛及菩萨,初众生缘,后法缘;诸佛善修行毕竟空,故名为无缘。"这是大乘佛教所言空的思想,完全无自他的对立;是绝对的慈悲,真实的慈悲,也是最高的慈悲。

[2]薄伽梵:是佛陀十号之一,诸佛通号之一。意译有德、能破、世尊、尊贵。即有德而为世所尊重者。在印度用于对有德之神或圣者的敬称,具有自在、正义、离欲、吉祥、名称、解脱等六义。在佛教中则是佛的尊称,又因佛陀具有德、能分别、受众人尊敬、能破除烦恼等众德,所以薄伽梵亦具有有德、巧分别、有名声、能破等四种意义。

3.六祖慧能大师

何名摩诃?摩诃是大,心量广大,犹如虚空,无有边畔[1],亦无方圆大小,亦非青黄赤白,亦无上下长短,亦无瞋无喜,无是无非,无善无恶,无有头尾,诸佛刹土[2],尽同虚空,世人妙性本空,无有一法可得,自性真空,亦复如是。善知识。莫闻吾说空,便即着空。第一莫着空,若空心静坐,即着无记空。善知识。世界虚空,能含万物色像,日月星宿,山河大地,泉源溪涧,草木丛林,恶人善人,恶法善法,天堂地狱,一切大海,须弥诸山,总在空中,世人性空,亦复如是。善知识。自性能含万法是大,万法在诸人性中,若见一切人,恶之与善,尽皆不取不舍,亦不染着,心如虚空,名之为大,故曰摩诃。善知识。迷人口说,智者心行,又有迷人,空心静坐,百无所思,自称为大,此一辈人,不可与语,为邪见故。

【注释】

[1]畔(pàn)：边界。

[2]刹土：指国土。

4.圭峰宗密禅师

山南温造尚书问："悟理息妄之人不复结业[1]，一期寿终之后，灵性何依？"师曰："一切众生，无不具有觉性，灵明空寂，与佛何殊？但以无始劫来，未曾了悟，妄执身为我相，故生爱恶等情，随情造业，随业受报，生、老、病、死，长劫轮回。然身中觉性未曾生死，如梦被驱役，而身本安闲，如水作冰，而湿性不易，若能悟此性即是法身，本自无生，何有依托，灵灵不昧，了了常知，无所从来，亦无所去。然多生妄执，习以性成，喜、怒、哀、乐，微细流注，真理虽然顿达，此情难以卒除。须常觉察，损之又损，如风顿止，波浪渐停，岂可一生所修，便同诸佛力用，但可以空寂为自体，勿认色身[2]，以灵知为自心，勿认妄念，妄念若起，都不随之，即临命终时，自然业不能系，虽有中阴，所向自由，天上人间，随意寄托，若爱恶之念已泯，即不受分段之身[3]，自能易短为长，易粗为妙。"

【注释】

[1]结业：由烦恼而起的行为。结是结缚的意思，指烦恼。业，指行为。

[2]色身：指有形质的身体，即肉身。反之，无形者称为法身或智身。

[3]分段之身：指凡夫轮回六道受分分段段果报之身。

5.清凉普明和尚

祖师心法,洞贯十方,今古恒然,法尔如是。如是之法,不假修而自就,不假得而自圆,一切现成,名不动地。用而非有,不用非无,妙体湛然,恒常不变。体合妙用,应备无为,映现重重,无边色相。心无自性,触事全彰,不动道场,遍十方界。如斯境界,略暂回光,背觉合尘,妄为影事。此之事意,如王大路,行之即是,假使不行,亦在其路。如斯所论,犹是化门之说,若以举唱宗乘[1],只有一时散去好。

【注释】

[1]宗乘:指各宗所弘之宗义及教典。多为禅门及净土门标称自家的话。

6.瑞鹿本先禅师[1]

你等诸人,夜间眠熟不知一切,既不知一切,且问你等那时有本来性?无本来性,若道有本来性,又不知一切,与死无异;若道无本来性,睡眠忽省[2],觉知如故。还会么?不知一切,与死无异,睡眠忽省,觉知如故,如是等时是个什么?若也不会,各体究取。无事,莫立。

【注释】

[1]瑞鹿本先禅师:永嘉郑氏子,天台德韶禅师法嗣。
[2]省(xǐng):醒悟。

7.大珠慧海禅师

道光座主问曰："禅师用何心修道？"师曰："老僧无心可用，无道可修。"曰："既无心可用，无道可修，云何每日聚众，劝人学禅修道？"师曰："老僧尚无卓锥[1]之地，什么处聚众来？老僧尚无舌，何曾劝人来？"曰："禅师对面妄语。"师曰："老僧尚无舌劝人，焉解妄语？"曰："某甲却不会禅师语论也。"师曰："老僧自亦不会。"

【注释】

[1]卓锥：立锥。黄庭坚《次韵子瞻和子由观韩干马因论伯时画天马图》："西河骢作蒲萄锦，双瞳夹镜耳卓锥。"

《揞黑豆集》[1]

[清]心圆等

1.绍兴府云门雪峤圆信禅师[2]

云生黑暗，定知有雨；人生在世，岂不知末后有一堆黄土，青茅冷冷，春秋不管，寒影疏疏。而今人只是一个胆大，弃自己一段灵明佛性，丢向脑后。终日只是受用五欲，贪瞋痴外，别无所知，因果轮回，亦不肯信——皮顽竟有一丈，思之。

【注释】

[1]《揞黑豆集》，九卷，清代心圆居士编撰，火莲居士于乾隆五十九年(1794)刊行。本书辑录《指月录》及诸家灯史所记载的宋代应庵昙华以下，至清代茆溪行森，共收禅林缁素一百

四十人的本籍、略传,在诸师机缘法语之后,一一附拈提评唱,以引导学人直入佛法正道。是说其编集目的是要掊除那些落入拟议言诠的"黑豆"。因为,这些"黑豆换却眼睛",为让参学人恢复光明本具的"眼睛"。

[2]圆信(1571~1647):浙江鄞县人,明代临济宗僧人,俗姓朱,初号雪庭,后改雪峤,晚年自称语风老人。曾参学于云栖袾宏、龙池幻有等禅师,相传在天台山偶然抬头,见"古云门"三个字,豁然大悟,发愿弘扬云门一宗。

2.天童密云禅师

僧问:"生死不明,乞师开示。"师云:"我也不明。"云:"愿和尚慈悲。"师云:"你将生死来,我为你开示。"云:"生不知来处,死不知去处,岂非生死?"师云:"又道不明。"僧礼拜。

《万法归心录》[1]

[清]超溟

1.俗云:"如上开示,一切看空。时时检点,要作好人。"师曰:"要作好人,须自照察。一日之间,从朝至暮,自照其心,自审其理,举心动念,与天心合乎,任运所为,与人事类乎?时时惺惺,不漏私心,久久心正,人欲自空,如若放逸,恣情纵意,不畏天刑[2],不惧报应,非礼而行,非礼而作,日久月深,积恶太重,一朝福谢,众业临身,现有显祸,死堕三途。佛经云:'假使百千劫,所作业不忘。因缘会遇时,果报还自受。'是知因果不昧,后昆[3]须要诚信。"

【注释】

[1]《万法归心录》,三卷,清康熙十六年(1677)序刊。本书旨在阐明"三教为殊途同归之法",因"万法归于一心"作为书名。

[2]天刑:天降的刑罚。韩愈《答刘秀才论史书》:"夫为史者,不有人祸,则有天刑。"

[3]后昆:"昆"也是后的意思,即后世、后代、子孙。

2.儒云:"《大学》已闻,请示《中庸》。"师曰:"天命之谓性,率性之谓道,修道之谓教。"释曰:"孔门心法,中庸之理,不偏不倚,不邪不住,朱熹注解,性犹天命,令与人物,各赋其理。未知本性是何物件,犹天命令,来付人物,却将孔圣之理,注成心外有法,岂知本性? 体若太虚,无内无外,非来非去,皆因最初不守自性,忽起动心,故受胎狱[1],本一精明,分成六用,随境逐情,流荡生死,众生不能返源,先圣指条径路,拈出天命,即是性体,天命,天心,天道,天理,名异体同,总是性理。古德云:'在天谓命,在人谓性。'"故所以示云:"天命之谓性。自人人本具一灵妙明真性,任运应酬,理本当然,体中用和,不落偏倚,日用中事理无碍,故曰率性之谓道。皆因受生以来,尘染遮障本理,颠倒乱想,不悟性体,圣贤设教,化人复性,悟理修证,返妄归真,以复本来天命之理,所以为修道之谓教。教者修乎道,道者本乎性,性体源乎天,圣人乐天知命,乃中庸之道也。道也者不可须臾[2]离也,可离非道也。是故君子,戒慎乎其所不睹恐惧乎其所不闻,莫见乎隐,莫显乎微,故君子必慎其独也。"释曰："若悟性理,不可须臾有离,须臾不在,习气则复现矣。所以戒慎恐惧,如临水渊,保任本性,不落邪僻,慎独之道,须防隐微,几才似萌,微动未发,善恶似生未生,正好一撺放下,复还本理,其功甚大,若待善恶念生,憎爱取舍齐发,再去降伏,岂不太远!所以慎独功夫,最为紧要。"故曰:"君子养道,慎其独也。喜怒哀乐之未发谓之中,发而皆中节谓之和,中也者天下之大本也,和也者天下之达道也。致中和,天地位焉,万物育焉。"释曰:"未发之中,即是真智,寂照无二,应物无心,又名良知,可谓道本,已发之和,即是妙慧,能分诸法,无住无染,谓之良能,名曰达道,良知良能,本乎性体,体包大虚,含育万有,故云致中和,天地位焉,万物育焉。"

【注释】

[1]胎狱:指四生中的胎生者,在母胎内所受的苦,像处于狱中,所以叫做胎狱。

[2]须臾:表短时间。即暂时、少顷的意思。

格 言

《菜根谭》[1]（节选）

[明]洪应明[2] 编著

【注释】

[1]《菜根谭》：明代洪应明收集编著的一部论述修养、人生、处世、出世的语录集，成书于万历年间。作者以"菜根"为本书命名，意谓"人的才智和修养只有经过艰苦磨炼才能获得"。

[2]洪应明：字自诚，号还初道人，生卒年及生平均不详，明代思想家、学者、道士，约生活于明神宗万历中前期。

欲做精金美玉的人品，定从烈火中煅来；思立掀天揭地的事功，须向[1]薄冰上履过[2]。

【注释】

[1]向：从、到。

[2]履过：走过，比喻经过危险的境地。

一念错，便觉百行皆非，防之当如渡海浮囊[1]，勿容一针之罅漏[2]；万善全，始得一生无愧，修之当如凌云宝树[3]，须假众木以撑持。

【注释】

[1]渡海浮囊:古代用牛皮或羊皮制成气囊,类似于现在的救生圈。

[2]蟢漏:缝隙、漏洞。

[3]凌云宝树:西方佛境中的树。

忙处事为,常向闲中先检点,过举自稀。动时念想,预从静里密操持[1],非心自息。

【注释】

[1]操持:握持、掌握。

为善而欲自高胜人,施恩[1]而欲要名结好,修业[2]而欲惊世骇俗,植节而欲标异见奇,此皆是善念中戈矛,理路上荆棘,最易夹带,最难拔者也。须是涤尽渣滓,斩绝萌芽,才见本来真体[3]。

【注释】

[1]施恩:给人以恩惠。

[2]修业:建功立业。

[3]真体:真实的本体。

能轻富贵,不能轻一轻富贵之心;能重名义,又复重一重名义之念。是事境之尘氛[1]未扫,而心境之芥蒂[2]未忘。此处拔除不净,恐石去而草复生矣。

【注释】

[1]尘氛:人间的污浊之气。

[2]芥蒂:细小的梗塞物,比喻积在心中的怨恨、不满或不快。

昨日之非不可留,留之则根烬复萌,而尘情[1]尽累乎理趣[2];今日之是不可执[3],执之则渣滓未化,而理趣反转为欲根[4]。

【注释】

[1]尘情:凡心俗情。

[2]理趣:义理情趣。

[3]执:执着、固执。

[4]欲根:欲念的根源。

无事便思有闲杂念想否,有事便思有粗浮意气否,得意便思有骄矜[1]辞色否,失意便思有怨望情怀否。时时检点,到得从多入少、从有入无处,才是学问的真消息[2]。

【注释】

[1]骄矜:骄傲自负。

[2]消息:奥妙、真谛、底细。

立业建功,事事要从实地著[1]脚,若少慕声闻[2],便成伪果[3];讲道修德,念念要从虚处立基,若稍计功效,便落尘情。

【注释】
[1]著:"着",着脚、落脚。
[2]声闻:梵文意译。佛家称闻佛之言教,证四谛之理的得道者。
[3]伪果:有名无实的结果。

钟鼓体虚,为声闻而招击撞;麋鹿性逸[1],因豢养而受羁縻[2]。可见名为招祸之本,欲乃散志之媒,学者不可不力为扫除也。

【注释】
[1]逸:放纵、自由。
[2]縻:缰绳,引申为束缚。

一念常惺[1],才避去神弓鬼矢;纤尘[2]不染,方解开地网天罗。

【注释】
[1]一念常惺:身心要时常保持清醒。
[2]纤尘:微小的尘土。

拨开世上尘氛[1],胸中自无火炎冰兢[2];消却心中鄙吝[3],眼前时有月到风来。

【注释】

[1]尘氛:凡俗。

[2]冰兢:表示恐惧、谨慎之意。兢,亦作表示恐惧、谨慎之意。兢,亦作"竞"。

[3]鄙吝:亦作"鄙悋",形容心胸狭窄。

学者动静殊操[1]、喧寂异趣,还是锻炼未熟,心神混淆故耳。须是操存[2]涵养,定云止水中,有鸢飞鱼跃[3]的景象;风狂雨骤处,有波恬浪静的风光,才见处一化[4]齐[5]之妙。

【注释】

[1]殊操:操行不同。

[2]操存:执持心志,不使丧失。

[3]鸢飞鱼跃:比喻万物各随其性,各得其所。

[4]化:变化。

[5]齐:同一。

躯壳[1]的我要看得破,则万有[2]皆空而其心常虚,虚则义理[3]来居;性命的我要认得真,则万理皆备而其心常实,实则物欲[4]不入。

【注释】

[1]躯壳:指身体,对于精神而言。

[2]万有:世界上的一切事物。

[3]义理:合于一定的伦理道德的行事准则。

[4]物欲:物质享受的欲望。

面上扫开十层甲[1],眉目才无可憎;胸中涤去数斗尘[2],语言方觉有味。

【注释】

[1]十层甲:比喻用来掩盖真实面目的各种方式。

[2]数斗尘:比喻在人心中的各种欲念。

完得心上之本来,方可言了[1]心;尽得世间之常道[2],才堪论出世[3]。

【注释】

[1]了:懂得、明了。

[2]常道:一定的法则、规律、常有的现象。

[3]出世:超脱人世束缚。佛教用语,佛教徒以人世为俗世,故称脱离人世束缚为出世。

我果为洪炉[1]大冶,何患顽金钝铁之不可陶熔。我果为巨海长江,何患横流[2]污渎[3]之不能容纳。

【注释】

[1]洪炉:大火炉,后比喻陶冶和锻炼人的环境。

[2]横流：大水不循道而泛滥。

[3]污渎：死水沟。

立百福之基，只在一念慈祥；开万善之门，无如寸心[1]挹损[2]。

【注释】

[1]寸心：指心，旧时认为心的大小在方寸之间，故名。

[2]挹损：减小、缩小。

塞得物欲[1]之路，才堪辟道义[2]之门；驰得尘俗[3]之肩，方可挑圣贤[4]之担。

【注释】

[1]物欲：物质享受的欲望。

[2]道义：道德和正义。

[3]尘俗：尘世、人间、世俗。

[4]圣贤：圣人与贤人的合称，亦指品德高尚，有超凡才智的人。

功夫自难处做去者，如逆风鼓棹[1]，才是一段真精神[2]；学问自苦中得来者，似披沙获金，才是一个真消息[3]。

【注释】

[1]鼓棹：奋力划桨。

[2]精神：神采、韵味。

[3]消息：奥妙、真谛、底细。

人欲[1]从初起处剪除，便似新刍[2]剧斩，其工夫极易；天理[3]自乍明时充拓，便如尘镜复磨，其光彩更新。

【注释】

[1]人欲：人的本能欲望。

[2]新刍：新鲜的草。

[3]天理：纲常伦理。

一勺水便具四海水味，世法[1]不必尽尝；千江月总是一轮月光，心珠[2]宜当独朗。

【注释】

[1]世法：佛教语，指世间上的生灭无常。

[2]心珠：佛教语，喻指清净如明珠的心性。

事理因人言而悟者，有悟还有迷，总不如自悟之了了[1]；意兴从外境而得者，有得还有失，总不如自得之休休[2]。

【注释】

[1]了了：清楚明白。

[2]休休：悠闲自得的样子。

情之同处即为性[1],舍情则性不可见,欲之公处即为理[2],舍欲则理不可明。故君子不能灭情,惟事平情而已;不能灭欲,惟期寡欲[3]而已。

【注释】
[1]性:人的本性。
[2]理:天理,纲常伦理。
[3]寡欲:少欲望、节欲。

欲遇变而无仓忙[1],须向常时念念守得定;欲临死而无贪恋[2],须向生时事事看得轻。

【注释】
[1]仓忙:匆忙。
[2]贪恋:十分留恋。

心体澄彻[1],常在明镜止水[2]之中,则天下自无可厌之事;意气和平,常在丽日光风之内,则天下自无可恶之人。

【注释】
[1]澄彻:水清见底,即清澈。
[2]止水:静止的水。

苍蝇附骥,捷则捷矣,难辞处后[1]之羞;萝茑[2]依松,高则高矣,未免仰攀之耻。所以君子宁以风霜自挟[3],毋为鱼鸟亲人[4]。

【注释】

[1]处后:处于人后,依附别人。

[2]萝茑:女萝和茑。两种蔓生植物,常缘树而生。后比喻亲戚关系,依附权贵。

[3]风霜自挟:比喻品行高洁。

[4]鱼鸟亲人:比喻乐于和人亲近并受宠于他人。

好丑心太明,同物不契[1];贤愚心太明,则人不亲。士君子须是内精明而外浑厚,使好丑两得其平,贤愚共受其益,才是生成的德量[2]。

【注释】

[1]契:契合、符合。

[2]德量:这里指道德修养。

遇大事矜持[1]者,小事必纵弛[2];处明庭[3]检饬[4]者,暗室必放逸。君子则一个念头持到底,自然临小事如临大敌,坐密室若坐通衢[5]。

【注释】

[1]矜持:竭力保持庄重。

[2]纵弛:放纵、松弛。

[3]明庭:庄重明亮的大厅。

[4]检饬:检点约束、谨言慎行。

彩笔描空,笔不落色,而空亦不受染;利刀割水,刀不损锷[1],而水亦不留痕。得此意以持身涉世,感[2]与应[3]俱适,心与境两忘矣。

【注释】
[1]锷:刀锋。
[2]感:感觉、感触。
[3]应:接受、适应。

思入世[1]而有为者,须先领得世外风光,否则无以脱垢浊之尘缘[2];思出世而无染者,须先谙[3]尽世中滋味。否则无以持[4]空寂[5]之后苦趣。

【注释】
[1]入世:投身社会。
[2]尘缘:佛教、道教谓与尘世的因缘。
[3]谙:熟悉、了解。
[4]持:保持、坚守。
[5]空寂:空虚寂寞。

膻秽则蝇蚋[1]丛嘬,芳馨则蜂蝶交侵。故君子不作垢业,亦不立芳名。只是元气[2]浑然,圭角[3]不露,便是持身涉世一安乐窝[4]也。

【注释】

[1]蝇蚋:苍蝇和蚊子。

[2]元气:天地未分之前的混沌之气,这里指人的精气神。

[3]圭角:圭的棱角,后比喻锋芒,引申为突出的特点。

[4]安乐窝:安逸的生活环境。

仕途虽赫奕[1],常思林下的风味,则权且之念自轻;世途虽
纷华[2],常思泉下[3]的光景,则利欲之心自淡。

【注释】

[1]赫奕:光彩照人的样子。

[2]纷华:繁华茂盛的样子。

[3]泉下:黄泉之下,指过世之后。

随缘[1]便是遣缘,似舞蝶与飞花共适;顺事自然无事,若满
月偕[2]盂水同圆。

【注释】

[1]随缘:佛教语,佛应众生之缘而施教化。

[2]偕:共同。

淡泊[1]之守,须从浓艳场中试来;镇定之操,还向纷纭[2]境
上勘过。不然操持[3]未定,应用未圆,恐一临机登坛[4],而上品[5]
禅师又成一下品俗士矣。

【注释】

[1]淡泊:恬淡,不慕名利。

[2]纷纭:丰富杂乱。

[3]操持:操守、立身处世的原则。

[4]登坛:登上坛场。古时会盟、祭祀、帝王即位、拜将,多设坛场,举行隆重的仪式。

[5]上品:佛教谓修净土法门而道行较高者,命终化生西方净土后所居的高等品位。

持身如泰山九鼎[1]凝然不动,则愆尤[2]自少;应事若流水落花悠然而逝,则趣味常多。

【注释】

[1]九鼎:古代传说夏禹铸了九个鼎,成为夏、商、周三代传国的宝物,象征国家政权,后来用九鼎比喻言语等分量之重。

[2]愆尤:罪过。

费千金而结纳贤豪,孰若[1]倾半瓢之粟,以济饥饿之人;构千楹[2]而招来宾客,孰若茸数椽之茅[3],以庇孤寒之士。

【注释】

[1]孰若:还不如。

[2]构千楹:建造千所房屋。

[3]茸数椽之茅:建造几件草屋。

杨修之躯见杀于曹操，以露己之长也；韦诞之墓见伐于钟繇，以秘己之美也。故哲士[1]多匿采以韬光，至人常逊美而公善[2]。

【注释】

[1]哲士：才能见识超越寻常的人。

[2]公善：公众的善事，造福人类的事业。

舌存常见齿亡[1]，刚强终不胜柔弱；户朽未闻枢蠹[2]，偏执岂能及圆融。

【注释】

[1]舌存常见齿亡：比喻刚强者容易摧折，柔软者常常保全。

[2]户朽未闻枢蠹：经常转动的门轴不易被蛀蚀，比喻经常运动可以不受外物侵蚀而历久不坏。

物莫大于天地日月，而子美[1]云："日月笼中鸟，乾坤水上萍。"事莫大于揖逊征诛[2]，而康节[3]云："唐虞揖逊三杯酒，汤武征诛一局棋。"人能以此胸襟眼界吞吐六合[4]，上下千古，事来如沤生大海[5]，事去如影灭长空，自经纶万变而不动一尘矣。

【注释】

[1]子美：指杜甫。

持身[1]涉世,不可随境而迁。须是大火流金[2]而清风穆然[3],严霜杀物而和气蔼然,阴霾翳空而慧日朗然[4],洪涛倒海而砥柱[5]屹然,方是宇宙内的真人品。

【注释】

[1]持身:立身、修身。

[2]大火流金:大火把金属融化成了液体,比喻经受高温的考验。

[3]穆然:温和。

[4]朗然:光明清澈。

[5]砥柱:比喻能负重任、处理问题的人或力量。

爱是万缘[1]之根,当知割舍[2]。识是众欲之本,要力扫除。

【注释】

[1]万缘:一切因缘。

[2]割舍:丢弃、抛开。

作人要脱俗[1],不可存一矫俗[2]之心;应世要随时,不可起一趋时之念。

【注释】

[1]脱俗：脱离庸俗、不沾染庸俗之气。

[2]矫俗：故意违俗立异。

荣与辱共蒂，厌辱何须[1]求荣；生与死同根，贪生不必畏死。

【注释】

[1]何须：何必、何用。

琴书诗画[1]，达士[2]以之养性灵，而庸夫徒赏其迹象；山川云物，高人以之助学识，而俗子徒玩其光华[3]。可见事物无定品，随人识见以为高下。故读书穷理，要以识趣[4]为先。

【注释】

[1]琴书诗画：常用来表示个人的文化素养。

[2]达士：见识高超、不同于流俗的人。

[3]光华：光芒，光彩。

[4]识趣：知趣、识相。

美女不尚铅华[1]，似疏梅之映淡月；禅师不落空寂[2]，若碧沼之吐青莲[3]。

【注释】

[1]铅华:亦作"铅花",妇女化妆用的铅粉。

[2]空寂:空虚寂寞。

[3]青莲:青色的莲花,佛教常用来比喻清洁不染。

古人闲适[1]处,今人却忙过了一生;古人实受处,今人又虚度了一世。总是耽空逐妄,看个色身[2]不破,认个法身[3]不真耳。

【注释】

[1]闲适:清闲安适。

[2]色身:佛教语,即肉身。

[3]法身:佛教语。梵语意译。谓证得清净自性,成就一切功德之身。"法身"不生不灭,无形而随处现形,也称为佛身。

蛾扑火,火焦蛾,莫谓祸生无本[1];果种花,花结果,须知福至有因。

【注释】

[1]本:植物的根基或主干。

车争险道,马骋先鞭,到败处未免噬脐[1];粟[2]喜堆山,金夸过斗,临行时还是空手。

【注释】

[1]噬脐:亦作"噬齐"。自啮腹脐,比喻后悔不及。

241

[2]粟:泛指各种粮食。

秋虫春鸟共畅天机[1],何必浪生悲喜;老树新花同含生意,胡为妄别媸妍[2]。

【注释】
[1]天机:灵性,天赋灵机。
[2]媸妍:美丑、高下。

万境一辙原无地,著个穷通;万物一体原无处,分个彼我。世人迷真逐妄,乃向坦途[1]上自设一坷坎,从空洞中自筑一藩篱[2]。良足慨哉!

【注释】
[1]坦途:平坦的路。
[2]藩篱:指用竹木编成的篱笆或栅栏,后用来比喻事物的界限、障碍。

贫士肯济人,才是性天[1]中惠泽[2];闹场能学道,方为心地[3]上工夫。

【注释】
[1]性天:天性,人得之于自然的本性。
[2]惠泽:恩泽。
[3]心地:佛教语。指心。即思想、意念等。佛教认为三界唯

心,心如滋生万物的大地,能随缘生一切诸法。

人生只为欲字所累,便如马如牛,听人羁络[1];为鹰为犬,任物鞭笞[2]。若果一念清明[3],淡然无欲,天地也不能转动我,鬼神也不能役使[4]我,况一切区区事物乎!

谢豹覆面[1],犹知自愧;唐鼠易肠[2],犹知自悔。盖愧悔二字,乃吾人去恶迁善之门,起死回生之路也。人生若无此念头,便是既死之寒灰,已枯之槁木矣。何处讨些生理?

【注释】

[1]谢豹覆面:传说中一种名叫谢豹的虫子,见人便以两脚遮面如害羞状。

[2]唐鼠易肠:传说中一种名叫唐鼠的鼠,又名易肠鼠,一月三次吐肠。

世事如棋局,不着得才是高手;人生似瓦盆,打破了方见真空[1]。

【注释】

[1]真空:佛教语,超出一切色相意识界限的境界。

一场闲富贵,狠狠争来,虽得还是失;百岁好光阴,忙忙过了,纵寿亦为夭[1]。

【注释】

[1]夭:夭折、夭亡。

千载奇逢,无如好书良友;一生清福[1],只在碗茗炉烟[2]。

【注释】

[1]清福:清净之福。
[2]碗茗炉烟:比喻宁静闲适、悠然自得的生活。

蓬茅下诵诗读书,日日与圣贤晤语,谁云贫是病?樽罍[1]边幕天席地,时时共造化氤氲[2],孰谓非禅?

【注释】

[1]樽罍(léi):樽和罍都是盛酒的容器。罍似坛,亦指饮酒。
[2]氤氲:古代指阴阳二气交会和合之状。

吾人适志于花柳烂漫之时,得趣于笙歌腾沸[1]之处,乃是造花之幻境,人心之荡念也。须从木落草枯之后,向声希味淡之中,觅得一些消息,才是乾坤的橐龠[2],人物的根宗。

【注释】

[1]腾沸:形容人声喧腾。

[2]橐龠:古代用来冶炼鼓风的工具,这里比喻本源。

花开花谢春不管,拂意[1]事休对人言;水暖水寒鱼自知,会心[2]处还期独赏。

【注释】

[1]拂意:不得意,不顺心。

[2]会心:领悟、领会。

看破有尽身躯,万境之尘缘[1]自息;悟入无怀[2]境界,一轮之心月独明。

【注释】

[1]尘缘:佛教、道教所说的与尘世的因缘。

[2]无怀:无为,顺应自然变化。

谈纷华[1]而厌者,或见纷华而喜;语淡泊[2]而欣者,或处淡泊而厌。须扫除浓淡之见,灭却欣厌之情,才可以忘纷华而甘淡泊也。

【注释】

[1]纷华:繁华、富丽。

[2]淡泊:恬淡,不追名逐利。

富贵得一世宠荣,到死时反增了一个恋字,如负重担;贫贱得一世清苦,到死时反脱了一个厌字,如释重枷[1]。人诚想念到此,当急回贪恋之首而猛舒愁苦之眉矣。

【注释】
[1]枷:枷锁,比喻压力和束缚。

人之有生也,如太仓[1]之粒米,如灼目之电光,如悬崖之朽木,如逝海[2]之一波。知此者如何不悲? 如何不乐? 如何看他不破而怀贪生之虑? 如何看他不重而贻[3]虚生之羞?

【注释】
[1]太仓:古代京师储谷的大仓。
[2]逝海:流向大海。
[3]贻:遗留、留下。

迷[1]则乐境成苦海,如水凝为冰;悟则苦海为乐境,犹冰涣作水。可见苦乐无二境,迷悟非两心,只在一转念[2]间耳。

【注释】
[1]迷:执迷不悟。
[2]转念:再一想。

遍阅人情,始识疏狂[1]之足贵;备尝[2]世味[3],方知淡泊之为真。

【注释】

[1]疏狂:豪放、不受拘束。

[2]备尝:受尽、尝尽。

[3]世味:人世滋味、社会人情。

地宽天高,尚觉鹏程[1]之窄小;云深松老,方知鹤梦[2]之
悠闲。

【注释】

[1]鹏程:鹏鸟的飞程,比喻远大的前程。

[2]鹤梦:超凡脱俗的向往。

阶下几点飞翠落红[1],收拾来无非诗料;窗前一片浮青映
白,悟入处尽是禅机[2]。

【注释】

[1]落红:落花。

[2]禅机:佛教禅宗和尚谈禅说法时,用含有机要秘诀的言
辞、动作或事物来暗示教义,使人得以触机领悟。

东海水曾闻无定波,世事何须扼腕[1]?北邙山未省留闲地,
人生且自舒眉[2]。

【注释】

[1]扼腕:用一只手握住另一只手腕、表示振奋、惋惜、愤慨等情绪。

[2]舒眉:展开眉头,表示心情欢乐的样子。

心与竹俱空,问是非何处安脚?貌偕[1]松共瘦,知忧喜无由上眉。

【注释】

[1]偕:共同。

炮凤烹龙[1],放箸时与齑盐[2]无异;悬金佩玉,成灰处共瓦砾何殊。

【注释】

[1]炮凤烹龙:形容豪奢珍奇的肴馔。

[2]齑盐:泛指清贫生活。

扫地白云来,才著工夫便起障[1]。凿池明月入,能空境界自生明。

【注释】

[1]障:障碍,佛教常用来指代烦恼。

想到白骨[1]黄泉,壮士之肝肠自冷;坐老清溪碧嶂,俗流[2]

之胸次亦闲。

夜深人静独坐观心；始知妄穷而真独露，每于此中得大机趣[1]；既觉真现而妄难逃，又于此中得大惭愧。

路径窄处留一步，与人行；滋味浓的减三分，让人嗜[1]。此是涉世[2]一极乐法。

作人无甚高远的事业，摆脱得俗情[1]便入名流；为学无甚增益[2]的工夫，减除得物累便臻圣境[3]。

[3]圣境:宗教信徒所向往的超凡入圣的境界。

家庭有个真佛,日用有种真道[1],人能诚心和气、愉色婉言,使父母兄弟间形体两释,意气交流胜于调息[2]观心万倍矣。

【注释】
[1]真道:真理,常指道教或其他宗教的教义。
[2]调息:调养将息。

矜高倨傲[1],无非客气[2]降伏得,客气下而后正气伸;情欲意识,尽属妄心[3]消杀得,妄心尽而后真心现。

【注释】
[1]倨傲:傲慢不恭。
[2]客气:言行虚骄,并非出自真诚。
[3]妄心:佛教语,妄生分别之心。

饱后思味,则浓淡之境都消;色后思淫,则男女之见尽绝[1]。故人当以事后之悔,悟破临事之痴迷[2],则性定而动无不正。

【注释】
[1]尽绝:绝灭。
[2]痴迷:执迷不悟。

降魔[1]者先降其心,心伏则群魔退听;驭横[2]者先驭其气,气平则外横不侵。

【注释】

[1]降魔:佛教语。相传释迦牟尼在成佛前,曾与魔王进行激烈斗争,并取得胜利,佛教史上称为"降魔"。

[2]驭横:控制蛮横者。

人人有个大慈悲[1],维摩[2]屠刽[3]无二心也;处处有种真趣味,金屋茅檐非两地也。只是欲闭情封,当面错过,便咫尺千里矣。

【注释】

[1]慈悲:原为佛教语,给人快乐,将人从苦难中拯救出来,亦泛指慈爱与悲悯。

[2]维摩:即维摩诘,意译为"净名"或"无垢称"。佛经中人名。《维摩诘经》中说他和释迦牟尼同时,是毗耶离城中的一位大乘居士。尝以称病为由,向释迦遣来问讯的舍利弗和文殊师利等宣扬教义。为佛典中现身说法、辩才无碍的代表人物,后常用以泛指修大乘佛法的居士。

[3]屠刽:屠夫和刽子手。

进德修行,要个木石的念头,若一有欣羡[1]便趋欲境;济世[2]经邦,要段云水的趣味,若一有贪着,便堕危机。

【注释】

[1]欣羡:喜爱和美慕。

[2]济世:救世,济助世人。

人心有部真文章,都被残编断简[1]封固了;有部真鼓吹,都被妖歌艳舞湮没了。学者须扫除外物直觅本来,才有个真受用[2]。

【注释】
[1]残编断简:残缺不全的书籍。
[2]受用:受益、得益。

心体[1]光明,暗室中有青天[2];念头暗昧[3],白日下有厉鬼。

【注释】
[1]心体:指精神和肉体。
[2]青天:比喻光明美好的世界。
[3]暗昧:不光明磊落,不可告人之阴私、隐私。

为恶而畏人知,恶中犹有善路;为善而急人知,善处即是恶根[1]。

【注释】
[1]恶根:罪恶的根源。

耳目见闻为外贼[1],情欲意识为内贼[2],只是主人公惺惺[3]不昧[4],独坐中堂,贼便化为家人矣。

[1]外贼：破坏社会秩序的人。

[2]内贼：破坏思想道德的人。

[3]惺惺：清醒、机敏。

[4]不昧：不糊涂。

念头起处，才觉[1]向欲路上去，便挽从理路[2]上来。一起便觉，一觉便转，此是转祸为福、起死回生的关头，切莫当面错过。

【注释】

[1]觉：醒悟、领会。

[2]理路：理论、道理。

此心常看得圆满，天下自无缺陷之世界；此心常放得宽平，天下自无险侧[1]之人情。

【注释】

[1]险侧：险恶邪僻。

人心一真[1]，便霜可飞[2]、城可陨[3]、金石可贯。若伪妄[4]之人，形骸徒具，真宰[5]已亡。对人则面目可憎，独居则形影自愧。

【注释】

[1]真：真诚、诚实。

[2]霜可飞：本意是说天下霜，实际是比喻人的真诚可以感

动上天,变不可能为可能而在夏天降霜。

[3]城可陨:本来是说城墙可以拆毁崩溃,此处是比喻至诚可感动上天而使城墙崩毁。

[4]伪妄:虚假、不真实。

[5]真宰:自然之性。

惊奇喜异者,终无远大之识;苦节[1]独行[2]者,要有恒久之操。

【注释】
[1]苦节:艰苦卓绝、矢志不渝。
[2]独行:节操高尚,不随俗浮沉。

当怒火欲水正腾沸时,明明知得,又明明犯着。知得是谁,犯着又是谁。此处能猛然转念,邪魔[1]便为知真君子矣。

【注释】
[1]邪魔:魔鬼造成惑乱慧性、妨碍修行的变态心理。

胜私制欲[1]之功,有曰识不早、力不易者,有曰识得破、忍不过者。盖识是一颗照魔的明珠[2],力是一把斩魔的慧剑,两不可少也。

【注释】
[1]胜私制欲:战胜私心、控制欲望。
[2]明珠:光泽晶莹的珍珠,比喻宝贵的事物。

父慈子孝、兄友弟恭,纵做到极处,俱是合当[1]如是,着不得一毫感激的念头。如施者任德,受者怀恩,便是路人,便成市道[2]矣。

【注释】
[1]合当:应当、应该。
[2]市道:市场交易的规则。

士君子不能济物[1]者,遇人痴迷[2]处,出一言提醒之,遇人急难处,出一言解救之,亦是无量[3]功德矣。

【注释】
[1]济物:济人。
[2]痴迷:执迷不悟。
[3]无量:不可计算、没有限度。

作人无一点真恳的念头,便成个花子[1],事事皆虚;涉世无一段圆活的机趣[2],便是个木人,处处有碍。

【注释】
[1]花子:古时妇女贴、画在面颊上的装饰。
[2]机趣:机巧、风趣。

德者事业之基,未有基不固而栋宇[1]坚久者;心者修行之根,未有根不植而枝叶荣茂[2]者。

【注释】

[1]栋宇:房屋的正中和四垂,指房屋。

[2]荣茂:繁荣、茂盛。

道是一件公众的物事[1],当随人而接引[2];学是一个寻常的家饭,当随事而警惕。

【注释】

[1]物事:事情。

[2]接引:佛教语。谓佛与观世音、大势至两菩萨引导众生入西方净土。

阴谋怪习、异行奇能,俱是涉世的祸胎。只一个庸德庸行[1],便可以完混沌[2]而招和平。

【注释】

[1]庸德庸行:平庸的德行。

[2]混沌:比喻自然纯朴的状态。

建功立业者,多虚圆[1]之士;偾事[2]失机者,必执拗[3]之人。

【注释】

[1]虚圆:虚心圆通。

256

[2]偾事:败事。

[3]执拗:坚持己见,固执任性。

听静夜之钟声,唤醒梦中之梦;观澄潭之月影,窥见身外之身[1]。

【注释】

[1]身外之身:肉身之外的涅槃之身。

鸟语虫声,总是传心[1]之诀;花英草色,无非见道[2]之文。学者要天机[3]清彻,胸次玲珑,触物皆有会心处。

【注释】

[1]传心:佛教禅宗指传法。初祖达摩来华,不立文字,直指人心,法即是心,故以心传心,心心相印。

[2]见道:洞彻真理、明白道理。

[3]天机:灵性,天赋灵机。

都来眼前事,知足者仙境[1],不知足者凡境[2];总出世上因,善用者生机,不善用者杀机。

【注释】

[1]仙境:仙人所居处,仙界,借喻景物极美的地方。

[2]凡境:平凡的境界,人世间。

山林是胜地，一营恋[1]便成市朝[2]；书画是雅事，一贪痴[3]便成商贾。盖心无染着[4]，俗境是仙都；心有丝牵，乐境成悲地。

【注释】
[1]营恋：迷恋。
[2]市朝：争名逐利之所。
[3]贪痴：佛教语，贪欲与痴愚。
[4]染着：佛教语，爱欲之心浸染处物，执着不离。

此身常放在闲处，荣辱得失，谁能差遣我？此心常安在静中，是非利害，谁能瞒昧[1]我？

【注释】
[1]瞒昧：隐瞒欺骗。

世上只缘认得"我"字太真，故多种种嗜好、种种烦恼。前人云："不复知有我，安知物为贵。"又云："知身不是我，烦恼更何侵。"真破的[1]之言也。

【注释】
[1]的：箭靶的中心。

眼看西晋之荆榛[1]，犹矜白刃[2]；身属北邙之狐兔[3]，尚惜黄金。语云："猛兽易伏，人心难降。谿壑[4]易填，人心难满。"信哉！

258

[1]荆榛:亦作"荆蓁",泛指丛生灌木,多用以形容荒芜情景。

[2]白刃:借指战争。

[3]狐兔:狐和兔,后比喻坏人、小人。

[4]谿壑:山谷中的溪水。

心地上无风涛,随在皆青山绿树;性天[1]中有化育[2],触处都鱼跃鸢飞。

【注释】

[1]性天:天性,人得之于自然的本性。

[2]化育:万物自然萌发生长。

真空[1]不空,执相[2]非真,破相[3]亦非真。问世情如何发付?在世出世,徇俗[4]是苦,绝俗亦是苦,听吾侪善自修持。

【注释】

[1]真空:佛教语,超出一切色相意识界限的境界。

[2]执相:执着于形相。

[3]破相:佛教语,破除一切妄相而直显性体。

[4]徇俗:顺随时俗。

天地中万物,人伦[1]中万情,世界中万事,以俗眼[2]观,纷纷[3]各异,以道眼[4]观,种种是常,何须分别,何须取舍!

【注释】

[1]人伦:封建社会中人与人礼教所规定的君臣、父子、夫妇、兄弟、朋友及各种尊卑长幼关系。

[2]俗眼:尘世中人的眼睛,借指凡夫俗子。

[3]纷纷:多而杂乱。

[4]道眼:佛教语,指能洞察一切,辨别真妄的眼力。

缠脱[1]只在自心,心了则屠肆[2]糟糠[3],居然净土[4]。不然纵一琴一鹤、一花一竹,嗜好虽清,魔障[5]终在。语云:"能休尘境为真境,未了僧家是俗家。"

【注释】

[1]缠脱:束缚和解脱。

[2]屠肆:屠宰场,肉市。

[3]糟糠:比喻废弃无用之物。

[4]净土:佛教语,佛所居住的无尘世污染的清净世界。

[5]魔障:亦作"魔瘴",佛教语,意为修身的障碍。后泛指成事的障碍、磨难。

优人[1]傅粉调朱,效妍[2]丑于毫端。俄而歌残场罢,妍丑何存?弈者争先兢后,较雌雄于着手。俄而局尽子收,雌雄安在?

【注释】

[1]优人:古代以乐舞、戏谑为业的艺人。

[2]妍:美丽。

喜寂厌喧者,往往避人以求静。不知意在无人,便成我相[1],心着于静,便是动根。如何到得人我一空、动静两忘的境界!

【注释】

[1]我相:佛教语。我、人等四相之一,指把轮回六道的自体当做真实存在的观点,佛教认为是烦恼之源。

就一身了一身者,方能以万物付万物;还天下于天下者,方能出世[1]间于世间。

【注释】

[1]出世:佛教用语,佛教徒以人世为俗世,故称脱离人世束缚为出世。

人生原是傀儡[1],只要把柄在手,一线不乱,卷舒自由,行止在我,一毫不受他人捉掇[2],便超此场中矣。

【注释】

[1]傀儡:比喻不能自主、受人操纵的人或组织。
[2]捉掇:操纵、控制。

"为鼠常留饭,怜蛾不点灯",古人此点念头,是吾一点生生之机[1],列此即所谓土木形骸[2]而已。

[1]生生之机:生命力、活力。

[2]土木形骸:形容人的形体像泥塑木雕,没有活力。

《娑罗馆清言》[1](节选)

[明]屠隆[2] 编著

【注释】

[1]《娑罗馆清言》:《娑罗馆清言》与《续娑罗馆清言》均系屠隆晚年所作,作于万历二十八年八月(1600年),时屠隆五十八岁。娑罗一词,为梵语音译,有"坚固""高远"之意。相传释迦牟尼的寂灭之所即是在娑罗树间, 佛教中有不少事物都与娑罗树有关。书中有近二百条短小精炼的清言组成,以佛教的思想观念来阐释人生哲理。

[2]屠隆:明代戏曲家、文学家。字长卿,又字纬真,号赤水,别号由拳屠隆屠隆山人、一衲道人,蓬莱仙客,晚年又号鸿苞居士。鄞县(今属浙江)人。万历五年(1577年)进士,曾任颍上知县,转为青浦令,后迁礼部主事、郎中。万历十二年(1584年)蒙受诬陷,削籍罢官。晚年,遨游吴越间,寻山访道,说空谈玄,以卖文为生,怅悴而卒。

三九[1]大老,紫绶[2]貂冠[3],得意哉,黄粱[4]公案。二八佳人[5],翠眉蝉鬓[6],销魂也,白骨生涯。

[1]三九：三公九卿。

[2]紫绶：紫色的系印带子。古代只有相国、三公、列侯才授予紫绶。

[3]貂冠：以貂尾为饰物的帽子，通常作为权贵的象征。

[4]黄粱：比喻空想或梦想。

[5]二八佳人：正处于十六岁妙龄的美貌少女。

[6]翠眉蝉鬓：比喻女子的容色和修饰之美。

口中不设雌黄[1]，眉端不挂烦恼，可称烟火神仙；随宜而栽花竹，适性以养禽鱼，此是山林[2]经济[3]。

【注释】

[1]雌黄：比喻不顾事实，信口开河，随便议论。

[2]山林：即山间林下，指隐居。

[3]经济：即经世济民，此处指经营个人生活。

风晨月夕，客去后，蒲团可以双跏[1]；烟岛云林，兴来时，竹杖何妨独往。

【注释】

[1]双跏：即跏趺。佛教徒修行的一种坐法，盘腿而坐，脚背放在大腿上，俗称打坐。

老去自觉万缘[1]都尽，那管人是人非。春来尚有一事关心，只在花开花谢。

【注释】

[1]万缘：各种缘分和情分。

甜苦备尝好丢手[1]，世味浑如嚼蜡[2]。生死关头急回头，年光疾于跳丸[3]。

【注释】

[1]丢手：放弃。

[2]嚼蜡：比喻没有滋味。

[3]跳丸：古代的百戏之一，以掷丸上下挥舞为戏。这里形容时光飞逝。

无物能牢，何况蠢兹皮袋[1]。有形皆坏，不闻烂却虚空[2]。

【注释】

[1]皮袋：指与心灵相对的物质躯体，也称皮囊。

[2]虚空：虚无形质，空无障碍。这里指无形的时空。

坐禅[1]而不明心，取骨头为工课[2]，马祖[3]戒于磨砖。谈经而不见性，钻故纸[4]作生涯，达摩[5]所以面壁[6]。

【注释】

[1]坐禅：佛教用语，也称禅定。

[2]工课:即功课,寺庙中早晚烧香、念经等例行的宗教活动。

[3]马祖:即马祖道一,唐代禅僧,洪州禅的创立者。俗姓马,故世称马祖。

[4]故纸:旧纸,这里比喻没有用的东西。

[5]达摩:即菩提达摩,中国禅宗初祖。生于南印度,婆罗门族。中国南北朝时期来到中国,北魏时至嵩山少林寺,创立禅宗。

[6]面壁:佛教指面对墙壁静修。相传达摩初次来到中国,在少林寺曾面壁九年,终日无语。

草色花香,游人赏其有趣;桃开梅谢,达士[1]悟其无常[2]。

【注释】

[1]达士:通达事理的明智之士。

[2]无常:佛教认为世间的一切事物都处在生起、变异、坏灭的过程中,没有常性。

修净土[1]者,自净其心,方寸[2]居然莲界[3];学坐禅[4]者,达禅之理,大地尽作蒲团[5]。

【注释】

[1]净土:指净土宗,中国的佛教宗派之一,因其专修往生阿弥陀佛净土法门,故称净土宗。其始祖为南朝宋高僧慧远。

[2]方寸:指心。心约方寸大小,故以此指心。

[3]莲界:指佛教净土宗。

[4]坐禅：指修习禅宗。

[5]蒲团：用蒲草编成的圆形垫子。多为僧人坐禅和跪拜时所用。

立心而认，骨肉太亲，则人缘难遣[1]；学道而求，形[2]神[3]俱在，则我相[4]未融。

【注释】
[1]遣：派遣、消除。
[2]形：有形的物质身体。
[3]神：神识，也称灵魂，与物质形体相对应。
[4]我相：佛教用语，即实我之相，佛教的四相之一。

饧[1]粘油腻，牵缠最是爱河[2]；瞎引盲移[3]，展转投于苦海[4]。非大雄氏，谁能救之。

【注释】
[1]饧：糖稀。
[2]爱河：爱欲无尽，像河水一样。
[3]瞎引盲移：比喻乱走瞎闯，处境危险，比喻心识不明。
[4]苦海：比喻人世间的重重烦恼。

知事理原有顿渐[1]，则南北之宗门[2]不废；知升坠于情想，则过现之因果昭然。

【注释】

[1]顿渐:顿悟和渐悟。

[2]南北之宗门:禅宗自五祖弘忍后,分为南北二宗。六祖慧能之禅,行于南地,故称南宗。北宗指神秀之禅。

招客留宾,为欢可喜,未断尘世之攀援;浇花种树,嗜好虽清,亦是道人[1]之魔障[2]。

【注释】

[1]道人:佛教徒,和尚。晋宋其间,和尚、道士通称为道人。

[2]魔障:佛教用语,一切妨碍修行的烦恼、迷惑等。

角弓[1]玉剑,桃花马上春衫,犹忆少年侠气;瘿[2]瓢胆瓶[3],贝叶斋[4]中夜衲,独存老去禅心[5]。

【注释】

[1]角弓:饰以兽角的弓。

[2]瘿:颈部的瘤子。

[3]胆瓶:长颈大腹的瓶子,形如悬胆。

[4]贝叶斋:禅室。

[5]禅心:通过禅定修习而证得的本来清净心。

临[1]池独照,喜看鱼子跳波;绕径闲行,忽见兰芽出土。亦小有致[2],时复欣然。

【注释】

[1]临:来到、接近。

[2]致:景致、情致。

盘飧[1]一菜,永绝腥膻[2],饭僧宴客,何烦六甲行厨;茅屋三楹,仅蔽风雨。扫地焚香,安用数童缚帚。未见元放[3]翛然,尚觉右丞[4]多事。

【注释】

[1]飧:泛指熟食,或晚饭。

[2]腥膻:鱼肉等气味荤腥之物。

[3]元放:左慈,字元放,汉末术士。

[4]右丞:王维,字摩诘,唐代著名诗人,其诗空灵寂寥,富有禅意,被后世称为诗佛。

杨柳岸,芦苇汀,池边多有野鸟,方称山居。香积饭[1],水田衣[2],斋头才著比丘[3],便成幽趣。

【注释】

[1]香积饭:指僧人所食用的素食。

[2]水田衣:即袈裟,也称百衲衣。

[3]比丘:出家后受过具足戒的男僧人,也泛指僧侣。

山河天眼[1]里,不知山河即是天眼;世界法身[2]中,不知世界即是法身。

[1]天眼：天极之眼，佛教的五眼之一。

[2]法身：佛的真身，后指高僧。

如来为凡夫说空，以凡夫著有[1]故；为二乘人[2]说有，以二乘人沉空[3]故。著有则入轮转[4]之途，沉空则碍普度之路。是故大圣人[5]销有以入空。一法不立，从空以出有，万法森然。

[1]著有：执着于实有之物。

[2]二乘人：指缘觉声闻乘的修行者。

[3]沉空：落于空处，与"著有"意义相反。

[4]轮转：轮回。

[5]圣人：人格品德高尚的人，这里指佛祖。

棺则朽于木，裸[1]则朽于土，土木何劳分别？

沉则化于水，焚则化于火，水火安用商量？

[1]裸：裸葬。一种古老的葬法，寓意身体和土地融合在一起。

若想钱而钱来，何故不想；若愁米而米至，人固[1]当愁。晓起依旧贫穷，夜来徒多烦恼。

【注释】

[1]固:本来。

明霞可爱,瞬眼[1]而辄空;流水堪听,过耳而不恋。人能以明霞视美色,则业障[2]自轻;人能以流水听弦歌[3],则性灵何害?

【注释】

[1]瞬眼:转瞬间的短暂时间。

[2]业障:罪孽。

[3]弦歌:用琴瑟伴奏而歌。

学道历千魔[1]而莫退,遇辱坚百忍[2]以自持,到底无损毫毛,转使人称盛德。当时之神气不乱,入夜之魂梦亦清。

【注释】

[1]千魔:千般魔障。指各种挫折困难。

[2]百忍:忍受各种屈辱。

情尘既尽,心镜[1]遂明,外影[2]何如曝照?幻泡[3]一消,性珠自朗,世瑶[4]原是家珍。

【注释】

[1]心镜:佛教指人心明净如镜。

[2]外影:借助外物观察。

[3]幻泡：梦幻泡影。比喻一切事物变幻无常。

[4]世瑶：世代而传的美玉。

善谑浪[1]，好诙谐，吐语伤于过绮[2]，取快佐欢，亦无大害；扬隐微，谈中冓[3]，为德无乃太凉，积愆[4]消福，吾躬戒之。

【注释】

[1]谑浪：戏谑放荡。

[2]绮：华丽。

[3]中冓：内室。

[4]愆：过失、过错。

人生于五行[1]，亦死于五行，恩里由来生害；道坏于六贼，亦成于六贼，妙处只在转关[2]。

【注释】

[1]五行：阴阳五行的术语，指金、木、水、火、土五种物质。

[2]转关：转折的关键。

云栖莲老[1]，佛陇[2]灯公，岭表憨山[3]，湖南穷介[4]，有西方美人[5]之思；碧浪朱生[6]，西泠[7]虞氏，湘灵[8]逸客，镜水[9]隐鳞[10]，有天际真人之想。

【注释】

[1]莲老：袾宏，字佛慧，自号莲池，净土宗八祖，浙江杭州

人。晚年居云栖寺,明代四大高僧之一。

[2]佛陇:智者大师,字德安,初居天台山,创立天台宗。因天台山西南有一峰名佛陇,故后人称智者大师为佛陇。

[3]憨山:法名德清,字澄印,明代四大高僧之一。

[4]穷介:穷小子。

[5]西方美人:品德高尚的人。

[6]朱生:朱买臣。

[7]西泠:西泠桥,杭州西湖名胜之一。

[8]湘灵:湘水之神。

[9]镜水:镜湖,以水平如镜而名。

[10]隐鳞:龙。

凡夫迷真而逐妄,智慧化为识神[1],譬之水涌为波,不离此水;圣人悟妄而归真[2],识神转为智慧,譬之波平为水,当体无波。

【注释】

[1]识神:性情和意识的主宰。

[2]归真:回归自然本源。

天上两轮逐电[1],昼夜不休;人间二鼠啮藤[2],刹那欲断。

【注释】

[1]两轮逐电:时光飞逝。两轮指日月。

[2]二鼠啮藤:白鼠喻白天,黑鼠喻黑夜。在此用以比喻时

光流逝。

比丘鼻臭[1]荷香,来池神见斥,童子乃以香严[2]而圆通;元卿目玩[3]宫卉,为天神所呵,古德有因桃花而悟道。

【注释】

[1]臭:通"嗅",闻。

[2]香严:香光庄严。佛教用语,指心中念佛,佛亦随逐于身,犹如染香气之人身有香气。

[3]玩:欣赏。

峰峦窈窕[1],一拳便是名山;花竹扶疏[2],半亩何如金谷[3]。

【注释】

[1]窈窕:山路曲折幽深。亦用来形容女子的身材。

[2]扶疏:花木茂盛的样子。

[3]金谷:泛指富贵人家盛极一时但好景不长的豪华园林。

虚空不拒诸相[1],至人[2]岂畏万缘。是非场里,出入逍遥;逆顺境中,纵横自在。竹密何妨水过,山高不碍云飞。

【注释】

[1]诸相:各种物象。

[2]至人:佛祖的尊号。

凡情自缚,则抟[1]沙捻土,一身缠为葛藤;空观[2]一成,则割水吹毛[3],四大[4]等于枯木。

【注释】

[1]抟:把东西揉弄成球形。

[2]空观:佛教语,对空谛的观想。以体认无相为宗。亦指天台宗所立一心三观(空观、假观、中观)之一。

[3]割水吹毛:指四大中之"风大"。

[4]四大:佛教以地、水、火、风为四大。认为四者分别包含坚、湿、暖、动四种性能,人身即由此构成,因亦用作人身的代称。

薰蒸德香[1],则果[2]未成,而灵根[3]渐长;熬煎欲火,则目未瞑,而恶趣[4]现前。

【注释】

[1]德香:德馨如香。

[2]果:佛果。

[3]灵根:本根,此处指人的道德。

[4]恶趣:佛教语,指地狱、饿鬼、畜生三道。

吃菜而生美好拣择[1],则吃菜不异吃荤;作善而求自高胜人[2],则作善还同作恶。

【注释】

[1]拣择:选择。

[2]自高胜人：自以为高出和超过他人。

人若知道[1]，则随境皆安；人不知道，则触涂成滞。人不知道，则居闹市生嚣杂之心，将荡无定止；居深山起岑寂[2]之想，或转忆炎嚣[3]办若知道。则履喧而灵台[4]寂若，何有迁流[5]？境寂而真性冲融[6]，不生枯槁。

【注释】

[1]知道：明白真理。

[2]岑寂：寂寞无聊。

[3]炎嚣：喧哗不停。

[4]灵台：心灵。

[5]迁流：迁徙流转，指时空的变化。

[6]冲融：冲淡圆融。

来鸣禽于嘉树，音闻两寂，悟圆通[1]耳根；印朗月于澄波，色相[2]俱空，领清虚眼界。

【注释】

[1]圆通：佛教用语，觉悟法性。

[2]色相：人或物呈现在外的形式。

雨过天晴，会妙用[1]之无碍；鸟来云去，得自性之真如。

【注释】

[1]妙用：奇妙的作用。

栴檀[1]之形，能出门而迎佛；虎丘之石，解听法而点头。故知山河大地，咸见真如，瓦砾泥沙，并存佛性[2]。

【注释】

[1]栴檀：梵文栴檀那的省称，即檀香。

[2]佛性：佛教名词，指众生觉悟之性。

世界极于大千[1]，不知大千之外，更有何物；天宫极于非想，有知非想之上，毕竟何穷。吾尝于此茫然，安得问之大觉[2]。

【注释】

[1]大千：佛教用语，指大千世界，广大无边的世界。

[2]大觉：通过修炼而开启智慧的觉悟者。

积想情坚，思女因而化石[1]；磨砻[2]功久，铁杵且会成针[3]。今人才学修行，便希得证，稍不见效，辄退初心，道其可几[4]乎？

【注释】

[1]化石：因思念亲人而化身成石。

[2]砻：研磨。

[3]铁杵且会成针：用来形容做事持之以恒，必有成就。

[4]几：通"冀"，希望。

张三不是他，李四亦不是他，总认邮亭[1]为本宅[2]；长卿[3]不是我,纬真[4]亦不是我,莫把并州作故乡。风翻贝叶,绝胜北阙[5]除书[6];水滴莲花,何以华清宫[7]漏[8]。

【注释】

[1]邮亭:人灵魂寄寓的形体。

[2]本宅:后土,也称真宅。

[3]长卿:屠隆的字。

[4]纬真:屠隆的字。

[5]北阙:古代宫殿北面的门楼,是臣子等候朝见或上书奏事之处。

[6]除书:授予官职的文书。

[7]华清宫:唐宫殿名。在陕西临潼城南骊山麓,其地有温泉。

[8]漏:古代计时的工具。

善星[1]腹笥[2],部藏[3]不免泥犁[4];云光口坠,天花难逃阎老。所以初祖[5]来自迦毗[6],尽扫文字;室利[7]往参摩诘[8],悉杜语言。

【注释】

[1]善星:岁星的别名。

[2]腹笥:笥,书箱。后因称腹中所记之书籍和所有的学问为"腹笥"。

[3]部藏:佛教经典的总称。

[4]泥犁:地狱。

[5]初祖:禅宗初祖达摩。

[6]迦毗:释迦牟尼的出生地,佛教圣地,在今尼泊尔。

[7]室利:文殊师利,文殊菩萨。

[8]摩诘:梵文音译,意思是洁净、无污染的人。

观号千秋[1],吾愧贺老[2]之舍宅;楼高三级,复惭都水[3]之栖真。物在亦不苦留,期到翛然[4]便去。

【注释】

[1]千秋:千秋观,唐代诗人贺知章的旧宅,在浙江绍兴东北部。

[2]贺老:贺知章,字季真,号四明狂客。

[3]都水:古代官名,负责水利事务。

[4]翛然:无拘无束、自由自在的样子。

室无长物[1],心本宅乎清虚;门多杂宾,性不近乎狷介[2]。行谊[3]虽无大损,净业[4]未免有妨。

【注释】

[1]长物:多余之物。

[2]狷介:性情正直,洁身自好,不与世俗同流合污。

[3]行谊:品行,道义。

[4]净业:佛教所说的清净之善业。

罪在则福不集,福少则行难圆,此圣贤之所以慎作业[1]也。

【注释】

[1]作业:作孽,造孽。业,罪孽。

冤家恩爱,心常作平等之观;上帝悲田[1],眼不见可憎之物。性鲜贪嗔[2],六时畏作恶趣;心能领略,四季都是良辰。昔人不云乎,此老终当以乐死。

【注释】

[1]悲田:佛教语,三福田之一。谓以悲悯之心施惠于贫穷的人,则得无量之福,故称。
[2]嗔:仇恨和损害他人的心理。

青溪白石,倏[1]生潇洒之怀;黑雾黄埃,便起炎嚣[2]之念。此是心依境转,恐于学道无当。必也月随云走,月竟不移,岸逐舟行,岸终自若,则几矣。

【注释】

[1]倏:突然间。
[2]炎嚣:喧嚣,指世俗世界。

醒时思作佳梦,梦去未必如所思。生前念佛修行,死后犹恐忘初念。何也?众生奔驰情识[1],一往易昏;学人积累熏修[2],务求根熟。

【注释】

[1]情识:感情和见识。

[2]熏修:佛教徒焚香持戒,修真养性。

隔壁闻钗钏声,比丘名为破戒[1],比丘之心入故也;同室与妇人处,罗什[2]不碍成真,罗什之心不入故也。固知染净[3]在心,何关形迹。

【注释】

[1]破戒:破除佛教的戒律。

[2]罗什:即鸠摩罗什。

[3]染净:受到侵染或保持洁净。

永明禅师[1]云,向不迁境上,虚受轮回;于无碍法中,自生系缚[2]。

【注释】

[1]永明禅师:永明延寿禅师,号智觉,临安余杭人,五代吴越著名高僧,著有《宗镜录》等。

[2]系缚:束缚、约束。

瞑目跏趺[1],落花飘而满几;冥心入定[2],鼯鼠[3]出而行阶。

【注释】

[1]跏趺:"结跏趺坐"的略称。佛教中修禅者的坐法:两足

交叉置于左右股上,称"全跏坐"。或单以左足押在右股上,或单以右足押在左股上,叫"半跏坐"。据佛经说,跏趺可以减少妄念,集中思想。

[2]入定:佛教徒的一种修行方法,闭眼静坐,控制思想,不起杂念。

[3]鼯鼠:鼠名。别名夷由。俗称大飞鼠。外形像松鼠,生活在高山树林中。尾长,背部褐色或灰黑色,前后肢之间有宽大的薄膜,能借此在树间滑翔,吃植物的皮、果实和昆虫等。古人误以为是鸟类。

扫有扫无,即"扫字"而亦扫;忘形忘物,并"忘"字而亦忘。斯能所之双泯[1],会灵心于绝代。

【注释】
[1]泯:泯灭、消除。

《续娑罗馆清言》(节选)
[明]屠隆 编著

流水相忘游鱼,游鱼相忘[1]流水,即此便是天机[2];太空不碍浮云,浮云不碍太空,何处别有佛性。

【注释】
[1]相忘:相互忘却,不依他物而存在。

皮囊[1]速坏，神识常存，杀万命以养皮囊，罪卒归于神识[2]；佛性无边，经书有限，穷万卷以求佛性，得不属于经书？

【注释】

[1]皮囊：用动物皮做成的袋子，这里指人的身体。

[2]神识：精神和意志。

入市而叹过路客，纷纷扰扰，总是行尸[1]；反观而照主人翁，灵灵莹莹，无非活佛[2]。

【注释】

[1]行尸：即行尸走肉，比喻徒具形骸，庸碌无为，毫无生气的人。

[2]活佛：积德行善的僧人。

暗室[1]贞邪谁见，忽而万口喧传[2]；自心善恶炯然，凛于十王[3]考校。

【注释】

[1]暗室：幽暗的内室，看不到光的地方。

[2]喧传：哄传、盛传。

[3]十王：十殿阎王，佛教所传十个主管地狱的阎王。即秦广王、初江王、宋帝王、伍官王、阎罗王、变成王、泰山王、平等

王、都市王、五道转轮王。诸王各居一殿,故称。此说始于唐末,后道教也沿用之,省称"十王"。

香花幢盖[1],显本性[2]之弥陀[3];罗刹[4]夜叉[5],现心中之魔鬼。

【注释】

[1]香花幢盖:供养佛的四种物品。

[2]本性:本来固有的德行。

[3]弥陀:亦作"弥陁",阿弥陀佛的省称。意译为无量寿佛,西方极乐世界的教化之主。与释迦、药师并称三尊。

[4]罗刹:梵语音译,佛教故事中食人血肉的恶鬼。

[5]夜叉:梵语音译,形象凶恶的鬼,后被用来指代丑恶凶暴之人。

性源既湛[1],则铁面铜头[2]化为诸佛;心垢[3]未除,则玉毫金相[4]亦是群魔。

【注释】

[1]湛:深邃清澈。

[2]铁面铜头:比喻顽固不化的人。

[3]心垢:佛教语,指烦恼。

[4]玉毫金相:比喻相貌不凡。

至人除心[1]不除境[2],境在而心常寂然;凡人除境不除心,

283

境去而心犹牵绊。

【注释】

[1]除心：消除心中的杂念。

[2]除境：改变外在的环境。

万缘[1]皆假，一性惟真。圣人借假以修真，愚夫丧真而逐假。

【注释】

[1]万缘：一切的缘分。

入道场[1]而随喜[2]，则修行之念勃兴；发丘墓而徘徊，则名利之心顿尽。故一念不清，宜以佛性而淘洗[3]；六根未净，可取戒香而薰蒸。

【注释】

[1]道场：指供佛祭祀或修行学道的场所。

[2]随喜：佛教语，见到他人行善而生欢喜之意。

[3]淘洗：清洗。

天堂人乐，乐尽则苦趣至，故其成佛也难；阎浮[1]人苦，苦极则创心[2]生，故其成佛也易。

【注释】

[1]阎浮：即阎浮洲，这里指人间世界。

[2]创心：创意，创新。

六道轮转[1]，如江帆日夜乘潮，乘潮未有栖泊；一证菩提[2]，若海艘须臾登岸，登岸岂复漂流。

【注释】

[1]六道轮转：也称六道轮回，佛教语，众生各因其善恶业力，而在六道中轮回生死。

[2]菩提：佛教语，意译为"觉""智""道"等。用以指豁然彻悟的境界，又指觉悟的智慧和觉悟的途径。

常想病时，则尘心[1]渐灭；常防死日，则道念[2]自生。风流得意之事，一过辄生悲凉；清真寂寞之乡，愈久转增意味。

【注释】

[1]尘心：尘世之念，世俗之心。

[2]道念：诚心向佛的念想。

万缘虚幻，总属心生；六道轮回，皆由自作。目翳[1]除，则空华陟灭[2]；心障撤，则妄业[3]全消。

【注释】

[1]翳：眼角膜上所生障碍视线的白斑。

[2]陟灭：消失、消除。

[3]妄业：虚妄的罪孽。

今日骑狮坐象[1]，众生之境界过来；饶他带角披毛[2]，佛祖之真性自若。譬如小水汇为巨流，入流原是小水；真金煅于猛火，出火还是真金。

【注释】
[1]骑狮坐象：这里指代文殊菩萨和普贤菩萨。
[2]带角披毛：指畜生。

释迦曾作众生，身经乎多劫，其他诸佛菩萨，谁不来自众生；阐提[1]亦有佛性，语载于圣经[2]，其他蠢动含灵[3]，谁不具有佛性。若佛祖天然佛祖，修行之法何为；若众生则是众生，向善之途遂绝。

【注释】
[1]阐提：即一阐提，佛教名词，亦译"一阐提迦"，略称"阐提"。意为"不具信"，或称"断善根"。佛教用以称呼不具信心、断了成佛善根的人。
[2]圣经：这里指佛经。
[3]含灵：具有灵性。

今生根钝[1]，是前世之行[2]未修；今行苦修，则来世之根当利。勿以无缘而自弃，力办肯心[3]而不回。今世既种善因，来生必成胜果。列圣皆累劫修成，大道岂一世便了。

【注释】

[1]根钝:慧根愚钝。

[2]行:功德。

[3]力办肯心:愿意用心去做。

古德[1]云,尘劳[2]中尝应著力,生死上不须用心。尘劳不著力,安得行圆;生死若用心,恐为心障。

【注释】

[1]古德:佛教徒对年高有道的高僧的尊称。

[2]尘劳:佛教指世俗事务的烦恼和劳累。

成仙作佛,必是善人;至孝真忠,自然度世。张仲文昌[1],未始从师受道,阎君天师[2],不闻得诀何人。故求道勿急寻师,积功且须修德。

【注释】

[1]张仲文昌:道教神名。相传名张亚子,居蜀中七曲山,仕晋战死,后人立庙祀之。唐宋时封王,元时封为帝君,掌人间功名禄位事。

[2]天师:尊称僧道术士等。

苦恼世上,意气须温;嗜欲[1]场中,肝肠[2]欲冷。

【注释】

[1]嗜欲：嗜好与欲望。

[2]肝肠：肝和肠，多与其他词连用比喻人的某种心绪。

理超教外，胡僧[1]所以如愚；道越言筌[2]，猲獠[3]何尝识字。世智纷纷，名利场中伶俐；识神扰扰，生死路上糊涂。亦可哀矣。

【注释】

[1]胡僧：指禅宗初祖达摩。

[2]言筌：这里指语言文字。

[3]猲獠：指未开化的蛮夷少数民族。

有待而修，终日且图安乐；无常[1]若到，问君何以支吾[2]。

【注释】

[1]无常：地狱里的无常鬼，人之将死会有无常鬼来勾魂。

[2]支吾：说话含糊其辞、躲躲闪闪。

针水不投[1]，亦徒猜乎哑谜；机锋未到，莫浪用乎盲拳[2]。

【注释】

[1]针水不投：针灸和汤剂不对症。

[2]盲拳：盲目出拳。

参悟久则心花[1]顿开，若莲萼[2]之舒瓣；机缘来则性地[3]忽朗，如日月之放光。

【注释】

[1]心花：佛教语，比喻开朗的心情。

[2]萼：在花瓣下部的一圈叶状绿色小片。

[3]性地：禀性、性情。

人若知道，随境皆安；道不在人，应缘即碍[1]。故得道者，履喧而灵台[2]寂若，何有迁流，地僻而真性冲融，奚生枯槁；不得道者，居闹市则生尘杂之心，将荡无定止，居空山则起岑寂[3]之想，或转忆炎嚣。

【注释】

[1]碍：妨碍。

[2]灵台：心灵。

[3]岑寂：寂静、冷清。

病风狂[1]而谵语[2]，多是平日之愆；梦受挞[3]而身疼，可悟地狱之报。

【注释】

[1]风狂：疯狂。

[2]谵语：胡言乱语。

[3]挞：用鞭棍等打人。

时近恶缘,如皂[1]染衣而衣皂;日修净行[2],若香薰室而室香。

【注释】

[1]皂:黑色。

[2]净行:清净的戒法。

度[1]尽众生,乃如来之本愿;众生难尽,则世界之业因[2]。慈父不以顽子之难教,而忘教子之念;如来不以众生之难度,而懈[3]度生之心。

【注释】

[1]度:超度。

[2]业因:产生罪孽的原因。

[3]懈:懈怠、放松。

世人日与蝼蚁[1]相接,蝼蚁无知;如来日与众生周旋,众生不见。障[2]重故也。

【注释】

[1]蝼蚁:蝼蛄和蚂蚁,泛指微小的生物。

[2]障:孽障。

耳耽淫声,曷闻金石之响[1];目昏邪色,安见玉毫之光[2]?遗民[3]清净,则大士[4]拥幢幡而现形;闻喜[5]灵莹[6],则文殊坐狮子而显相。

【注释】

[1]金石之响:佛教法器所发出的声音。

[2]玉毫之光:白色的光,这里指佛光。

[3]遗民:刘遗民,字仲思,东晋居士,莲社十八贤之一。

[4]大士:佛教名称,菩萨的通称。

[5]闻喜:文喜禅师,曾得到文殊菩萨的点化。

[6]灵莹:灵心,指不生不灭永恒存在的净心本体。

童子之目稍净,或见鬼神;道士之心渐清,能召灵爽[1]。众生以不见佛,而遂谓无佛;则蝼蚁[2]以不见人,而遂谓无人耶?

【注释】

[1]灵爽:神明,精气。

[2]蝼蚁:蝼蛄和蚂蚁,泛指微小的生物。

对境安心,则清净之体小露,止观[1]成熟,则真如之理森然[2]。

【注释】

[1]止观:止息妄念,佛教修行法门之一。"止"意为扫除妄念,专心一境;"观"意为在"止"的基础上发生智慧,辨清事理。

[2]森然:茂密、丰盛。

皦皦[1]时名，心源[2]不净；昭昭[3]谈道，密行多亏。何益超升[4]，只深沦堕。

【注释】
[1]皦皦：明亮洁白。
[2]心源：心性，佛教视心为万法之源。
[3]昭昭：明亮、光明。
[4]超升：佛教指人死后超脱凡尘，迁于极乐之世。

一念已横，将死冤家出现；三昧[1]既熟，临终诸佛来迎。

【注释】
[1]三昧：佛教语，梵文音译，又译"三摩地"。意译为"正定"，屏除杂念，心不散乱，专注一境。

木削方可造庐，玉琢才能成器。高明[1]性多疏脱[2]，须学精严；狷行[3]常苦拘时，当思圆转。

【注释】
[1]高明：崇高明睿，聪明智慧。
[2]疏脱：放达、松弛。
[3]狷行：坚守己志，不轻易屈从于人。

一目十行，难超生死之路；心持半偈[1]，径入涅般[2]之门。道在真修,非关质美。

【注释】

[1]偈:佛经中的唱词。

[2]涅般:即"涅槃",指佛教全部修习所要达到的最高理想,一般指熄灭生死轮回后的境界。

春去秋来,徐察阴阳之变;水穷云起,默观元化[1]之流。

【注释】

[1]元化:宇宙自然的变化。

凡夫有己,只隔一膜。何关大圣[1]度生,不论三途[2]接引[3]。法性[4]原周沙界[5],含灵[6]总属自身。

【注释】

[1]大圣:这里指佛祖。

[2]三途:亦作"三涂",佛教语,即火途(地狱道)、血途(畜生道)、刀途(饿鬼道)。

[3]接引:佛教语,佛与观世音、大势至两菩萨引导众生入西方净土。

[4]法性:泛指事物的本质属性,这里指佛性。

[5]沙界:大千世界。

[6]含灵:有灵性之物。

众生本来是佛，因迷[1]自作众生；寻求向外空驰，得来原是己物。

【注释】

[1]迷：迷悟、迷途。

从身上求佛，则无常幻泡[1]之身。如何作佛，当求之我心。从心上求佛，则今日缘虑不实之心，亦非汝心。佛性不在是。逐经纶[2]而生解，则经纶即是障缘；了文字而悟心，则文字便是般若[3]。诸佛所宣，乃是宣其般若；初祖[4]所扫，乃是扫其障缘。

【注释】

[1]幻泡：佛教语，比喻事物虚幻无常。

[2]经纶：整理丝缕、理出丝绪和编丝成绳，统称经纶。引申为筹划治理国家大事。

[3]般若：佛教语，梵语的译音。或译为"波若"，意译"智慧"。佛教用以指如实理解一切事物的智慧，为表示有别于一般所指的智慧，故用音译。

[4]初祖：即达摩。

人生，命也。命者，报也。报者，业也。如龙王散雨于诸天，同是诸天而雨实异；天人日享乎美味，同是天人而味实殊。彼此自有定数[1]，美恶皆由业因。但言命数而不言业报[2]，谬矣。

【注释】

[1]定数:气数、命运。

[2]业报:佛教语,业因与果报。指一切行为都有果报,善有善报,恶有恶报。

《小窗幽记》[1] (节选)

[明]陈继儒[2] 编著

【注释】

[1]《小窗幽记》:陈继儒编的修身处世格言集,《小窗幽记》原来分为十二卷:醒、情、峭、灵、素、景、韵、奇、绮、豪、法、倩。主要讲述安身立命的处世之道。思想杂糅儒释道三家。该书笔法清淡,善于剖析事理,与明朝洪应明的《菜根谭》、清朝王永彬的《围炉夜话》一起并称"处世三大奇书"。

[2]陈继儒:明代文学家、书画家。字仲醇,号眉公、麋公。华亭(今上海)人。

食中山之酒[1],一醉千日。今世之昏昏[2]逐逐[3],无一日不醉,无一人不醉,趋名者醉于朝,趋利者醉于野,豪者醉于声色车马,而天下竟为昏迷不醒之天下矣,安得一服清凉散[4],人人解醒[5]。

【注释】

[1]中山之酒:中山人酿造的酒。

[2]昏昏:神志不清的样子。

[3]逐逐：追逐。

[4]清凉散：让人神清气爽的药物。

[5]酲：喝醉了神志不清。

花繁柳密处，拨得开，才是手段[1]；风狂雨急时，立得定，方见脚根[2]。

【注释】

[1]手段：本领、技巧。

[2]脚根：亦作"脚跟"，脚的后部，比喻立足点或立场。

澹泊[1]之守，须从秾艳[2]场中试来；镇定[3]之操，还向纷纭境上勘过。

【注释】

[1]澹泊：恬淡寡欲。

[2]秾艳：色彩非常艳丽。

[3]镇定：遇事沉着，不慌乱。

天薄我福，吾厚吾德以迓[1]之；天劳我形，吾逸吾心以补之；天阨[2]我遇，吾亨吾道以通之。

【注释】

[1]迓：迎接。

[2]阨：同"厄"，阻塞。

好丑心太明,则物不契[1];贤愚心太明,则人不亲。须是内精明,而外浑厚,使好丑两得其平,贤愚共受其益,才是生成的德量[2]。

【注释】
[1]契:相合、相投。
[2]德量:道德涵养和气量。

了心自了事,犹根拔而草不生;逃世[1]不逃名,似膻存而蚋[2]还集。

【注释】
[1]逃世:避世,隐居不仕。
[2]蚋:小虫子。

真廉无廉名,立名[1]者,正所以为贪;大巧[2]无巧术,用术者,乃所以为拙。

【注释】
[1]立名:树立名声。
[2]巧:技能好、灵敏。

谈山林[1]之乐者,未必真得山林之趣;厌名利[2]之谈者,未必尽忘名利之情。

【注释】

[1]山林:山与林的地方,喻指隐居。

[2]名利:名位与利禄、名声与利益。

伏[1]久者,飞必高;开先者,谢[2]独早。

【注释】

[1]伏:低下去、隐藏。

[2]谢:凋谢。

天欲祸人,必先以微福骄[1]之,要看他会受;天欲福人,必先以微祸儆[2]之,要看他会救。

【注释】

[1]骄:自满,自高自大,不服从。

[2]儆:使人警醒,不犯过错。

世人[1]破绽处,多从周旋处见;指摘[2]处,多从爱护处见;艰难处,多从贪恋处见。

【注释】

[1]世人:世间的人、一般的人。

[2]指摘:挑出错误,加以批评。

轻财[1]足以聚人,律己[2]足以服人,量宽足以得人,身先足以率人。

【注释】
[1]轻财:不贪图财货。
[2]律己:约束自己、要求自己。

从极[1]迷处识迷,则到处醒;将难放怀[2]一放,则万境宽。

【注释】
[1]极:最高、最终。
[2]放怀:开怀,放宽心怀。

良心[1]在夜气清明之候,真情在箪[2]食豆[3]羹之间。故以我索人,不如使人自反[4];以我攻人,不如使人自露。

【注释】
[1]良心:天然的善良心性。
[2]箪:盛饭的竹器。
[3]豆:盛食物的器皿。
[4]自反:反躬自问、自己反省。

宁为随世之庸愚[1],无为欺世之豪杰[2]。

【注释】
[1]庸愚:庸下愚昧。

[2]豪杰:才能出众的人。

人之嗜名节[1],嗜文章,嗜游侠[2],如好酒然。易动客气,当以德性[3]消之。

【注释】
[1]名节:名誉与节操。
[2]游侠:豪爽好结交,轻生重义,勇于排难解纷的人。
[3]德性:指人的自然至诚之性。

一念[1]之善,吉神[2]随之;一念之恶,厉鬼[3]随之。知此可以役使[4]鬼神。

【注释】
[1]一念:佛家语,指极短促的时间。
[2]吉神:掌吉善之神。
[3]厉鬼:恶鬼。
[4]役使:驱使、支配。

眉睫才交,梦里便不能张主[1];眼光落地,泉下[2]又安得分明。

【注释】
[1]张主:发挥主体作用。
[2]泉下:黄泉之下,指人死后所埋葬的地方,也指阴间。

居不必无恶邻,会不必无损友,惟在自持[1]者两得之。

【注释】

[1]自持:自己掌握或处理。

要知自家[1]是君子小人,只于五更头检点[2],思想的是什么便见得。

【注释】

[1]自家:自己。

[2]检点:约束、慎重。

以理听言,则中有主;以道窒[1]欲,则心自清。

【注释】

[1]窒:阻塞不通。

形骸[1]非亲,何况形骸外之长物[2];大地亦幻,何况大地内之微尘[3]。

【注释】

[1]形骸:人的身体。

[2]长物:多余的东西。

[3]微尘:佛教语,色体的极小者称为极尘,七倍极尘谓之

"微尘"。常用以指极细小的物质。

寂而常惺[1]，寂寂[2]之境不扰；惺而常寂，惺惺之念不驰。

【注释】
[1]惺：清醒。
[2]寂寂：寂静无声。

无事便思有闲杂[1]念头否，有事便思有粗浮意气否；得意便思有骄矜[2]辞色否，失意[3]便思有怨望情怀否。时时检点得到，从多入少。从有入无，才是学问的真消息。

【注释】
[1]闲杂：亦作"间杂"，错杂，混杂。
[2]骄矜：骄傲自负。
[3]失意：不遂心、不得志。

贫贱之人，一无所有，及临命终时，脱一厌字；富贵之人，无所不有，及临命终时，带一恋字。脱一厌字，如释重负[1]；带一恋字，如担枷锁[2]。

【注释】
[1]如释重负：像放下沉重负担那样轻松。
[2]枷锁：枷和锁，旧时拘系犯人的两种刑具，比喻所受的压迫和束缚。

透得名利关，方是小休歇[1]；透得生死关，方是大休歇。

【注释】

[1]休歇：停止。

多躁者，必无沉潜之识；多畏者，必无卓越之见；多欲者，必无慷慨之节；多言者，必无笃实[1]之心；多勇者，必无文学之雅。

【注释】

[1]笃实：纯厚朴实、忠诚老实。

人不得道，生死老病[1]四字关，谁能透过；独美人名将，老病之状，尤为可怜。

【注释】

[1]生死老病：佛教认为生、老、病、死为人生四大苦事。

能脱俗[1]便是奇，不合污便是清。

【注释】

[1]脱俗：脱离庸俗、不沾染庸俗之气。

招客留宾，为欢可喜，未断尘世[1]之扳援[2]；浇花种树，嗜好虽清,亦是道人之魔障[3]。

【注释】

[1]尘世:犹言人间、俗世。

[2]扳援:攀附、依附。

[3]魔障:亦作"魔瘴"。佛教语,修身的障碍。泛指成事的障碍、磨难。

人常想病时,则尘心[1]便减;人常想死时,则道念[2]自生。

【注释】

[1]尘心:指凡俗之心,名利之念。

[2]道念:修道的信念。

人生待足,何时足;未老得闲[1],始是闲。

【注释】

[1]得闲:有闲暇,得空。

谈空[1]反被空迷,耽[2]静多为静缚。

【注释】

[1]空:不包含什么,没有内容。

[2]耽:沉迷。

云烟[1]影里见真身[2],始悟形骸[3]为桎梏[4];禽鸟声中闻自性[5],方知情识是戈矛。

【注释】

[1]云烟:比喻容易消失的事物。

[2]真身:佛教语,佛教认为为度脱众生而化现的世间色身。

[3]形骸:人的躯体。

[4]桎梏:束缚,压制。

[5]自性:佛教语,指诸法各自具有的不变不灭之性。

明霞[1]可爱,瞬眼而辄空;流水堪听,过耳而不恋。人能以明霞视美色,则业障[2]自轻;人能以流水听弦歌,则性灵[3]何害。

【注释】

[1]明霞:灿烂的云霞。

[2]业障:佛教语,妨碍修行证果的罪业。

[3]性灵:内心世界,泛指精神、思想、情感等。

人言天不禁人富贵,而禁人清闲,人自不闲耳。若能随遇而安[1],不图将来,不追既往,不蔽目前,何不清闲之有。

【注释】

[1]随遇而安:处在任何环境都能适应并感到满足。

恩爱吾之仇也,富贵身之累[1]也。

【注释】
[1]累:疲乏、过劳。

拨开世上尘气[1],胸中自无火炎冰兢[2];消却心中鄙吝[3],眼前时有月到风来。

【注释】
[1]尘气:世俗之气。
[2]冰兢:恐惧、谨慎。兢,亦作表示恐惧、谨慎之意。兢,亦作"竞"。
[3]鄙吝:心胸狭窄。

世人白昼寐语[1],苟能寐中作白昼语,可谓常惺惺[2]矣。

【注释】
[1]寐语:梦话、说梦话。
[2]惺惺:清醒。

观世态[1]之极幻,则浮云转有常情;咀世味[2]之皆空,则流水翻多浓旨。

【注释】
[1]世态:世俗的情态,多指人情淡薄而言。

[2]世味:人世滋味、社会人情。

己情不可纵[1],当用逆之法制[2]之,其道在一忍字;人情不可拂[3],当用顺之法调之,其道在一恕字。

【注释】

[1]纵:放任、不拘束。

[2]制:限定,约束,管束。

[3]拂:违背,不顺。

枕边梦去心亦[1]去,醒后梦还心不还。

【注释】

[1]亦:也是、同样。

慈悲[1]筏,济人出相思[2]海;恩爱梯,接人下离恨[3]天。

【注释】

[1]慈悲:原为佛教语,给人快乐,将人从苦难中拔救出来,亦泛指慈爱与悲悯。

[2]相思:彼此想念,后多指男女相悦而无法接近所引起的想念。

[3]离恨:因别离而产生的愁苦。

填平湘[1]岸都栽竹,截住巫山[2]不放云。

【注释】

[1]湘:长江的支流之一,在今湖南省。

[2]巫山:山名。在重庆、湖北两省边境。

放得俗人心下,方可为丈夫[1]。放得丈夫心下,方名为仙佛[2]。放得仙佛心下,方名为得道[3]。

【注释】

[1]丈夫:亦称大丈夫,指有所作为的人。

[2]仙佛:道教与佛教。

[3]得道:佛教谓修行戒、定、慧三学而发断惑证理之智为得道,然后可以成佛。

身世浮名[1],余以梦蝶[2]视之,断不受肉眼[3]相看。

【注释】

[1]浮名:虚名。

[2]梦蝶:本为寓言,后多表示人生原属虚幻的思想。

[3]肉眼:佛经所说五眼之一,谓肉身之眼。认为肉眼见近不见远,见前不见后,见明不见暗。

达人[1]撒手悬崖[2],俗子[3]沉身苦海[4]。

【注释】

[1]达人:乐观豁达的人、行事不为世俗所拘束的人、显达

的人。

[2]悬崖：比喻危险的境遇。

[3]俗子：指见识浅陋或鄙俗的人。

[4]苦海：佛教比喻苦难烦恼的世间，也比喻困苦的处境的人。

烦恼[1]场空，身住清凉世界；营求[2]念绝，心归自在乾坤[3]。

【注释】

[1]烦恼：佛教语，迷惑不觉。包括贪、嗔、痴等根本烦恼以及随烦恼。能扰乱身心，引生诸苦，为轮回之因。

[2]营求：寻访、谋求。

[3]乾坤：天地。

觑[1]破兴衰究竟，人我得失冰消[2]；阅尽寂寞繁华[3]，豪杰[4]心肠灰冷。

【注释】

[1]觑：看、偷看、窥探。

[2]冰消：比喻事物消释涣解。

[3]繁华：青春年华。

[4]豪杰：才能出众的人。

穷通[1]之境未遭，主持之局已定；老病之势未催，生死之关先破。求之今世，谁堪语此？

【注释】

[1]穷通:困厄与显达。

枝头秋叶,将落犹然[1]恋树;檐前野鸟,除死方得离笼。人之处世[2],可怜如此。

【注释】

[1]犹然:尚且、仍然。

[2]处世:待人接物,应付世情、与世人相处交往。

立业[1]建功,事事要从实地着脚;若少慕声闻,便成伪果。讲道修德,念念要从虚处立基;若稍计功效,便落尘情[2]。

【注释】

[1]立业:建树功业、建立事业。

[2]尘情:凡心俗情。

宇宙内事,要力担当,又要善摆脱[1]。不担当,则无经世[2]之事业,不摆脱,则无出世之襟期[3]。

【注释】

[1]摆脱:撇开、脱离。

[2]经世:治理国事。

[3]襟期:襟怀、志趣。

无事如有事时堤防[1],可以弭[2]意外之变;有事如无事时镇定,可以销局中之危。

【注释】

[1]堤防:提防。

[2]弭:平息、停止、消除。

斜阳[1]树下,闲随老衲[2]清谈;深雪堂中,戏与骚人[3]白战。

【注释】

[1]斜阳:傍晚西斜的太阳。

[2]老衲:年老的僧人。

[3]骚人:文人、诗人。

心为形役[1],尘世马牛;身被名牵,樊笼[2]鸡骛[3]。

【注释】

[1]心为形役:心神被生活、功名利禄所驱使,受到形体的奴役,形容人的思想不自由,做一些违心的事。

[2]樊笼:关鸟兽的笼子。

[3]骛:乱跑。

荷钱[1]榆荚[2],飞来都作青蚨[3];柔玉温香,观想可成白骨。

[1]荷钱:出生的小荷叶。

[2]榆荚:榆树的果实。

[3]青蚨:传说中的虫子。

眼里无点灰尘[1],方可读书千卷;胸中没些渣滓[2],才能处世一番。

【注释】

[1]灰尘:尘埃、尘土。

[2]渣滓:杂质、糟粕。

胸中有灵丹[1]一粒,方能点化[2]俗情[3],摆脱世故。

【注释】

[1]灵丹:比喻有效验的方法。

[2]点化:指僧道用言语方术启发人悟道,化凡人为仙人。

[3]俗情:世俗的情感、不高尚或不高雅的情态。

独坐丹房,潇然无事,烹茶一壶,烧香一炷,看达摩面壁图。垂帘少顷[1],不觉心净神清,气柔息定,濛濛然如混沌[2]境界,意者揖达摩与之乘槎[3]而见麻姑也。

【注释】

[1]少顷:一会儿、片刻。

[2]混沌:古代传说中指世界开辟前元气未分、模糊一团的状态。

[3]乘槎:亦作"乘楂"。乘坐竹、木筏。

无端妖冶[1],终成泉下骷髅;有分功名,自是梦中蝴蝶[2]。

【注释】

[1]妖冶:妖媚而不庄重。

[2]梦中蝴蝶:本为寓言,后多用"梦蝶"表示人生原属虚幻的思想。

山泽[1]未必有异士[2],异士未必在山泽。

【注释】

[1]山泽:泛指山野。

[2]异士:杰出人才。

业净六根[1]成慧眼[2],身无一物到茅庵。

【注释】

[1]六根:佛教语。谓眼、耳、鼻、舌、身、意。根为能生之意,眼为视根,耳为听根,鼻为嗅根,舌为味根,身为触根,意为念虑之根。

[2]慧眼:佛教用语。为五眼之一。指上乘的智慧之眼,能够看到过去和未来。

人生莫如闲，太闲反生恶业[1]；人生莫如清，太清反类俗情[2]。

【注释】

[1]恶业：佛教谓出于身、口、意三者的坏事、坏话、坏心等。

[2]俗情：世俗的情感、不高尚或不高雅的情态。

烦恼[1]之场，何种不有，以法眼[2]照之，奚啻[3]蝎蹈空花。

【注释】

[1]烦恼：佛教语。意为迷惑不觉。包括贪、嗔、痴等根本烦恼以及随烦恼。能扰乱身心，引生诸苦，为轮回之因。

[2]法眼：佛教语。"五眼"之一，菩萨为度脱众生而照见一切法门之眼。

[3]奚啻：亦作"奚翅"。何止、岂但。

上高山，入深林，穷回溪，幽泉怪石，无远不到；到则拂草而坐，倾壶而醉，醉则更相[1]枕藉[2]以卧，意亦甚适，梦亦同趣。

【注释】

[1]更相：相继、相互。

[2]枕藉：亦作"枕籍"，枕头与垫席。引申为沉溺、埋头。

闭门阅佛书[1]，开门接佳客，出门寻山水，此人生三乐。

[1]佛书:佛经、佛典。

不作风波[1]于世上,自无冰炭[2]到胸中。

【注释】

[1]风波:风和波浪,比喻生活或命运中所遭遇的不幸或盛衰变迁。

[2]冰炭:冰和火炭,比喻互不相容的事物。

破除烦恼[1],二更山寺木鱼[2]声;见彻性灵[3],一点云堂[4]优钵影。

【注释】

[1]烦恼:佛教语,意为迷惑不觉。包括贪、嗔、痴等根本烦恼以及随烦恼。能扰乱身心,引生诸苦,为轮回之因。

[2]木鱼:佛教法器,相传佛家谓鱼昼夜不合目,故刻木像鱼形,用以警戒僧众应昼夜忘寐而思道。

[3]性灵:内心世界。泛指精神、思想、情感等。

[4]云堂:僧堂,僧众设斋吃饭和议事的地方。

兴来醉倒落花前,天地即为衾枕[1];机息坐忘磐石[2]上,古今尽属蜉蝣[3]。

[1]衾枕:被子和枕头,泛指卧具。

[2]磐石:厚而大的石头,比喻稳定坚固。

[3]蜉蝣:亦作"蜉蝤",虫名,比喻微小的生命。

完得心上之本来,方可言了心;尽得世间之常道[1],才堪论出世[2]。

【注释】

[1]常道:一定的法则、规律、常有的现象。

[2]出世:超脱人世。

人有一字不识,而多诗意;一偈[1]不参,而多禅意;一勺不濡,而多酒意;一石不晓,而多画意;淡宕[2]故也。

【注释】

[1]偈:梵语"颂",即佛经中的唱词。

[2]淡宕:同"淡荡",水迂回缓流貌,引申为和舒。

欲见圣人[1]气象[2],须于自己胸中洁净时观之。

【注释】

[1]圣人:德高望重、有大智、已达到人类最高最完美境界的人。

[2]气象:气度,气局。

打透生死关,生来也罢,死来也罢;参破[1]名利场,得了也好,失了也好。

【注释】
[1]参破:谓透彻地认识、领悟。

皮囊[1]速坏,神识[2]常存,杀万命以养皮囊,罪卒归于神识。佛性[3]无边,经书有限,穷万卷以求佛性,得不属于经书。

【注释】
[1]皮囊:皮袋,佛教比喻人体躯壳。
[2]神识:器局识见、精神智慧。
[3]佛性:佛教名词,众生觉悟之性。

画家之妙,皆在运笔[1]之先,运思[2]之际;一经点染[3]便减机神[4]。

【注释】
[1]运笔:书法用语,指运腕用笔。
[2]运思:运用心思、构思。
[3]点染:点笔染翰,指绘画。
[4]机神:机微玄妙。

《传家宝》[1](节选)

[清]石成金[2] 编著

【注释】

[1]《传家宝》：清代学者石成金所著的一部教人如何处世、生活的著作。作者把人们普遍关注的各种人生问题，从修身齐家到待人处世，从读书到娱乐，从人生儿育女、怡神养性的奇方妙法，到土、农、工商各行各业的经营诀窍，大凡人生的所经、所用，兼收并蓄。

[2]石成金：清代医家。字天基，号惺庵愚人，江苏扬州人，生平不详。著有《笑得好》《雨花香》等著名书籍。

快活方二集

铭心[1]快活方

治一切忧愁思虑不宁，以及愿欲不满等症。

足，时刻存想此字，能除一切妄念[2]。乐，时刻存想此字，能除一切烦恼，此二味用清净[3]汤调服。世人福寿荣华、妻财子禄，俱是前生修积，岂由忧虑可得？但不饥、不寒、无灾、无病，即现在之大福。只将不如我者比量，则我之受享多矣。以此为乐，是真乐矣。"知足常乐"四字，乃铭心法也。

【注释】

[1]铭心：铭刻在心上，感念不忘。

[2]妄念：邪念，虚妄或不正当的念头。

[3]清净:心境洁净,不受外扰。

极乐快活方

治一切烦恼、虚度岁月等症。

颠如疯如狂,即享大快乐。痴如聋如哑,即享大快乐。此二味,用醇酒[1]调服。予另刻《酣乐吟》,内有四局云:"但逢身外莫思量,学得颠痴[2]是妙方。人世百年终日酒,醉游三万六千场。"如有酒取乐为佳,若无酒清乐而至颠痴,其乐更甚。"但得琴中趣,何劳弦上声?"须悟此意。

【注释】

[1]醇酒:味浓、香郁的纯正美酒。

[2]颠痴:癫疯痴呆。

不如意

人生世间,自有知识以来,即有忧患不如意之事。小儿叫号[1],皆其意有不平。自幼至少,自壮至老,如意之事常少,不如意之常多。人虽大富大贵,天下之所仰慕,以为神仙快乐,要知其不如意处,各自有之,与贫贱人无异。但其所忧虑之事不同耳,是谓之缺陷世界。以人生世界,无足心满意者,能达此理而顺受[2]之,则享许多自在安乐之福矣。

【注释】

[1]叫号:呼叫号哭。

[2]顺受:顺从地接受。

自投苦海[1]

"人生不满百,常怀千岁忧。"世人自十五岁至二十岁以上,为身计。自二十岁至四十岁以上,为家计。自四十岁至五十岁以上,为子孙计。自五十岁至六十岁以上,为老计。自六十岁至七十岁以上,为死计。中间营营扰扰,无一息少歇。得寸望尺,得百望千,如飞蛾投烛,羚羊之触藩[2],不免计未周而生先尽,虑未及而形不留。一朝长寝[3],万念才灰,是自投苦海也。

【注释】

[1]苦海:苦难烦扰的世间,也比喻困难的处境。

[2]触藩:以角抵撞藩篱。

[3]长寝:死亡的婉称。

贪心致愁

小民所望者狭,至于衣食不给,朝不谋夕,犹然咏歌不辍[1]。乃士大夫少有不如意处,便忧愁无聊,若不可活。假如处小民不足境界,又当何如?甚有富堪敌国,又叹一命之不沾[2];贵极人臣,还恨九锡[3]之不至。是数奇薄福之人,贪心所致也。前人云:"举世尽从愁里老,谁人肯向死前休。"深为可怜。

【注释】

[1]不辍:不止、不绝。

[2]不沾:得不到。

[3]九锡:古代天子赐给诸侯、大臣的九种器物,带便一种

最高礼遇。

当休便休[1]

人虽事理明彻,若不肯当下便休,直要寻个了局,是终无了局矣。譬如婚嫁虽完,事亦不得了。僧道[2]虽好,心亦不得了。终日劳扰,自取烦恼,缠缚[3]无有休歇矣。

【注释】

[1]当休便休:适可而止,留有余地。

[2]僧道:僧侣与道士。

[3]缠缚:缠绕束缚。

知足不殆[1]

岁月本长也,而忙者自促之。天地本宽也,而鄙者自隘之。风花雪月本闲也,而劳攘[2]者自冗[3]之。总因不知足也。唯智者凡事留个有余不尽的意思,进步处常思退步,则面前径路[4],何等宽舒[5]。造物[6]不能忌,鬼神不能损,这才是安乐妙法。

【注释】

[1]不殆:不懈怠。

[2]劳攘:心情烦躁不安。

[3]冗:闲散的、多余无用的。

[4]径路:小路。

[5]宽舒:愉快、舒畅。

[6]造物:创造万物的能力。

不知享受

人生在世，如白驹之过隙[1]，风雨忧愁，辄居三分之二。其间能得清闲而开口笑者，有几日耶？唯富贵家，再不知享受，命无百年之固，气作千秋之期。身坐膏火[2]之中，心营天地之外。终日攒眉[3]，作楚囚[4]相对，直至属纩[5]乃己。试看牛羊践踏之场，乃昔日歌舞繁华处也。营营[6]何为者？所以云："处世若大梦，胡为劳其生。"

【注释】

[1]白驹之过隙：像白色的骏马在缝隙前飞快地越过，比喻时间过得很快，光阴易逝。

[2]膏火：照明用的油火。

[3]攒眉：皱起眉头，表示不快或痛苦。

[4]楚囚：本指春秋时被俘到晋国的楚国人钟仪，后用来借指被囚禁的人，也比喻处境窘迫、无计可施的人。

[5]属纩：临终。

[6]营营：奔走钻营。

谁能知足

光武帝曰："人苦不知足，既得陇，复望蜀[1]。"可见世界自壮至老，自贫至富，自贱至贵，知足者谁欤？试看宾朋云集，剧饮淋漓，自谓世间无复此快。俄而漏尽烛残，香销茗冷，不觉反成呕咽，令人索然无味[2]矣。天下事大率类此，奈何人不急早猛醒[3]耶？

[1]既得陇，复望蜀：既占领了陇地，又想进占蜀地。比喻贪得无厌。

[2]索然无味：毫无意味或毫无兴致的样子。

[3]猛醒：突然间领悟、觉醒。

四无妄[1]

耳无妄听，目无妄视，口无妄言，心无妄虑。予又赘增曰："事无妄为。"诚哉！"妄"之一字，为害甚大。

【注释】

[1]妄：荒诞的、不实的。

禅宗直指[1]

密传参禅[2]要法（节选）

佛法工夫，第一要立坚志。盖志者，气之帅也。人若立有坚志，如统军百万，威神八面，天日可贯，何事不成乎？凡畏难者，志不坚也；因循[3]者，志不坚也。听言更移、中道自画、始勤终怠者，是皆志不坚也。予曾撰读书心法，开首即云立志若坚，反难为易。今于佛法工夫也，亦是如此。

佛法工夫全在于"觉"。要知凡夫一念觉，即一念是佛；佛一念不觉，即一念是凡夫。盖因觉即是佛，佛即是觉。佛与凡夫，只在觉与不觉而已。

人心有觉，即为有佛，能开六度[4]之行门，能越三祇之劫海。普利尘沙，广作福慧[5]。得六种之神通，圆一生之佛果。火镬冰河，闻之变作香林；饮铜八铁，听则皆生净土。

佛法工夫，予有一句妙诀，只四字，曰：坚持正觉[6]。要知道信力曰坚，谓坚固而不更变也；念力曰持，谓持执而不厌久也。正觉者，圆明普照，不偏不亏也。人能发此正觉，本性自然显露，一切妄心不待驱除而自降伏。譬如日光一照，黑暗尽明矣。此虽四字，其实只一“觉”字，但此“觉”字皆由定慧而致也。

佛法工夫，立志要坚，又要有恒。若不有恒，多致半途而废，或少有得而自止。是皆自弃，深可惜也。

佛法工夫，最怕间断。若勤工一月，已臻上乘。只需间断十日五日，彼上乘者，不知何在。更不得援前月之勤以自恃。

佛法工夫，最怕昏沉散乱。但此昏沉散乱，都从自己立志不坚、信道不笃之所致。深为可惜。

佛法工夫，全要自参自悟。即至亲厚之父子、师友，俱替代不得，亦非世法之技艺可以传授得的。譬如他人吃饭，只是他人腹饱，己腹仍是饥饿。慧思大师云：“道源不远，性海非遥。但向己求，莫从他觅。觅亦不得，得亦不真。”此所谓求人不如求己也。

佛法工夫，虽不可停缓，亦不可过于急速。譬如善走路的人，每日走得百里，只走七八十里则气有余而筋骨不疲。若倚恃气力强健，走过百里之外，必至疲倦，次日反不能行矣。做工夫人往往生出病来，皆由如此。

佛法工夫，全要定慧。要知定与慧，如同表里，是二非二，缺离不得。但定一生，怎奈昏沉亦随定而生，若昏沉生而定去矣。慧一生，怎奈散乱亦随慧生，若散乱生而慧去矣。我有妙法调治，须要澄明之定，方才定与慧成功；须要安详之慧，方才慧与定成功。此二者离之不得，合之不得，混而为一，乃尽其妙。能知此法，成道何难？人要明心见性，成佛成祖，只在定慧上用工。知得定慧之妙，则易如反掌；不知定慧之妙，则难若登天。难易俱在自己之能干也。

定是慧之体，慧是定之用。譬如灯光，灯是光之体，光是灯之用。二者互显，不可偏重。即慧之时，定在慧；即定之时，慧在定。名虽有二，体本不殊。但定而不慧，随即昏沉；慧而不定，随即散乱。须要并致，不可缺离。

佛法工夫，最要紧的是一个切字。这切字极有力，若是不切则懈怠生，懈怠生则放逸纵意，无所不至。如果用心真切，放逸懈怠何由得生？当知切之一字，若能体贴，不愁生死心不破，不愁不到佛祖地位。舍此切字别求佛法，皆是痴狂外道矣。

切之一字，是最亲切语。如用心亲切，则无间隙，因此诸般邪魔不能得入；如用心亲切，自然不生计度、有无等念，则不落外道。切之一字，岂但离过，当下超善、恶、无记三性。一句话头用心甚切，则不思善；用心甚切，则不思恶；用心甚切，则不落无记。话头切，无掉举；话头切，无昏沉。只要正觉现前，则诸魔自退。但"觉"非"切"不生也。

佛法工夫，只在一则公案[7]上用心，不可在一切公案上解会。能解得，终是解会，非悟也。《法华经》云：是法，非思量分别之所能到。圆觉云：以思维心测度如来圆觉境界，如将萤火热须弥山，终不能得。洞山云：拟将心意学玄宗，大似西行却向东。大凡穿凿公案者，须皮下有血，识惭愧始得。

佛法工夫，最怕落空。话头现前哪得空去？只此怕落空的，便空不去。何况话头现前耶？

【注释】

[1]直指：直言指出，无所回避。

[2]参禅：静坐冥想，领悟佛理。

[3]因循：沿袭按老办法做事。

[4]六度：指使人由生死之此岸度到涅槃（寂灭）之彼岸的六种法门：布施、持戒、忍辱、精进、精虑（禅定）、智慧（般若）。

[5]福慧：福德与智慧。

[6]正觉：精神的自我完满。

[7]公案：佛教禅宗指前辈祖师的言行范例。

会心[1]不在远

简文人华林园，顾谓左右曰："会心处不必在远，翳然[2]林木，便自有濠濮间想[3]也，不觉鱼鸟来自亲人。"

【注释】

[1]会心：领会于心。

[2]翳然：荒芜、隐蔽。

[3]濠濮间想：一种山林之想、自由之想，表达的是人与自然亲和无间的情怀。

不妄交接[1]

谢惠不妄交接，门无杂宾，常时独醉，曰："入我室者，但有清风,对我饮者,惟有明月。"

【注释】

[1]交接:交往、结交。

与高僧逸客[1]游

高僧逸客,随时俱有,人人都能受享。彼虽遇这好光阴,却被闲烦恼及留恋财色,竟尔虚度,深为可惜。

【注释】

[1]逸客:超逸高雅的客人。

快乐联瑾

心地上无风波[1],随在皆青山绿水;性天中有化育[2],触处见鱼跃鸢飞[3]。

【注释】

[1]风波:风和波浪。比喻生活或命运中所遭遇的不幸或盛衰变迁。

[2]化育:化生长育。

[3]鱼跃鸢飞:世间生物任性而动,自得其乐。

瓦枕泥榻得趣[1]处,下界[2]有仙;木食草衣随缘时,西方无佛。

[1]得趣：领会情趣，获得乐趣。

[2]下界：人间，对天上而言。

眼净有如空，但见青春狂雾去；心平浑似水，何愁白浪[1]卷天来。

【注释】

[1]白浪：雪白的波涛。

雨过天晴，曾妙用之无碍；鸟来云去，得自性[1]之真如[2]。

【注释】

[1]自性：指诸法各自具有的不变不灭之性。

[2]真如：永恒存在的实体、实性。

心与竹俱空，问是非何处着脚[1]？念同山共静，知忧喜无由上眉。

【注释】

[1]着脚：落脚、涉足。

宠辱不惊[1]，闲看庭前花开花落；去留无意，漫随天外云卷云舒。

【注释】

[1]宠辱不惊:受宠或受辱都不放在心上,形容不以得失而动心。

山斋逼古刹[1],梵音[2]飘落林端;溪阁递游船,歌声浮来水面。

【注释】

[1]古刹:年代久远的寺庙。

[2]梵音:梵呗,亦指佛、菩萨的音声。

一室径行,胜如九衢[1]奔走;六时礼佛[2],清于五夜朝天。

【注释】

[1]九衢:纵横交叉的大道,繁华的街市。

[2]礼佛:顶礼于佛,拜佛。

会心[1]何须远?盆池拳石[2]间,便居然有万里山川之势;得趣[3]不在多,片言只语内,便宛然见万古圣贤之心。

【注释】

[1]会心:领悟于心。

[2]拳石:小石头。

[3]得趣:领会情趣,获得趣味。

闲里着忙,栽花竹、养禽鱼,未免山中多番公案[1];浓中寻淡,坐蒲团[2]、翻贝叶[3],何妨园内尽日清修。

【注释】

[1]公案:佛教禅宗指前辈祖师的言行范例。

[2]蒲团:用蒲草编成的圆形垫子,多为僧人坐禅和跪拜时所用。

[3]贝叶:古印度人用以写经的树叶,后借指佛经。

竹几当窗,拥万卷、列西城,南面王不与易此;蒲团藉地,结双跌、空诸有,西方圣立证于斯。

栽花种竹,分明此日生涯;扫地焚香[1],不是他人差遣。

【注释】

[1]焚香:烧香。

净几明窗,好香佳茗[1],有时与老衲[2]谈禅;豆棚菜圃[3],暖日和风,无事听闲人说鬼。

【注释】

[1]佳茗:好茶、好茶叶。

[2]老衲:年老的僧人。

[3]菜圃:菜园、菜地。

从静中观物动,向闲处看人忙,才得超凡脱俗[1]的趣味;遇忙处会偷闲,处闹中能取静,便是安身立命[2]的工夫。

【注释】

[1]超凡脱俗:超出常人,脱离凡俗。

[2]安身立命:生活有着落,精神有所寄托。

源头自来活水[1],清心极方能浚发[2];闭门即是深山[3],净业
久便可参寻。

【注释】

[1]活水:有水源而常流不断的水。

[2]浚发:很快显现出来。

[3]深山:与山外距离远的、人不常到的山岭。

神静乃寿征[1],习静[2]工夫端定主;心安是良药,居安方法
杜傍侵。

【注释】

[1]寿征:长寿的征兆。

[2]习静:习养静寂的心性,亦指过幽静生活。

外道[1]种种生灭相,五蕴[2]六尘[3]皆执见[4];自性如如不动
尊,三身[5]四智[6]尽圆成[7]。

[1]外道:佛教徒称本教以外的宗教及思想为外道。

[2]五蕴:佛教指人的色、受、想、行、识五种刹那变化的成分,由这五种成分的暂时结合而形成了个我。

[3]六尘:即色、声、香、味、触、法。与"六根"相接,便能染污净心,导致烦恼。

[4]执见:固执己见。

[5]三身:佛教语,通常指法身、报身和化身(或应身)。乃成佛所证之果。

[6]四智:大圆镜智,平等性智,妙观察智,成所做智。

[7]圆成:成就圆满。

破除烦恼,便登极乐世界[1];断绝淫欲,即入长生法门[2]。

【注释】

[1]极乐世界:佛教指阿弥陀佛居住的国土,认为那里可以获得光明、清净、快乐,摆脱人间烦恼的西方乐土。

[2]法门:佛教用语,原指修行者入道的门径,今泛指修德、治学或做事的途径。

无知无能,空空如也,素王何殊空王[1]印;何思何虑,寂寂[2]不动,易部孰非法部诠?

【注释】

[1]空王:佛教语,佛的尊称。佛说世界一切皆空,故称

"空王"。

[2]寂寂:寂静无声貌。

　　人命呼吸间,何用经营[1]千古计;浮名[2]沤[3]泡里,不必征逐[4]万般忙。

【注释】

[1]经营:规划营治。

[2]浮名:虚名。

[3]沤:长时间浸泡。

[4]征逐:特指不务正业,吃、喝、玩、乐上的往来。

　　随缘消日月,任运[1]着衣裳,觉偷心之尽散;静观皆自得[2],佳兴[3]与人同,会乐意之常圆。

【注释】

[1]任运:听从命运安排。

[2]自得:自觉得意、开心。

[3]佳兴:饶有兴味的情趣。

　　入市[1]而叹过路客,纷纷扰扰[2]总是行尸;反观而照主人翁,灵灵莹莹无非活佛[3]。

【注释】

[1]入市:绑赴刑场正法。

[2]纷纷扰扰:凌乱的样子,也形容思绪纷乱。

[3]活佛:积德行善的僧人。

无物能牢,何况蠢兹皮袋[1];有形皆坏,不闻烂却虚空。

【注释】

[1]皮袋:皮制的口袋。常比作人畜的躯体,也称"皮囊"。

春来花香鸟语,如锦帐[1]里奏笙歌[2],点缀文人之佳景;秋
至月朗风清,若热闹后服凉药,缔结现世[3]之因缘。

【注释】

[1]锦帐:锦制的帷帐。亦泛指华美的帷帐。

[2]笙歌:泛指奏乐唱歌,形容音乐歌舞热闹非凡。

[3]现世:佛教语。今生。对前世、来世而言。

晨夕之间,印苍苔[1]而寻古路,一片素心[2];沉冥之际,看闲
云而悟息机[3],三乘[4]禅理。

【注释】

[1]苍苔:青色苔藓。

[2]素心:纯洁的心地。

[3]息机:息灭机心。

[4]三乘:佛教语。一般指小乘(声闻乘)、中乘(缘觉乘)
和大乘(菩萨乘)。三者均为浅深不同的解脱之道,亦泛指
佛法。

烦恼场空,身住清凉世界;营求[1]念绝,心归自在乾坤[2]。

【注释】
[1]营求:谋求、寻求。
[2]乾坤:天地。

人莫欺心[1],自有生成造化[2];事皆由命,何须巧用机关[3]?

【注释】
[1]欺心:自己欺骗自己,昧心。
[2]造化:福分、幸运。
[3]机关:计谋、心机。

机息[1]时即有月到风来,不必苦海[2]人世;心远处自无车尘[3]马迹,何须痼疾丘山?

【注释】
[1]机息:机心止息。
[2]苦海:佛教指尘世间的烦恼和苦难。
[3]车尘:车行扬起的尘埃,比喻奔走的辛苦。

愁无了期,遇愁时休只管愁去;乐难整段,得乐处且随便[1]乐些。

【注释】
[1]随便:不加限制、不受约束。

做个好人,身润心安魂梦[1]稳;行些善事,天欢地喜鬼神钦。

【注释】
[1]魂梦:梦、梦魂。

听牧唱樵歌[1],洗净尘土肠胃;奏繁弦急管,何如山水清音[2]?

【注释】
[1]樵歌:樵夫唱的歌。
[2]清音:清越、清亮的声音。

《围炉夜话》[1](节选)
[清]王永彬[2]编著

【注释】
[1]《围炉夜话》:明清时期著名的文学品评著作。作者虚构出冬日围绕火炉,与至交好友畅谈的情景。本书语言亲切、自然,有很强可读性和独到见解。与《菜根谭》《小窗幽记》并称处世三大奇书。
[2]王永彬(1792~1869):字宜山,人称宜山先生。

教小儿宜严,严气足以平躁气[1];待小人宜敬,敬心可以化邪心[2]。

【注释】

[1]躁气:浮躁不安。

[2]邪心:心术不正。

肯救人坑坎[1]中,便是活菩萨;能脱身牢笼[2]外,便是大英雄。

【注释】

[1]坑坎:困难、困境。

[2]牢笼:世俗羁绊。

志不可不高,志不高,则同流合污,无足有为矣;心不可太大,心太大,则舍近图远,难期[1]有成[2]矣。

【注释】

[1]期:期望、希望。

[2]成:成功、成就。

伐[1]字从戈,矜[2]字从矛,自伐自矜者,可为大戒;仁字从人,义字从我,讲人讲义者,不必远求。

【注释】

[1]伐:自夸。

[2]矜:自尊自大。

不与人争得失，惟求己有知能[1]。

天下无憨人，岂可妄行[1]欺诈；世上皆苦人，何能独享安闲。

为学不外静[1]敬[2]二字，教人先去骄[3]惰[4]二字。

粗粝[1]能甘，必是有为之士；纷华[2]不染，方称杰出之人。

为善之端无尽[1]，只讲一让字，便人人可行；立身之道何穷，只得一敬字，便事事皆整[2]。

【注释】

[1]无尽：多种多样。

[2]整：井然有序。

才就筏便思舍筏[1]，方是无事道人；若骑驴又复觅驴，终为不了禅师[2]。

【注释】

[1]筏：竹木编扎成的水上交通工具。

[2]禅师：修习禅宗的和尚。

羁锁[1]于物欲，觉吾生之可哀。夷犹[2]于性真，觉吾生之可乐。知其可哀，则尘情立破。知其可乐，则圣境[3]自臻[4]。

【注释】

[1]羁锁：羁绊、困扰。

[2]夷犹：从容不迫。

[3]圣境：自然纯洁之境。

[4]臻：达到。

胸中既无半点物欲，已如雪消炉焰冰消日。眼前自有一段空明[1],时见月在青天影在波。

【注释】

[1]空明：空灵明净。

伏久者飞必高，开先者谢独早。知此可以免蹭蹬[1]之忧，可以消躁急之念。

【注释】

[1]蹭蹬：路途难行，比喻遭受挫折。

今人专求无念[1]而终不可，只是前念不滞[2]，后念不迎。但将现在的随缘[3]打发出去，自然渐渐入无。

【注释】

[1]无念：没有杂念。

[2]滞：阻碍、滞留。

[3]随缘：一切都听从缘分的安排。

人心有个真境，非丝竹[1]而自恬愉，不烟[2]不茗而自清芬。须念净境空，虑忘形释，才得以游衍[3]其中。

【注释】

[1]丝竹：管弦乐，泛指音乐。

[2]不烟：不熏香。

[3]游衍:纵意游乐。

天地中万物,人伦中万情,世界中万事,以俗眼观纷纷各异,以道眼[1]观种种是常,何须分别?何须取舍?

【注释】
[1]道眼:抉择真妄的能力。

缠脱[1]只在自心,心了则屠肆[2]糟廛[3]居然净土。不然,纵一琴一鹤一花一卉,嗜好虽清魔障[4]终在。

【注释】
[1]缠脱:缠绕与摆脱。
[2]屠肆:屠宰场。
[3]糟廛:酒坊。
[4]魔障:原指魔王所设的障碍,后用来泛指挫折和意外。

当雪夜月天,心境便尔澄澈[1]。遇春风和气,意界[2]亦自冲融[3];造化人心,混合无间。

【注释】
[1]澄澈:澄净清澈。
[2]意界:心境,心态。
[3]冲融:冲淡融洽。

幽人[1]清事,总在自适[2]。故酒以不劝为欢,棋以不争为胜,笛以无腔[3]为适,琴以无弦为高,会以不期约为率真,客以不迎送为坦夷[4]。若一牵文[5]泥[6]迹,便落尘世苦海矣。

【注释】

[1]幽人:避世隐居的人。

[2]自适:自我满足。

[3]无腔:无曲调。

[4]坦夷:平坦,此处意为坦诚。

[5]文:文饰。

[6]泥:用泥土涂抹,此处意为掩饰。

试思未生之前有何象貌[1],又思即死之后作何景色[2],则万念灰冷。一性寂然,自可超物外游象先。

【注释】

[1]象貌:物象与相貌。

[2]景色:自然风景,此处意为情景。

风花之潇洒,雪月之空清[1],惟静者为之主。水木之荣枯[2],竹石之消长,独闲者操其权[3]。

【注释】

[1]空清:空灵清澈。

[2]荣枯:茂盛与枯萎。

[3]权：权衡、评价。

田父野叟，语以黄鸡白酒则欣然喜，问以鼎食[1]则不知。语以缊[2]袍短褐[3]，则油然乐，问以衮[4]服则不识。其天全[5]故其欲淡，此是人生第一个境界。

【注释】

[1]鼎食：用鼎盛着各种食品，比喻生活奢华。

[2]缊：新旧混合的丝绵。

[3]褐：粗布衣服。

[4]衮：古代帝王的礼服。

[5]天全：天性淳朴。

笙歌正浓时，便自拂衣长往，羡达人[1]撒手悬崖。更漏[2]已残时，犹然夜行不休，笑俗士沉身苦海。

【注释】

[1]达人：开朗豁达的人。

[2]更漏：古代计时的方法。

喜寂厌喧者，往往避人以求静。不知意在无人便成我相，心着于静便是动根[1]，如何到得人我一视[2]、动静两忘之境？

【注释】

[1]动根：躁动的根源。

[2]一视：视为一体。

兴逐时来，芳草中撒履[1]闲行，野鸟忘机时作伴。景与心会，落花下披襟兀坐[2]。白云无语漫相留。

【注释】
[1]撒履：扔掉鞋子。
[2]兀坐：独自而坐。

人生福境祸区[1]皆念想[2]造成，故释氏云："利欲炽然[3]即是火坑，贪爱沉溺便为苦海；一念清净烈焰成池，一念惊觉船登彼岸。"念头稍异，境界顿殊，可不慎哉！

【注释】
[1]福境祸区：幸福与灾祸。
[2]念想：念头、想法。
[3]炽然：燃烧。

机息[1]时便有月到风来，不必苦海人也。心远处自无车尘马迹，何须痼疾丘山[2]。

【注释】
[1]机息：消除杂念和欲望。
[2]痼疾丘山：形容喜爱山林的程度很深。

草木才零落,便露萌颖[1]于根底。时序虽凝寒[2],终回阳气于灰飞。肃杀之中,生生[3]之意常为之,即是可以见天地之心。

【注释】

[1]萌颖:萌芽。

[2]凝寒:隆冬时节。

[3]生生:形容生命循环往复的样子。

《晚晴集》[1](节选)

[民国]弘一[2] 编著

【注释】

[1]《晚晴集》:弘一大师所作。他晚年自号"晚晴老人",1941年夏掩关福林寺,录写佛经祖语警句102则,辑为此集,时年62岁。

[2]弘一法师:俗名李叔同(1880~1942),又名李息霜、李岸、李良,谱名文涛,幼名成蹊,学名广侯,字息霜,别号漱筒。他是著名音乐家、美术教育家、书法家、戏剧活动家,是中国话剧的开拓者之一。从日本留学归国后,担任过教师、编辑之职,后剃度为僧,法名演音,号弘一,晚号晚晴老人。后被人尊称为弘一法师。

若失本心,即当忏悔[1]。忏悔之法,是为清凉[2]。(《金刚三昧经》)

【注释】

[1]忏悔:认识错误或罪过而感到痛心与后悔。

[2]清凉:清静,不烦扰。

菩萨若能随顺[1]众生,则为随顺供养诸佛。若于众生尊重承事[2],则为尊重承事如来。若令众生生欢喜者,则令一切如来欢喜。(《华严经·普贤行愿品》)

【注释】

[1]随顺:依顺、依从。

[2]承事:治事、受事。

迦叶[1]白佛:"我等从今,当于一切众生,生世尊想;若生轻心,则为自伤。"佛言:"善哉快论[2]!"(《首楞严三昧经》,依《宝王论》节文。)

【注释】

[1]迦叶:即摩诃迦叶,佛陀的十大弟子之一。

[2]快论:痛快的言论。

应代一切众生受加毁辱[1],恶事向自己,好事与他人。(《梵网经》)

【注释】

[1]毁辱:诋毁侮辱。

离[1]贪嫉者,能净心中贪欲云翳[2],犹如夜月,众星围绕。
(《理趣六波罗蜜多经》)

【注释】
[1]离:离开,除去。
[2]云翳:阴影。

生死不断绝[1],贪欲嗜味故;养怨入丘冢[2],虚受诸辛苦。
(《大宝积经·富楼那会》)

【注释】
[1]断绝:中断联系。
[2]丘冢:坟地、坟堆。

是身如掣电[1],类乾闼婆[2]城;云何于他人,数生于喜怒?
(《诸法集要经》)

【注释】
[1]掣电:闪电。
[2]乾闼婆:印度神话中,演奏与管理音乐的天神。

行少欲者,心则坦然,无所忧畏;触事有余[1],常无不足[2]。
(《佛遗教经》)

【注释】

[1]有余:游刃有余。

[2]足:满足。

名誉及利养[1],愚人所爱乐,能损害善法[2],如剑斩人头。
(《有部律》)

【注释】

[1]利养:钱财和利益。

[2]善法:修善果之法。

世间色声香味触,常能诳惑[1]一切凡夫[2],令生爱著。(智者
大师)

【注释】

[1]诳惑:欺骗迷惑。

[2]凡夫:平庸的俗人。

瞋[1]是失佛法之根本,坠恶道[2]之因缘,法乐[3]之冤家,善心
之大贼,种种恶口之府藏。(智者大师)

【注释】

[1]瞋:同"嗔"。

[2]恶道:佛教语。指地狱、饿鬼、畜生三道。

[3]法乐:佛教语。积德行善、耽味佛法之乐,相对于欲乐而言。

处众处独,宜韬[1]宜晦[2];若哑若聋,如痴如醉;埋光埋名,养智养慧;随动随静,忘内忘外。(翠岩禅师)

【注释】
[1]韬:隐藏、隐蔽。
[2]晦:不明显、不清晰。

我且问你,忽然临命终时,你将何抵敌[1]生死?须是闲时办得下,忙时得用,多少省力。休[2]待临渴掘井,做手脚不迭,前路茫茫,胡钻乱撞。苦哉苦哉!(黄檗禅师)

【注释】
[1]抵敌:对抗、抵挡。
[2]休:不要。

鼻有墨点,对镜恶墨,但揩[1]于镜,其可得耶?好恶是非,对之前境,不了自心,但尤于境,其可得耶?洗分别之鼻墨,则一镜圆净矣,万境咸[2]真矣,执石成宝矣,众生即佛矣。(飞锡法师)

【注释】
[1]揩:擦、抹。
[2]咸:全、真。

元无我人,为谁贪瞋[1]? (圭峰法师)

【注释】

[1]瞋:同"嗔"。

化人[1]问幻士,谷响答泉声;欲达吾宗旨,泥牛[2]水上行。 (永明禅师)

【注释】

[1]化人:佛教谓佛、菩萨变形为人,以化度众生者。

[2]泥牛:泛指用泥塑制的牛。

千峰顶上一茅屋,老僧[1]半间云半间;昨夜云随风雨去,到头不似老僧闲。(归宗芝庵禅师)

【注释】

[1]老僧:年老的和尚。

即今休去便休去,若觅[1]了时无了时。(云峰禅师)

【注释】

[1]觅:找、寻求。

纵宿业[1]深厚,不能顿断[2],当方便制抑[3],自劝自心。(妙叶禅师)

[1]宿业:前世的善恶因缘。佛教相信众生有三世因果,认为过去世所作的善恶业因,可以产生今生的苦乐果报。

[2]顿断:拉断、扯断。

[3]制抑:强制、抑制。

放开怀抱,看破世间[1],宛如[2]一场戏剧,何有真实?(莲池大师)

【注释】

[1]世间:人世间、世界上。

[2]宛如:好像、仿佛。

伊庵权禅师用功[1]甚锐,至晚必流涕曰:"今日又只恁么空过,未知来日工夫如何?"师在众,不与人交一言。(莲池大师)

【注释】

[1]用功:下功夫、努力。

畏寒时欲夏,苦热复思冬,妄想[1]能消灭,安身[2]处处同。草食胜空腹,茅堂过露居[3],人生解知足[4],烦恼一时除。(莲池大师)

【注释】

[1]妄想:胡思乱想、不切实际的想法。

[2]安身：存身、容身。

[3]露居：居住在不能蔽风雨的房子里。

[4]知足：自知满足，不作过分的企求。

只"强顺人情[1]，勉就世故[2]"八个字，误却你一生大事。道业[3]未成，无常至速，急宜敛迹[4]韬光[5]，一心向道，不得再误。（《西方确指》）

【注释】

[1]人情：情面、人与人之间的社会关系。

[2]世故：通达人情，富有待人接物的处世经验。

[3]道业：佛道教化事业。

[4]敛迹：收敛形迹。谓有所顾忌而不敢放肆。

[5]韬光：比喻隐藏声名才华。

种种恶逆境界，尽情看作真实受益[1]之处。名利、声色、饮食、衣服、赞誉、供养，种种顺情境界，尽情看作毒药、毒箭。（蕅益大师）

【注释】

[1]受益：得到好处。

将身心[1]世界全体放下，作一超方特达[2]之观。（蕅益大师）

【注释】

[1]身心:心思、精神。

[2]特达:至为明达;极其通达。

善友[1]罕逢,恶缘偏盛,非咬钉嚼铁、刻骨镂心[2],何以自拔哉!(蕅益大师)

【注释】

[1]善友:这里指佛教教友。

[2]刻骨镂心:亦称刻骨铭心。永志不忘,多表达感激之情。

篱菊[1]数茎随上下,无心整理任他黄;后先不与时花[2]竞,自吐霜中一段香。(诵帚禅师)

【注释】

[1]篱菊:篱下的菊花。

[2]时花:应季节而开放的花卉。

从今以后,愿遁世[1]不见知而不悔,作一斋公[2]斋婆[3],向厨房灶下安隐过日,今生不敢复作度人妄想。(彭二林)

【注释】

[1]遁世:独自隐居,避开俗世。

[2]斋公:旧时对僧道的尊称,亦指在家一心修道的居士。

[3]斋婆:念佛吃斋的老年妇女。

轮转[1]生死中,无须臾[2]少息[3],犹复熙熙[4]如登春台[5],曾不知佛与菩萨为之痛心而惨目[6]也!(彭二林)

【注释】

[1]轮转:使轮流交替,交替。

[2]须臾:片刻、一会儿。

[3]少息:稍事休息。

[4]熙熙:欢乐热闹的样子。

[5]春台:春日登眺览胜之处。

[6]惨目:惨不忍睹。

汝是何等根机[1],而欲法法咸通耶?其急切纷扰[2],久则或致失心。(印光法师)

【注释】

[1]根机:佛教语。根性。人有六根,根的发动处叫机。

[2]纷扰:动乱、混乱、纷乱骚扰。

直须[1]将一个死字挂到额颅[2]上。(印光法师)

【注释】

[1]直须:应、应当。

[2]额颅:额头。

无忧恼[1]处，我当往生[2]，不乐阎浮提浊恶世[3]也。(《观无量寿佛经》)

【注释】

[1]忧恼：忧愁烦恼。

[2]往生：佛教净土宗认为：具足信、愿、行，一心念佛，与阿弥陀佛的愿力感应，死后能往西方净土，化生于莲花中。

[3]恶世：佛教谓恶事盛行之世。

才有病患，莫论轻重，便念无常[1]，一心待死。(善导大师)

【注释】

[1]无常：佛语，生灭变化不定。

我未曾见闻，慈悲[1]而行恼，互共相瞋恚[2]，愿生阿弥陀。若人如恒河[3]，恶口加刀杖，如是皆能忍，则生清净土。(《诸法无行经》)

【注释】

[1]慈悲：原为佛教语，意思是给人快乐，将人从苦难中拔救出来，亦泛指慈爱与悲悯。

[2]瞋恚：忿怒怨恨。

[3]恒河：南亚大河，发源于喜马拉雅山南坡，流经印度、孟加拉国入海。印度人多视为圣河、福水。

生宏律范,死归安养[1]。平生所得,唯二法门[2]。(灵芝元照
律师)

【注释】

[1]安养:佛教语,即极乐世界。众生生此世界,可以安心
养身,闻法修道。

[2]法门:佛教用语,原指修行者入道的门径,今泛指修德、
治学或做事的途径。

人生能有几时,电光[1]眨眼便过。趁未老未病,抖身心,拨
世事,得一日光景[2],念一日佛名,得一时工夫,修一时净业。由
他命终,我之盘缠[3]预办,前程稳当了也。若不如此,后悔难追!
(天如禅师)

【注释】

[1]电光:时间短暂,一刹那。

[2]光景:光阴、时光。

[3]盘缠:旅途费用。

如就刑戮[1],若在狴牢[2],怨贼所追,水火所逼。一心求救,
愿脱苦轮。(天如禅师)

【注释】

[1]刑戮:刑罚或处死。

[2]狴牢:牢狱。

此界释迦已灭,弥勒[1]未生,贤圣隐伏[2]。众生奔波苦海,犹失父之儿。若不以极乐[3]愿王为归,谁为救护?(妙叶禅师)

【注释】
[1]弥勒:即弥勒佛,未来佛。传说五代时的布袋和尚是其化身。
[2]隐伏:潜伏、隐藏。
[3]极乐:指极乐世界。

闻教便行,奚[1]待更劝。(妙叶禅师)

【注释】
[1]奚:疑问代词,相当于"何"。

又复当护人心,勿使夸嫌;动用自若[1],息世杂善;不贪名利,将过归己;捐弃[2]伎能[3],惟求往生。(妙叶禅师)

【注释】
[1]自若:镇静自如,毫不拘束;一如既往,依然如故。
[2]捐弃:亦作"捐弃",抛弃。
[3]伎能:技能。

娑婆[1]有一爱之不轻,则临终为此爱所牵,矧[2]多爱乎?极

357

乐有一念之不一,则临终为此念所转,矧多念乎?(幽溪法师)

【注释】

[1]娑婆:佛教语,娑婆,梵语音译,意为"堪忍"。"娑婆世界"又名"忍土",是释迦牟尼所教化的三千大千世界的总称。

[2]矧:况且。

如何说得娑婆苦,苦事纷纷等猬毛[1]!(西斋禅师)

【注释】

[1]猬毛:刺猬的毛,这里形容众多。

当屏人独处,自办道业[1],以设像为师,经论[2]为侣。(袁宏道)

【注释】

[1]道业:佛道指教化事业。

[2]经论:佛教指三藏中的经藏与论藏。

五浊恶世[1],寒热苦恼,秽相熏炙[2],不容一刻居住。(袁宏道)

【注释】

[1]五浊恶世:佛教谓中指尘世中烦恼、痛苦炽盛,充满五种浑浊不净,即劫浊、见浊、烦恼浊、众生浊和命浊。

[2]熏炙：气势逼人。

余下劣凡夫，安分守愚[1]，平生所务，惟是"南无阿弥陀佛"[2]六字。今老矣，倘有问者，必以此答。（莲池大师）

【注释】
[1]守愚：保持愚拙，不事巧伪。
[2]南无阿弥陀佛：佛教净土宗的"六字洪名"，意为"归命无量光觉"或"归命无量寿觉"。净土宗以持名念佛为主要修行方法，专念"南无阿弥陀佛"，命终往生西方净土。

当生大欢喜，切勿怀忧恼，万缘[1]俱放下，但一心念佛。往生极乐[2]国，上品[3]莲花生，见佛悟无生，还来度一切。（莲池大师）

【注释】
[1]万缘：一切因缘。
[2]极乐：极乐世界。
[3]上品：佛教中指修净土法门而道行较高者，命终化生西方净土后所居的高等品位。

归命[1]大慈父，早出娑婆[2]关。（蕅益大师）

【注释】
[1]归命：归顺、投诚。
[2]娑婆：佛教语，娑婆，梵语音译，意为"堪忍"。"娑婆世

界"又名"忍土",是释迦牟尼所教化的三千大千世界的总称。

悲哉众生! 欲念[1]未除,道根[2]日坏;佛之视汝,将何以堪? (彭二林)

【注释】
[1]欲念:情欲或嗜欲之念。
[2]道根:修道的根底。

莲花种子,荣悴[1]由人,时不相待,珍重珍重! (彭二林)

【注释】
[1]荣悴:荣枯,也暗指人世的盛衰。

念阿弥陀佛正觉[1]圆满之名,观极乐世界清净庄严之相,如此滞著,只怕未能切实[2];果能切实,则世间种种幻化[3]妄缘,自当远离。(悟开禅师)

【注释】
[1]正觉:精神的自我完满。
[2]切实:切合实际、实实在在。
[3]幻化:佛教语,指万物了无实性。

随忙随闲,不离弥陀[1]名号;顺境逆境,不忘往生西方[2]。 (印光法师,以下悉同)

【注释】

[1]弥陀：亦作"弥陁"。阿弥陀佛的省称。意译为无量寿佛，西方极乐世界的教化之主。与释迦、药师并称三尊。

[2]西方：西方净土。

诚与恭敬，实为超凡[1]入圣[2]、了生脱死之极妙[3]秘诀。

【注释】

[1]超凡：超过凡人。

[2]入圣：达到高超玄妙的境界。

[3]极妙：极其美妙；极其巧妙。

业障[1]重、贪瞋[2]盛、体弱心怯，但能一心念佛，久之自可诸疾咸愈。

【注释】

[1]业障：佛教语，指妨碍修行证果的罪业。

[2]贪瞋：佛教语，指贪欲与瞋恚。

佛固不见弃于罪人，当承兹行以往生[1]耳。

【注释】

[1]往生：佛教净土宗认为：具足信、愿、行，一心念佛，与阿弥陀佛的愿力感应，死后能往西方净土，化生于莲花中。

须信娑婆[1]实实是苦，极乐实实是乐，深信佛言，了无疑惑。

【注释】

[1]娑婆：佛教语，娑婆，梵语音译，意为"堪忍"。"娑婆世界"又名"忍土"，是释迦牟尼所教化的三千大千世界的总称。

业识[1]未消，三昧[2]未成，纵谈理性，终成画饼[3]。

【注释】

[1]业识：佛教语，十二因缘中的行缘识。指人投胎时心动的一念。

[2]三昧：佛教语梵文音译。又译"三摩地"。意译为"正定"。屏除杂念，心不散乱，专注一境。

[3]画饼：画成的饼，比喻徒有虚名无补实用的人和物。

入理[1]深谈，且缓数年。

【注释】

[1]入理：谓领悟佛理。

汝妄想[1]之心遍天遍地，不知息心[2]念佛。所谓向外驰求[3]，不知返照回光[4]。

【注释】

[1]妄想:佛教语,妄为分别而取种种之相。

[2]息心:梵语"沙门"的意译。谓勤修善法,息灭恶行。

[3]驰求:奔走追求。

[4]返照回光:佛教语,指用佛性对照检查,自我反省。

今见好心出家、在家四众[1],多是好高骛远,不肯认真专修净业。总由宿世[2]善根[3]浅薄,今生未遇通人[4]。

【注释】

[1]四众:即四部众。佛教语,指比丘、比丘尼、优婆塞、优婆夷。

[2]宿世:前世、前生。

[3]善根:佛教语,梵语意译。指人所以为善之根性。善根指身、口、意三业之善法而言,善能生妙果,故谓之根。

[4]通人:学识渊博通达的人。

心跳、恶梦,乃宿世恶业[1]所现之兆。然现境虽有善恶,转变在乎自己。恶业现而专心念佛,则恶因缘为善因缘。

【注释】

[1]恶业:佛教谓出于身、口、意三者的坏事、坏话、坏心等。

但当志心[1]念佛,以消旧业。断不可起烦躁[2]心,怨天尤人[3]。

【注释】

[1]志心：专心、诚心。

[2]烦躁：烦闷急躁。

[3]怨天尤人：怨恨命运，责怪别人。

欲得佛法实益[1]，须向恭敬中求，有一分恭敬，则消一分罪业[2]，增一分福慧[3]。

【注释】

[1]实益：实际利益、真实的好处。

[2]罪业：佛教语，指身、口、意三业所造之罪，亦泛指应受恶报的罪孽。

[3]福慧：福德与智慧。

汝须自知好歹，修行要各尽其分，潜修[1]默契方可。急急改过，摄心[2]念佛。

【注释】

[1]潜修：专心修养、深造。

[2]摄心：收敛心神。

《格言别录》[1] (节选)

[民国]弘一 编著

【注释】

[1]《格言别录》：弘一法师所作。他把清代金缨的《格言联璧》精编为《格言别录》，这也是他选编诸种格言删改最多、著力最大的。他还亲自缮写，以他别具一格的书法为载体，使之广为传布。

为善[1]最乐，读书便佳。

【注释】

[1]为善：行善。

茅鹿门[1]云："人生在世，多行救济事，则彼之感[2]我，中怀倾倒[3]，浸入肝脾。何幸而得人心如此哉！"

【注释】

[1]茅鹿门：茅坤，明代散文家、藏书家。字顺甫，号鹿门，归安(今浙江吴兴)人。嘉靖十七年进士，官广西兵备金事。茅坤文武兼长，雅好书法，提倡学习唐宋古文，编选《唐宋八大家文钞》。茅坤与王慎中、唐顺之、归有光等，同被称为"唐宋派"。有《茅鹿门集》行世。

[2]感：感激怀念。

[3]中怀倾倒:发自内心。

观天地生物气象,学圣贤克己[1]工夫。

【注释】
[1]克己:克制自己的烦恼习气。

自家有好处,要掩藏几分,这是涵育[1]以养深[2]。别人不好处,要掩藏几分,这是浑厚[3]以养大[4]。

【注释】
[1]涵育:涵容内敛。
[2]养深:将德行培养得更加深沉踏实。
[3]浑厚:深醇敦厚。
[4]养大:将心胸培养得更加阔大放达。

以虚[1]养心,以德[2]养身,以仁[3]养天下万物,以道[4]养天下万世。

【注释】
[1]虚:谦虚。
[2]德:道德。
[3]仁:仁义。
[4]道:规律、思想。

一动于欲[1]，欲迷则昏。一任乎气[2]，气偏则戾[3]。

【注释】

[1]一动于欲：经常产生欲望。

[2]一任乎气：怒气一旦产生。

[3]气偏则戾：怒气发生偏激便会犯错。

刘直斋[1]云："存心养性，须要耐烦耐苦，耐惊耐怕，方得纯熟。"

【注释】

[1]刘直斋：刘源渌，字昆石，号直斋先生，清初著名理学家，山东安丘人。他专心攻读宋明儒家著述，集朱子书写成《续近思录》。

寡欲故静，有主[1]则虚[2]。

【注释】

[1]主：信仰、主见。

[2]虚：谦虚、宽容。

不为外物所动[1]之谓静，不为外物所实[2]之谓虚[3]。

【注释】

[1]动：左右。

[2]实:控制。

[3]虚:虚怀若谷。

宜静默[1],宜从容,宜谨严,宜俭约[2]。

【注释】

[1]静默:与人交谈时少言多听。

[2]俭约:简单而有序。

敬守此心,则心定。敛抑[1]其气,则气平。

【注释】

[1]敛抑:抑制。

青天白日[1]的节义,自暗室屋漏[2]中培来。旋乾转坤[3]的经纶,自临深履薄[4]处得力。

【注释】

[1]青天白日:光明磊落。

[2]暗室屋漏:形容环境艰苦。

[3]旋乾转坤:做大事业、改变世界。

[4]临深履薄:形容举止谨慎。

刘念台[1]云:"涵养,全得一缓字,凡言语、动作皆是。"

[1]刘念台:刘宗周,字起东,别号念台,明代绍兴府山阴(今浙江绍兴)人,因讲学于山阴蕺山,学者称蕺山先生。明代最后一位儒学大师,也是宋明理学(心学)的殿军。他著作甚多,内容复杂而晦涩。他开创的蕺山学派,在中国思想史特别是儒学史上影响巨大。清初大儒黄宗羲、陈确、张履祥等都是这一学派的传人。

应事接物,常觉得心中有从容[1]闲暇时,才见涵养[2]。

【注释】
[1]从容:悠闲舒缓,不慌不忙。
[2]涵养:修身养性。

刘念台云:"易喜易怒、轻言轻动,只是一种浮气用事[1],此病根最不小。"

【注释】
[1]浮气用事:心浮气躁起作用。

吕新吾[1]云:"心平气和四个字,非有涵养者不能做,工夫只在个定火[2]。"

【注释】
[1]吕新吾:吕坤,字叔简,号新吾,宁陵人。万历二年进士,

历官山西巡抚,留意风教,举措公明,擢刑部侍郎。吕坤少时资质鲁钝,读书不能成诵,乃澄心体认,久知了悟。十五读性理书,欣然有会,遂孜孜讲学,以明道为己任。著有《呻吟语》《去伪斋文集》等。

[2]定火:平下心中之火。

陈榕门[1]云:"定火[2]工夫,不外以理制欲。理胜,则气自平矣。"

【注释】

[1]陈榕门:陈宏谋,字汝咨,号榕门,原名弘谋,晚年因避乾隆(弘历)讳,改为宏谋。临桂(今广西桂林)人。清官廉吏的代表,又是清代的理学名臣。著作总集有《培远堂全集》和《陈榕门先生遗书》。

[2]定火:平下心中之火。

自处超然,处人蔼然。无事澄然[1],有事斩然[2]。得意淡然,失意泰然。

【注释】

[1]澄然:宁静。

[2]斩然:果断。

气忌盛,心忌满[1],才忌露。

【注释】

[1]满:骄傲自满。

意粗性躁,一事无成。心平气和,千祥骈集[1]。

【注释】

[1]千祥骈集:各种好的因缘都聚集而来,事事顺意。

人性褊急[1]则气盛[2],气盛则心粗,心粗则神昏,乖舛谬
戾[3],可胜言哉[4]?

【注释】

[1]褊急:狭隘而又急躁。

[2]气盛:冲动。

[3]乖舛谬戾:行为言语荒谬无常。

[4]可胜言哉:怎么能够说得清啊。

以和气迎人,则乖沴[1]灭。以正气接物,则妖氛消。以浩气
临事[2],则疑畏[3]释。以静气养身,则梦寐恬。

【注释】

[1]乖沴:不正常的恶气。

[2]临事:处理事情。

[3]疑畏:疑惑和恐惧。

轻当矫之以重,浮当矫之以实,褊当矫之以宽,躁急当矫之以和缓,刚暴当矫之以温柔,浅露当矫之以沉潜,黠刻[1]当矫之以浑厚。

【注释】
[1]黠刻:刻薄。

尹和靖云:"莫大之祸,皆起于须臾[1]之不能忍,不可不谨。"

【注释】
[1]须臾:片刻、一会儿。

逆境顺境看襟度[1],临喜临怒看涵养。

【注释】
[1]襟度:襟怀与气度。

聪明睿知,守之以愚。道德隆重[1],守之以谦。

【注释】
[1]隆重:高尚。

富贵,怨之府[1]也。才能,身之灾也。声名,谤之媒[2]也。欢乐,悲之渐[3]也。

[1]府：根由。

[2]媒：载体。

[3]渐：滋生地。

只是常有惧心,退一步做,见益而思损,持满[1]而思溢,则免于祸。

[1]持满：持盈。

学一分退让,讨一分便宜[1]。增一分享用,减一分福泽[2]。

[1]便宜：方便。

[2]福泽：福禄、恩泽。

不自重[1]者取辱,不自畏者招祸。

[1]自重：谨言慎行,尊重自己的人格。

大着肚皮容物[1],立定脚跟做人。

[1]容物：气量大、能容人。

物忌全胜，事忌全美，人忌全盛[1]。

【注释】
[1]全盛：盛气凌人。

步步占先者，必有人以挤之。事事争胜者，必有人以挫[1]之。

【注释】
[1]挫：不顺利，失败。

度量如海涵春育[1]，持身如玉洁冰清，襟抱如光风霁月[2]，气概如乔岳[3]泰山。

【注释】
[1]如海涵春育：像海一样能容纳万物。
[2]光风霁月：形容雨过天晴时万物明净的景象。
[3]乔岳：高山。

心不妄念，身不妄动，口不妄言，君子所以存诚[1]。内不欺己，外不欺人，上不欺天，君子所以慎独[2]。

【注释】

[1]存诚:保持自己内心真诚。

[2]慎独:在独自活动无人监督的情况下,凭着高度自觉,按照一定的道德规范行动。

心志[1]要苦,意趣[2]要乐,气度要宏,言动要谨。

【注释】

[1]心志:意志、志气。

[2]意趣:意向、旨趣。

心术以光明笃实[1]为第一,容貌以正大[2]老成为第一,言语以简重真切为第一。平生无一事可瞒人,此是大快。

【注释】

[1]笃实:纯厚朴实、忠诚老实。

[2]正大:端正不邪。

以情恕[1]人,以理律己。

【注释】

[1]恕:宽恕、饶恕。

事不可做尽[1],言不可道尽。

【注释】

[1]尽:全部用出,竭力做到。

胡文定[1]公云:"人家最不要事事足意,常有事不足处方好。才事事足意,便有不好事出来,历试历验。邵康节[2]诗云:'好花看到半开时[3]。'最为亲切有味。"

【注释】

[1]胡文定:胡安国,又名胡迪,字康侯,号青山,谥号文定,学者称武夷先生,后世称胡文定公。建宁崇安(今福建省武夷山市)人,北宋学者,为太学博士,旋提举湖南学事,后迁居衡阳南岳。提倡修身为学,主张经世致用,重教化,讲名节,轻利禄,憎邪恶。

[2]邵康节:邵雍,字尧夫,生于范阳(今河北涿州大邵村),幼年随父邵古迁往衡漳(今河南林县康节村)。少有志,喜刻苦读书并游历天下,并悟到"道在是矣",而后师从李之才学《河图》《洛书》与伏羲八卦,学有大成,并著有《皇极经世》《观物内外篇》《先天图》《渔樵问对》《伊川击壤集》《梅花诗》等。宋仁宗皇祐元年(1049年)定居洛阳,以教授为生。嘉祐七年(1062年),移居洛阳天宫寺西天津桥南,自号安乐先生。出游时必坐一小车,由一人牵拉。宋仁宗嘉祐与宋神宗熙宁初,两度被举,均称疾不赴。宋哲宗元祐中赐谥康节。

[3]好花看到半开时:邵雍《安乐窝中吟》诗中句。

识不足则多虑[1],威不足则多怒,信[2]不足则多言。

【注释】
[1]虑：思考、担忧。
[2]信：信心、信念。

处难处之事愈[1]宜宽，处难处之人愈宜厚，处至急之事愈宜缓。

【注释】
[1]愈：更、越。

必有容，德乃大。必有忍，事乃济[1]。

【注释】
[1]济：成功。

强不知以为知，此乃大愚。本无事而生事，是谓薄福[1]。

【注释】
[1]薄福：没有福气。

处事大忌急躁，急躁则先自处不暇[1]，何暇治事[2]？

【注释】
[1]自处不暇：自己手足无措，不知从何下手。
[2]治事：处理事情。

无心者公,无我者明[1]。

【注释】
[1]明:光明正大。

严着此心[1]以拒外诱,须如一团烈火,遇物即烧。宽着此心[2]以待同群,须如一片春阳,无人不暖。

【注释】
[1]严着此心:严格地守护自己的心。
[2]宽着此心:用宽厚包容的心。

公生明[1],诚生明,从容[2]生明。

【注释】
[1]明:明白事理。
[2]从容:悠闲舒缓,不慌不忙。

公生明者,不敝于私也。诚生明者,不杂以伪也。从容[1]生明者,不淆于惑也。

【注释】
[1]从容:悠闲舒缓,不慌不忙。

何以息谤[1]? 曰:无辩。何以止怨[2]? 曰:不争。

[1]谤:恶意攻击别人,说别人的坏话。

[2]怨:怨恨、怨愤。

张梦复[1]云:"受得小气,则不至于受大气。吃得小亏,则不至于吃大亏。"

【注释】

[1]张梦复:张英,字敦复,号梦复、乐圃,安徽桐城人。康熙六年中进士,后官至礼部尚书、文华殿大学士,先后充任《一统志》《渊鉴类函》《政治典训》等总裁官,是清代名臣、文学家、经学大师。

忍与让,足以消无穷之灾悔。古人有言:"终身让路,不失尺寸[1]。"

【注释】

[1]不失尺寸:不会有多少损失。

以仁义[1]存心[2],以忍让接物。

【注释】

[1]仁义:亦作"仁谊"。仁爱和正义、宽惠正直。

[2]存心:专心、用心着意。

善用威者[1]不轻怒,善用恩者[2]不妄施。

【注释】

[1]善用威者:善于树立威信的人。

[2]善用恩者:善于施加恩惠的人。

激之而不怒者,非有大量,必有深机[1]。

【注释】

[1]深机:特殊的智慧。

处事须留余地,责善切戒尽言[1]。

【注释】

[1]责善切戒尽言:责备别人时不能把话说得太绝对。

凡劝人,不可遽[1]指其过,必须先美其长,盖人喜则言易
入,怒则言难入也。善化人者,心诚色温,气和辞婉;容其
所不及,而谅其所不能;恕其所不知,而体其所不欲;随事讲
说,随时开导。彼乐接引之诚[2],而喜于所好;感督责之宽,而
愧其不材[3]。人非木石,未有不长进者。我若嫉恶如仇,彼亦
趋死如鹜[4],虽欲自新而不可得,哀哉!

【注释】

[1]遽:直接。

[2]彼乐接引之诚：被劝者喜欢劝说者的真诚。

[3]愧其不材：内心为自己的不长进而惭愧。

[4]趋死如鹜：形容抵死不听。

先哲[1]云："觉人之诈，不形于言；受人之侮，不动于色。此中有无穷意味，亦有无限受用[2]。"

【注释】

[1]先哲：先世的贤人。

[2]受用：益处。

喜闻人过，不如喜闻己过。乐道[1]己善，何如乐道人善。

【注释】

[1]乐道：乐于称道、喜欢谈论。

论人之非，当原其心[1]，不可徒泥其迹[2]。取人之善，当据其迹[3]，不必深究其心[4]。

【注释】

[1]原其心：探究他当初的动机。

[2]徒泥其迹：只根据表面现象。

[3]据其迹：看他做出来的好事。

[4]心：动机。

修己以清心[1]为要,涉世[2]以慎言为先。

【注释】

[1]清心:心地恬静,无思无虑。

[2]涉世:接触社会、经历世事。

恶莫大于纵[1]己之欲,祸莫大于言人之非。

【注释】

[1]纵:放纵、不拘束。

人褊急[1],我受之以宽宏。人险仄[2],我待之以坦荡。

【注释】

[1]褊急:心胸狭窄而急躁。

[2]险仄:阴险邪恶。

持身不可太皎洁,一切污辱垢秽要茹纳[1]得。处世不可太分明,一切贤愚好丑要包容得。

【注释】

[1]茹纳:容纳。

盛[1]喜中勿许人物,盛怒中勿答人书。

[1]盛:炽烈。

律己宜带秋气[1],处世须带春风[2]。

[1]宜带秋气:应该像秋风一样肃杀。

[2]须带春风:应该像春风一样温暖。

喜时之言多失信,怒时之言多失体[1]。

[1]失体:不合礼节。

静坐[1]常思己过,闲谈莫论人非。

[1]静坐:排除杂念,闭目安坐,学道学佛的人一种修养方法。

己性不可任,当用逆法制之[1],其道在一忍字。人性不可拂,当用顺法调之[2],其道在一恕字。

[1]逆法制之:用不让欲望实现的逆法控制它。

[2]顺法调之：先顺从它再逐渐调整过来。

临事[1]须替别人想，论人先将自己想。

【注释】
[1]临事：遇事或处事。

欲论人者先自论，欲知人者先自知[1]。

【注释】
[1]自知：认识自己、自己明了。

凡为外胜者[1]，皆内不足[2]。凡为邪所夺者，皆正不足[3]。

【注释】
[1]为外胜者：容易被外物诱惑的人。
[2]内不足：内心的操守不够。
[3]正不足：自己的正气不足。

小人乐闻君子之过，君子耻闻小人之恶。此存心厚薄之分[1]，故人品因之而别。

【注释】
[1]存心厚薄之分：个人心思修炼不同。

惠不在大,在乎当厄[1]。怨不在多,在乎伤心。

【注释】

[1]当厄:及时救济。

毋以小嫌疏至戚[1],毋以新怨忘旧恩。

【注释】

[1]戚:亲戚。

知足常足[1],终身不辱。知止常止[2],终身不耻。

【注释】

[1]知足常足:能够知足就常常感到满足。

[2]知止常止:该停止的时候就停止。

楹　联[1]

雍和宫[2]万福阁联

说法万恒沙，金轮[3]妙转；
观心[4]一止水，华海常涵。

【注释】

[1]本书楹联部分主要参考了刘志贤、徐静编著的《名寺楹联》(华文出版社)等著作，在此致谢。

[2]雍和宫：位于北京市区东北角，清康熙三十三年(1694年)，康熙帝在此建造府邸、赐予四子雍亲王，称雍亲王府。雍正三年（1725年），改王府为行宫，称雍和宫。雍正十三年(1735年)，雍正驾崩，曾于此停放灵柩。又因乾隆皇帝诞生于此，雍和宫出了两位皇帝，成了"龙潜福地"，所以殿宇为黄瓦红墙，与紫禁城皇宫一样规格。乾隆九年(1744年)，雍和宫改为喇嘛庙，特派总理事务王大臣管理本宫事务，无定员。雍和宫是清朝中后期全国规格最高的一座佛教寺院。1983年被国务院确定为汉族地区佛教全国重点寺院。

[3]金轮：佛塔上的相轮。

[4]观心：观察心性。佛教以心为万法的主体，无一事在心

外,故观心即能究明一切事(现象)理(本体)。

雍和宫法轮殿联

是色是空,莲海慈航[1]游六度[2];

不生不灭,香台[3]慧镜[4]启三明[5]。

【注释】

[1]慈航:佛教语,佛、菩萨以慈悲之心度人,如航船之济众,使脱离生死苦海。

[2]六度:佛教语,又译为"六到彼岸"。"度"是梵文的意译。指使人由生死之此岸度到涅槃(寂灭)之彼岸的六种法门:布施、持戒、忍辱、精进、精虑(禅定)、智慧(般若)。

[3]香台:烧香之台,佛殿的别称。

[4]慧镜:亦作"慧鉴",佛教语,智慧能照物如镜。

[5]三明:佛教语,天眼明、宿命明、漏尽明。

法源寺[1]大雄宝殿联

[清]爱新觉罗·弘历

慧云[2]昙[3]雨,清净[4]契无为[5]之旨;

金乘珠藏,通明[6]开不二之门。

【注释】

[1]法源寺:位于北京宣武门外教子胡同南端东侧,建于唐

太宗贞观十九年(公元645年),是北京最古老的名刹,唐时为悯忠寺,清雍正时重修并改为今名,1956年在寺内成立中国佛学院,1980年又于寺内建立中国佛教图书文物馆,是中国佛教协会所属的宗教类博物馆。1983年,被国务院确定汉族地区佛教中国重点寺院。2001年6月25日,法源寺作为清代古建筑,被国务院批准为第五批全国重点文物保护单位。

[2]慧云:佛教语,智慧之云,比喻佛法若大云覆被一切众生。

[3]昙:云彩密布,多云。

[4]清净:佛教语,指远离恶行与烦恼。

[5]无为:佛教语,指无因缘造作,无生住异灭四相之造作为"无为"。

[6]通明:开通、贤明。

柏林寺[1]正殿联

座上莲花[2]前后果,
庭中柏子[3]去来心。

【注释】

[1]柏林寺:河北赵县柏林寺始建于汉献帝建安年间,至今已有1800年历史,为全国重点文物保护单位古称观音院,南宋为永安院,金代名柏林禅院,自元代起即称柏林禅寺。柏林寺中的万佛楼可容纳千人同时上殿,为世界第一,寺内也可同时容纳数百名进香者食宿。

[2]莲花:亦作"莲华",比喻佛门的妙法。

[3]柏子:即柏子香。

法海寺弥勒佛殿联
[清]爱新觉罗·玄烨

山色溪声真实义,
天光[1]云影去来[2]身。

【注释】

[1]天光:自然的智慧之光。

[2]去来:佛教语,指过去、未来。

大悲院[1]联
[清]吴镇

禅门[2]无住始为禅,但十方[3]国土庄严,何处非祇园精舍[4]?
渡世[5]有缘皆可渡,果一念人心回向[6],此间即慧海慈航!

【注释】

[1]大悲院:位于天津市河北区元纬路,是天津保存完好、规模最大的一座八方佛寺院。由西院和东院两部分组成,西院又叫旧庙,始建于清顺治年间,康熙八年(公元1669年)扩建,由文物殿和方丈院等组成,东院又叫新庙,建于1940年,由天王殿、大雄宝殿、大悲殿、地藏殿、配殿、耳房和回廊组成,是寺

院的主体。殿内藏有铜制释迦牟尼佛像,还塑有大悲菩萨、倒坐观音、弥勒佛、天王像、罗汉像等。位于院中央的大雄宝殿内曾珍藏着魏晋南北朝至明清各代铜、木、石刻造像数百尊,工艺和艺术水平很高。院内朱门绿瓦,佛坛高筑,松柏参天,庄严静穆,是全国重点佛教寺庙之一。

[2]禅门:佛教语,禅定之法门,为心定于一、屏除妄念之法,又指达摩所传禅法言,即谓禅宗法门。

[3]十方:佛教指,东南西北及四维上下。

[4]祇园精舍:亦作"祇洹精舍","祇树给孤独园"的简称,后泛指修行精舍。

[5]渡世:济世,救助世人。

[6]回向:佛教语,回转自己的功德,趋向众生和佛果。

大同善化寺[1]大雄宝殿联

佛法无边,普遍十方。非色非相,真如[2]玄妙[3]境;
慈悲[4]广大。化道[5]三千,无我无人,清净[6]证虚空。

【注释】

[1]善化寺:始建于唐。玄宗时称开元寺。五代后晋初,改名大普恩寺。辽末保大二年(公元 1122 年)大部毁于兵火,金初,该寺上首圆满大师主持重修。自天会六年(公元 1128 年)至皇统三年(公元 1143 年)凡十五年始成。元代仍名普恩寺,并颇具规模。元史记载,曾有四万僧人奉元世祖忽必烈之命在此寺集会,作佛事活动。明代又予修缮,明正统十年（公元

1445 年)始更称今名善化寺。寺亦为官吏习仪之所。位于山西大同城内永泰门内街，为全国重点文物保护单位。沿中轴线上，依次排列着山门、三圣殿、大雄宝殿。大雄宝殿两侧有观音殿和地藏殿。大雄宝殿与三圣殿之间的西面，有一座独具风格的普贤阁，它是一处单檐九脊顶方形楼阁。

[2]真如：佛教语，梵语的意译，永恒存在的实体、实性，亦即宇宙万有的本体。与实相、法界等同义。

[3]玄妙：形容事理深奥微妙，难以捉摸。

[4]慈悲：原为佛教语，给人快乐，将人从苦难中拔救出来，亦泛指慈爱与悲悯。

[5]化道：受道的教化，彻悟于道。

[6]清净：心境洁净，不受外扰。

五台山塔院寺[1]联

敷衍清凉，四时瑞雪常飘，幻出银装世界。
恢宏[2]极乐，六月莲花[3]始放，翻成金色乾坤。

【注释】

[1]塔院寺：位于五台山佛教中心区台怀镇，原是大华严寺的塔院。明成祖永乐五年(1407 年)扩充建寺，改用今名，是五台山五大禅林之一、青庙十大寺之一。塔院寺座北朝南，由横列的殿院和禅堂僧舍组成。中轴线上的建筑有影壁、牌坊、石阶、过门、山门、钟鼓楼、天王殿、大慈延寿宝殿、塔殿藏经阁，以及山海楼、文殊寺塔等建筑，气魄雄伟，有殿堂楼房 130 余

间。寺前有木牌坊三间，玲珑雅致，为明万历年间所筑。寺内主要建筑，大雄宝殿在前，藏经阁在后，舍利塔位居其中。寺内有释迦牟尼舍利塔和文殊发塔而得名。各殿塑像保存完好，藏经阁内木制转轮藏二十层，各层满放藏经。供信士礼拜与僧侣颂诵。寺内以舍利塔为主，塔基座正方形，藏式，总高约60米，全部用米浆拌和石灰砌筑而成，在青山绿丛之中，高耸的白塔格外醒目。塔刹、露盘、宝珠皆为铜铸，塔腰及露盘四周各悬风铎，风来叮当作响，极富古刹风趣，人们把它看作五台山的标志，现为全国重点寺院。

[2]恢宏：博大，宽宏。

[3]莲花：亦作"莲华"，比喻佛门的妙法。

五台山龙泉寺[1]联

九次第定[2]，万念俱消，天心滚月轮，光映四边空碧落；

龙蜿蜒[3]来，千峰寰合。两湖垂银线，恩周八表[4]淳苍生。

【注释】

[1]龙泉寺：位于五台山台怀镇南五公里九龙岗山腰，故又俗名九龙岗。龙泉寺原为杨家将家庙，寺旁有泉曰龙泉，寺由此而得名。始建于宋代，民国初期重建，占地15950平方米，殿堂僧舍165间。现存影壁，台级，牌坊和三座院落。

[2]九次第定：指藏传佛教对修习禅定初期阶段心理状态进行讲解的专有名词。九次第，就是九个层次、九个步骤的意思。定就是入定、禅定。

[3]蜿蜒:龙蛇等曲折爬行貌。

[4]八表:八方之外,指极远的地方。

沈阳般若寺[1]大雄宝殿联

如是妙相[2]庄严,主伴齐彰,灵山会俨然[3]未散;
本来佛身清净,圣凡一体,菩提道当下圆成[4]。

【注释】

[1]般若寺:位于沈阳市沈河区大南街8号,由高僧古林禅师于清康熙二十三年(1684)修建。宣统元年(1909)、民国十三年(1924),曾两次重建。在1984年10月建寺三百年时,举行了佛像开光仪式。1985年被公布为市级文物保护单位。主要建筑为砖木结构的硬山式建筑,是沈阳保存较好的佛教建筑群。

[2]妙相:佛教语,庄严的相貌。

[3]俨然:严肃庄重的样子。

[4]圆成:佛教语,成就圆满,后转指现成自然。

镇江金山寺[1]联

[清]徐致祥

适从云水窟[2]中来,山色可人,两袖才沾巫峡[3]雨;
方向海天深处去,邮程[4]催我,扁舟又趋浙江潮。

【注释】

[1]金山寺：原名泽心寺，亦称龙游寺，清康熙皇帝赐字"江天禅寺"，沿用至今。寺位于镇江市区西北，金山寺打破寺院坐北朝南，分三路的布局，依山就势，大门西开，正对江流，各色建筑散布其上，风格奇特。至清朝同治初年，才开始与南岸陆地相连，水上风光变为陆上胜境。由于金山位于长江边上，风景区建筑风格独特，殿宇厅堂，亭台楼阁，全部依山而建，加之慈寿塔突兀拔起于金山之巅。寺院殿宇鳞次栉比，楼塔争辉，从江中远望金山，只见寺庙不见山，故以"金山寺裹山，见寺，见塔，不见山"的风貌而蜚声海内外。

[2]云水窟：指隐者或出家人的居处。

[3]巫峡：长江三峡之一，西起四川巫山大溪，东至湖北巴东官渡口。因巫山得名，两岸绝壁，船行极险。

[4]邮程：驿道，驿路。

苏州寒山寺[1]联

[清]胡念修

寒陵片石至人间，丰干挹袖，拾得派肩，到今派衍[2]天台，东渡灵迹[3]续薪火[4]；

大乘宗风盛吴下，支硎[5]讲经，云岩[6]说法，何如式敲月夜，南瞻佛性应霜钟[7]。

【注释】

[1]寒山寺：位于苏州城西阊门外五公里外的枫桥古镇，建

于六朝时期的梁代天监年间，距今已有一千四百多年。原名
"妙利普明塔院"。唐代贞观年间，传说当时的名僧寒山和拾得
曾由天台山来此住持，改名寒山寺。历史上寒山寺曾是我国十
大名寺之一。寺内古迹甚多，有张继诗的石刻碑文，寒山、拾得
的石刻像，文徵明、唐寅所书碑文残片等。寺内主要建筑有大
雄宝殿、庑殿(偏殿)、藏经楼、碑廊、钟楼、枫江楼等。

[2]派衍：指宗族支派繁衍。

[3]灵迹：神灵的遗迹、圣贤的事迹。

[4]薪火：比喻学术传授不绝。

[5]支硎：山名。在今江苏苏州市西，又名报恩山、南峰山。
硎，平整的石头。山有平石，故名。

[6]云岩：指云岩寺。

[7]霜钟：指钟或钟声。

杭州灵隐寺[1]联

峰从天外飞来，见一线光明，万壑松涛[2]开觉路；
泉自石边流出，悟三生[3]因果，十方花藏证根源。

【注释】

[1]灵隐寺：位于浙江省杭州市西湖西面，通常认为也属于
西湖景区。中国佛教著名寺院，又名云林寺，建于东晋咸和元
年(公元 326 年)，至今已有约一千八百年，也是江南著名古刹
之一。庙宇宏敞，建筑巍峨，古朴壮观，集精巧的建筑结构和精
湛的雕刻艺术于一身，是我国古代建筑的杰作。

[2]松涛:风撼松林,声如波涛。

[3]三生:佛教语,指前生、今生、来生。

南昌天宁古寺联

马蹄车轮,世路[1]不知何时尽;

岩花涧月,觉心应从此间[2]生。

【注释】

[1]世路:人世间的道路,指人们一生处世行事的历程。

[2]此间:这里、此地。

九江东林寺[1]弥勒殿联

慧性[2]真空[3],本来无生无灭尽;

尘心[4]妄动[5],自然有起有沉沦。

【注释】

[1]东林寺:东林寺,位于江西省九江市庐山西麓,北距九江市16公里,东距庐山牯岭街50公里。因处于西林寺以东,故名东林寺。建于东晋大元九年(384年),为庐山上历史悠久的寺院之一。东林寺是佛教净土宗(又称莲宗)的发源地,也被日本佛教净土宗和净土真宗视为祖庭。1983年,被国务院列为汉族地区佛教全国重点寺院、国家著名佛教道场、江西省三大国际交流道场之一。

[2]慧性:佛教指智慧之性。

[3]真空:佛教语,一般指超出一切色相意识界限的境界。

[4]尘心:指凡俗之心,名利之念。

[5]妄动:轻率行动、胡乱行动。

开封相国寺[1]联

诸恶莫作,众善奉行[2],已了如来[3]真实义;

四大[4]本空,五蕴[5]非有,是为般若密多心。

【注释】

[1]相国寺:位于开封市中心,是中国著名的佛教寺院,始建于北齐天保六年(555年)。原名建国寺,唐代延和元年(712年),唐睿宗因纪念其由相王登上皇位,赐名大相国寺。北宋时期,相国寺深得皇家尊崇,多次扩建,是京城最大的寺院和全国佛教活动中心。《水浒传》描写的鲁智深倒拔垂杨柳的故事,就发生在其所辖之地。后因战乱水患而损毁。清康熙十年(1671年)重修。目前保存有天王殿、大雄宝殿、八角琉璃殿、藏经楼、千手千眼佛等殿宇古迹。

[2]奉行:遵照施行。

[3]如来:佛的别名。梵语意译。"如",谓如实。"如来"即从如实之道而来,开示真理的人。又为释迦牟尼的十种法号之一。

[4]四大:佛教以地、水、火、风为四大。认为四者分别包含坚、湿、暖、动四种性能,人身即由此构成,因亦用作人身

的代称。

[5]五蕴:佛教指人的色、受、想、行、识五种刹那变化的成分,由这五种成分的暂时结合而形成了个我。

潮州开元寺方丈室联

[清]慧原

方圆无碍华藏界[1];
丈尺难量净法身[2]。

【注释】

[1]华藏界:又称莲华藏世界,即自莲花出生之世界,或指含藏于莲花中之功德无量、广大庄严之世界。据《华严经》卷八《华藏世界品》的记载,此世界为须弥山微尘数之风轮所持,其最底之风轮称为平等住,最上之风轮,称为殊胜威光藏。最上之风轮能持香水海,其中有一大莲华,称为种种光明蕊香幢。莲华藏世界即在此大莲华之中,周围有金刚轮山围绕,其内大地皆由金刚所成,坚固不坏,清净平坦,无有高下,尚有世界海微尘数之庄严。又此大地中亦有不可说微尘数之香水海,一一香水海之周围有四天下,及微尘数之香水河,诸河中间之地,悉以妙宝庄严,分布如天帝网。一一香水海中亦有不可说微尘数之世界种,一一世界种复有不可说微尘数之世界。莲华藏世界中央之香水海称为无边妙华光,由海中出大莲华,其上有称为普照十方之世界种。

[2]此对联为嵌字联,将“方丈”室名嵌入对联之首。小小

的方丈之室即是广大无比的华藏世界,含义甚妙。

四川新都宝光寺[1]大雄宝殿联

[清]何元普

世外人法[2]无定法,然后知非法法也;
天下事了犹未了,何妨以不了了之。

【注释】

[1]宝光寺:在四川新都县城北。相传始建于东汉,现今殿宇为清康熙时重建,规模宏伟,由一塔、五殿、十六院组成。

[2]法:道理。《唯识述记二》云:"法者,道理义也。"法无定法,法包括正反两面,正面——法;反面——非法,两方面不断转化,故云无定。不了了之,未了的事情放在一边,不去管它,就算了结。上联说:在出家人看来,法(道理)并非固定不变,可见非法也是法的一个方面。下联说:天下事错综复杂,看起来好像了结,实际上并未了结,不如搁在一边,不去管它。此联宣扬了佛教不拘泥、不执着的思想。出句讲虚,对句讲实,虚实相对,平仄协调。